レンブラント
「聖ペテロの否認」

（1660年　アムステルダム国立美術館蔵）

文春文庫

ペテロの葬列

上

宮部みゆき

文藝春秋

ペテロの葬列
上

プロローグ

後になって、誰が誰だったか思い出しきれないほど多くの人びとから、私は尋ねられた。あのとき何を考えていたか、と。あるいは、何か考えることができたかと。

いつも、私はこう答えた。「よく覚えていないんです」

問われて答える機会が重なるにつれて――私の答えを聞いてうなずき、同情し、労《いたわ》ってくれる人びとの顔を、彼ら自身も気づかぬほど素早くよぎる好奇と猜疑《さいぎ》の色を目にすることが重なるにつれて、私は狡賢《ずるがしこ》くなり、ちょっと間を置いてこう言い足すようになった。

「言葉の綾じゃなく、頭が真っ白になってしまってね。何か考えていたのかもしれませんが、今では思い出せないんです」

そして、私もまた彼らと一緒にうなずいてみせるようになった。そうすることで、彼らの顔をよぎった好奇と猜疑の色が、すぐには戻ってこないようにすることができると学んだからである。共に、心地よい安堵《あんど》を分け合うことができるとわかったからである。

あのとき何を考えていたか。

事態が収拾されたばかりのころ、私は、私に向かってそう問いかけ、答えを引き出す資格がある人物は、一人しかいないと思っていた。妻である。七歳の娘は年齢制限でひっかかるし、そもそも事の詳細を知らない。こんなケースでは、知らせないことが親の義務でもある。

あのとき何を考えていたか。

案に相違して、妻は私にその問いを投げなかった。彼女を悩ませていたのは、私には思いがけない疑問だった。

「あなたばっかり、どうしてこんな目に遭《あ》うのかしら」

私は、その場で思いついたことを言った。

「僕は飛び抜けて幸運な人間だから、神様が、たまにはバランス調整をしないと不公平だと思うんじゃないかな」

妻は微笑した。何となく点《つ》けっぱなしにしていた深夜のテレビに映った古いB級映画のなかで、気の利いた台詞《せりふ》を聞いた――というくらいの微笑《ほほえ》みだった。

「そんな上手なことを言うなんて、あなたらしくない感じがする」

妻は少しも納得していなかったし、同時に、このことではどれほどしつこく私を問い詰めても、彼女の求める答えは返ってこないと諦《あきら》めているようでもあった。

「もう忘れようよ」と、私は言った。

「事件は片付いたんだし、みんな無事だった」

そうねと、彼女はうなずいた。瞳は少しもうなずいていなかった。

「君はあのとき何を考えていたか」と私に問う資格を持つ人物は、実はもう一人いた。

私はその人物を除外していたというより、畏《おそ》れと遠慮と後ろめたさに追われて、その人物から逃げていた。

妻の父、私の義父の今多嘉親《いまだよしちか》である。今多コンツェルンという一大グループ企業を率いる会長で、財界の要人で、今年八十二歳になるが、若き日に〈猛禽《もうきん》〉と称された鋭い眼光と、その眼力の源泉である頭脳の切れにはいささかの衰えもない。私の妻の菜穂子《なほこ》は、彼の外腹の娘だ。

菜穂子はいかなる形でも今多グループの経営に関わってはいないし、将来も関わる可能性はない。会長の娘という権威は身にまとっても、権力は持たない立場だ。一方、菜穂子の夫である私は、会長の婿という権威さえ身につけていない。ただ結婚の条件として、そのころ勤めていた小さな出版社を辞め、今多コンツェルンの一員となり、会長室直属のグループ広報室で社内報の記者兼編集者として働くことを提示され、私はその条件を呑んだ。結果、義父は私の雲上人のような上司になり、私は今多コンツェルンの末端の社員となった。だから今多嘉親には、身内としても上司としても、私に質問する資格があった。

「ああいうとき、人間は何か考えられるものだろうかね」

正確には、義父は私にそう尋ねたのだった。

「申し訳ありません」と、私は答えた。

義父はちょっと顎を引いた。

「誰か君に謝れと言ったか」

「いえ、ですが……」

「そんなにあわてて謝るところを見ると、さては君、あのバスのなかで、菜穂子と桃子《ももこ》以外の女の顔でも思い浮かべていたんだな」

桃子は私と妻の一人娘の名前である。

私がB級映画の台詞のようなことを言おうと狼狽《うろた》えているうちに、義父は笑った。

「冗談だよ」

そのとき我々は義父の私邸の書斎で、机を挟んで向き合っていた。このやりとりを聞いているのは、書架を埋め尽くした大量の本と、書架の隙間《すきま》に飾られている数点の美術品だけである。

「実際、何か考えられるものだったか？　君には失礼かもしれないが、私は純粋に好奇心で訊《き》いているんだ」

義父の目には、確かに知的好奇心の発露を示す光が宿っていた。

「会長はいかがですか」と、私は問い返した。「これまでの人生で、命の危険にさらされたことがおありでしょう。そんなとき、何かお考えになりましたか」

義父の目が、光を宿したまま瞬《まばた》きをした。

「そりゃまあ、あったさ。我々は戦争世代だからな」

第二次世界大戦の終盤、義父は徴兵されて従軍している。だがこれまで、どんな機会にどんな場で尋ねられても、それについて詳しく話したことがない。自分には語るほどの経験がない、というのが本人の弁だ。

「しかし、君が巻き込まれたような事件と、戦争とは比較の対象にならないよ。だからこそ好奇心がうずくんだ」

私は義父の顔から目をそらし、義父の背後にある、見事な革装の世界文学全集の背表紙へと視線を投げた。

「会長は以前、私にこうおっしゃったことがあります。殺人行為は、人がなし得る他者に対する極北の権力行使だと」

二年ほど前、私たちグループ広報室のメンバーが被害を受けたある事件の際に、義父は怒りを隠さずそう述懐したのである。

「ああ、言ったな」

「そんなことをするのは、その者が飢えているからだと。その飢えが本人の魂を食い破ってしまわないように餌《えさ》を与えなくてはならない。だから他人を餌食《えじき》にするのだ、と」

義父は、机に肘をついて指先を合わせた。ここではよくこのポーズをとる。すると私は、神父に向き合う信者のような心地になる。

「先日の事件でも、私はそうした権力行使の対象にされたことになるわけですが」

拳銃を突きつけられ、言うとおりにしなかったら射殺すると脅されたのだから。

「何故か、あの犯人からは、会長がおっしゃったような〈飢え〉を感じなかったのです」

義父は私を見つめている。

「だから怖《おそ》ろしくなかったというわけではありません。私も、一緒に人質になった人たちも怯《おび》えていました。犯人が本気でなかったとは思いません」

「現に撃ったんだからな」と義父は言った。

「はい」

「君には、あの結末が予見できたか」

かなり長いこと世界文学全集を見据えて考えてから、私はゆっくりとかぶりを振った。それからやっと、義父の顔を見た。

「事態がどう転がるか、まるで予想ができませんでした。しかし、あの結果になったときには、それが当然のように感じられました」

落ち着くところに落ち着いた、と。

「目の前で起こった出来事ですが、あまりにも呆気《あっけ》なかった。瞬きする間に終わっていたような気がします」

発生から収拾まで三時間余りの事件だった。国内で発生したバスジャック事件のなかでは、最短で解決した事例だという。

「子供の自転車を……見ていました」

訝《いぶか》しげな義父に、私は微笑した。

「バスの駐《と》まっていた空き地の隅に、乗り捨てられていたんです。グリップとサドルが赤い、小さな自転車でした。乗降ドアのガラス越しに、私にはよく見えました」

今にも、ふいと持ち主の少年か少女が現れて、赤いグリップに手をかけ、スタンドを蹴ってサドルにまたがりそうな気がして、たまらなかった。

「お義父《とう》さん」と、私は言った。「お尋ねを受けて、やっとわかりました」

義父は黙ったまま、わずかに身を乗り出した。告解を促す神父のように。

「私はあのとき、何も考えられませんでした。だから今になって、考えずにいられません」

あの場にあるべきだった〈飢え〉が、どこかに残っているのではないか、と。

1

九月も三週目に入り、残暑もようやく薄れ始めたころだった。私と編集長が向かおうとしているのは海辺の家で、インタビューが長引いて帰りが日暮れ過ぎになると、背中を押す潮風で思いのほか身体《からだ》が冷えることを、二人とも学習していた。これで通算五度目の、そして最後の訪問になる予定だったから。

大判のトートバッグのなかに薄手のカーディガンを丸めて突っ込んで、園田《そのだ》瑛子《えいこ》編集長は、私に言った。

「ねえ、予備のICレコーダーを持ってくれた？　こないだみたいに、途中でいっぱいになっちゃったら困るんだから」

我らがグループ広報誌「あおぞら」の編集部は、社員三名に準社員一名、アルバイト一名のこぢんまりした所帯だ。高層インテリジェント・ビルである本社の裏にひっそりと佇《たたず》む、三階建ての別館の三階にある。

ここは別天地であると同時に孤島だった。それも流人《るにん》の孤島である。

菜穂子と結婚して十年、つまり今多コンツェルンの末端社員の一人となって十年以上が経《た》つ私だけれど、未だにこの膨大なグループ企業の全貌をつかむことができないでいる。義父は、自身の父親から受け継いだパレット輸送を主とする小さな運送会社を、一代でここまで巨大で複雑な企業体へと育てあげた。今も〈本家〉は物流会社だが、それはいわば大木の幹の部分であり、枝葉には多種多様な傘下の会社がくっついている。

義父はかねがね、そんな複合企業体に働く数多《あまた》の従業員たちの同床異夢——コミュニケーション不足が気になっていたらしい。そこであるとき、もう十数年前になるが、グループ全体に行き渡る横断的な社内報を発行しようと思い立った。それが「あおぞら」創刊のきっかけだ。だから発行人は今多嘉親その人である。

園田瑛子は、創刊時からの編集長だ。会長直々の抜擢《ばってき》だった。大学を出て新卒で今多コンツェルンに就職し、事務職として様々な部署を渡り歩き、傘下の会社に出向した経験も豊富なベテラン女子社員——いわゆるお局様《つぼねさま》の彼女が、その社歴のどの時点で会長の目にとまったのか、私も正確なことは知らない。

「あたしは本社の社内報編集部にいたことがあるからね。そのときの書きっぷりがお気に召したんじゃないの」

というのが本人の弁で、実際それ以上の理由はないのかもしれない。ただ、彼女の処遇に謎めいた所以《ゆえん》を感じる向きは多く、だから園田瑛子が会長の愛人（もしくは元愛人）だという噂は根強い。この真偽を、園田女史曰く〈会長の婿殿〉である私に問い質すような猛者《もさ》は見あたらず、仮に問われたとしても、私にもわからない。ただ、菜穂子はこの噂を笑い飛ばしている。

「園田さんは、今多の奥様とも、うちの母ともタイプが違い過ぎるもの」

ほかでもない自分の母親が今多嘉親の愛人だったことがある娘の言うことだ。私は手放しで信用する。そして菜穂子が、自分の父親の正妻であり、歳の離れた二人の兄たちの母親でもある亡き女性を指して〈今多の奥様〉と呼ぶときの目の色が、

「あたしは会長の愛人なんかじゃないわよ」

と、苦笑いしながら言うときの園田瑛子の目の色と驚くほどよく似ていることも、私の信用を裏書きしてくれる。

ともあれグループ広報室はそういう場所だ。だからここに配属される社員たちは、どんな意味合いであれ前線から外された者たちばかりである。すなわち流人だ。彼または彼女がルーキーであるかロートルであるかによって、島流しの時期と理由が異なるだけだ。

園田瑛子は、その島の長《おさ》である。必然的に異動が多くなるこの広報室内にどっかりと腰を据え、多くの流人を受け入れ、見送ってきた。受け入れた流人のなかでも、扱いにくい筆頭がこの私だと思うけれど、彼女はそんな私を上手にこき使い、しばしば〈会長の婿殿〉〈今多家の使い走り〉とからかって、私と周囲とのあいだに溜《た》まるガスを抜く

ことまで周到にやってのける。賢い人なのだ。私が面と向かって、実は私は貴女《あなた》をちょっぴり尊敬しているんですよと言ったら、彼女はどんな顔をするだろう。

つまり私は、園田瑛子の編集長ぶりに、まったく不満がないのだ。ただ、彼女の機械オンチぶりだけは、少々持て余すことがある。

「この前、ICレコーダーが止まったのは、いっぱいになったからじゃありませんよ。電池が切れたんです」

それに予備の録音機器なら、言われるまでもなく私は常に携帯している。もうひとつのICレコーダーと、旧式のカセットテープを使うレコーダーだ。後者は、私が純然たる趣味で手放せないでいるものだった。

「編集長のレコーダーなら、さっき僕が電池を取り替えて、動作テストをしておきましたから、大丈夫ですよ」

パソコン画面でレイアウトのチェックをしていた野本《のもと》君が、我々を振り返って言った。半年ほど前に採用したアルバイトの大学生で、国際経済学を学ぶ二十歳の青年だ。万事にまめまめしく気の利く、こざっぱりとお洒落《しやれ》な男の子で、ここで働き始めて三日後には〈ホスト君〉という綽名《あだな》をつけられた。本人はまったく嫌がらない。本当にバイトでホスト業をしようと、面接を受けて落ちたことがあるのだそうだ。

「あたしのレコーダーに触ったの？　嫌だ、データを消しちゃったりしなかった？」

「消してませんけど、バックアップのコピーはとりました」

だから、編集長がフォルダを間違えてかぶせ録《ど》りしちゃっても大丈夫ですよ——という言葉を口にはせず、目顔で私に合図して寄越《よこ》した。私は顔の半面、彼の方を向いている側だけで笑って応えた。

園田編集長はトートバッグを探ってICレコーダーを取り出すと、本当に野本君の言うとおりなのか確かめるようにいじり始めた。

「あの爺さん、話が長いのよ」

「今日で終わりですよ」と私は言った。

「今まで録った分、みんなバックアップしてあるの？　それなら、前回のテープ起こしをやっといてくれないかしら」

「僕がやっていいんですか？　井手《いで》さんに叱られちゃうんじゃないかな」

井手正男《まさお》はここの同僚の一人である。「あおぞら」の歴史上、園田瑛子以外では初の、今多コンツェルン本家からきた社員だ。

「僕、嫌われてるから」

野本君は頭を搔《か》く。染めていない黒髪、今風の気取ったカットで、園田編集長は最初の面接の後、「あのジャニーズくずれの髪型を何とかしたいわね」と言っていたが、いっこうに何ともされる様子はない。実は気に入っているのかもしれないと、私は思う。

「安心しなさい。井手さんが嫌ってるのはあんただけじゃない」

「いいんですか、そんなこと言って」

「本人がいないんだから、いいじゃない。ここだけの話よ。会長の婿殿が秘書室に告げ口するかもしれないけど」

私はへらへら笑って言った。「編集長、足が痛いからって、八つ当たりはいけませんね」

園田瑛子は「あおぞら」の編集長に就任すると同時に、制服はもちろん、キャリアウーマン然としたスーツやパンプスとも縁を切った。季節を問わずいつでも、エスニック風の色とりどりでひらひらしたパンツルックで通している。

だが、彼女が「あの爺さん」と呼ぶ取材の相手――昨年春まで今多コンツェルンの取締役の一人だった森信宏《もりのぶひろ》氏が、初訪問の際の彼女の出で立ちにいたくご立腹になったので、仕方なしなし、このロング・インタビューの時だけは、クロゼットの奥から引っ張り出したスーツを着込み、「葬式用よ」と本人が自己申告する黒いパンプスを履いているのである。六センチヒールのそのパンプスは、気ままなファッションに慣れきった彼女の足にとっては、魔女狩りの拷問具に等しいらしい。で、機嫌が悪くなるのだ。

「ホントに今日で最後なのよね」

口を尖《とが》らせ、私を睨《にら》んで編集長は言った。

「あの爺さんがまだしゃべり足りないなんて言い出したら、あたし悲鳴をあげちゃうわ」

「インタビューは五回の約束です。今日で終わりですよ」

「記事は間野《まの》さんが書くんですよね？」

と、野本君が訊いた。椅子を回してこっちへ向き直っている。

「あたしが編集長のゴーストライターをやるんだって、張り切ってましたよ」

間野京子《きょうこ》は四人目の編集部員だ。

「文章、巧《うま》いですもんね。店にいたときも、お客さんに配るペーパーとか、ホームページの記事とか、みんな間野さんが書いてたんだって言ってた」

のどかなグループ広報誌にも、昨今の経済危機の波は押し寄せている。社員、準社員四名とアルバイト一名という編成は、これまででもっとも小さい。しかも、そのうちの一人の井手さんはほとんど戦力外ときている。

一方、本人が自負するとおりに文章の巧い間野さんはよく働いてくれており、アルバイトとはいえ貴重な戦力である野本君とも仲がいい。彼女は三十歳になったばかりで、編集部内では野本君といちばん歳が近いということもあるのだろう。

「あのね、何度も言わせないで」

園田編集長が険しく目を細め、野本君を叱った。スーツに合わせて濃いめにメイクしているので、そんな表情をすると、瞼《まぶた》の上のシャドウが光る。

「〈店〉って言うのはやめなさい。せめて〈前の職場〉って言うのよ。また井手さんの神経に障るんだから」

「だって、いないからいいって」

「いないときに言っていいのは、悪口よ。こういうことは、いないときにこそ、しっかり習慣をつけとかないと駄目なの」

間野京子の前の勤務先は、義父が買収して傘下に入れた高級エステサロンである。義父のすることに無意味なことはない。ここは高名な舞台女優の御用達で、宣伝や広告は一切せず、紹介のない客は受けず、法外な代金をとるが顕著な効果をあげるという。これには菜穂子の保証がある。

間野さんは腕のいいエステティシャンで、それも菜穂子の折り紙付きだった。ところがその彼女が、家庭の事情のために、顧客の都合によっては不規則な勤務を強いられることのあるその仕事が続けられなくなった。普通ならただ辞めてしまうところだが、その腕前と明るい人柄に惚れ込んだ菜穂子が、また元の仕事に戻れるようになるまで、九時五時勤務で確実に週休二日がとれる「あおぞら」編集部へ、彼女を推挙したのだ。

「お父様、お願いがあります」と。

私の妻、杉村《すぎむら》菜穂子は、どのような形でも今多コンツェルンには関わらない。まして や人事に口出しするなど、これまで一度もなかった。間野さんのことは例外中の例外だ。そして義父は、愛娘《まなむすめ》のこの異例の行動に驚き、喜んだ。思うに、義父は、いっぺんぐらい菜穂子がこういうわがままを言ってきてくれないかと、密《ひそ》かに待っていたのかもしれない。

どんなに鼻の下を伸ばしていようが今多嘉親は今多嘉親だった。義父は菜穂子には知らせず、間野京子の評判や能力を調べさせた。こういうときに活動（暗躍）するのは、言葉の真の意味で会長直属の秘書室の連中で、彼らの調査報告を受けて満足した義父は、迷わず間野さんを「あおぞら」に引っ張った――という次第だ。

こうしたいわば情実人事に、園田編集長は動じなかった。なにしろ私、杉村三郎《さぶろう》という厄介なお荷物を背負っているのだ。今さら何があっても驚かない。会長のご指示どおりにいたします、と一礼するだけだ。

間野さんは明るく気取りのない人柄だった。仕事熱心で、意外な文章力があることも、義父は調査して知っていたのだろうし、間もなく我々も知ることになった。どこにも問題はない。

ただ、井手さんが絡むと、少しばかりこんな不協和音がたつ。で、大ざっぱなようでいて意外に神経の細かい編集長が、裏に回って気を使うというわけだ。

「僕は井手さん、大人げないと思うけどな」

野本君は不満そうに呟《つぶや》いて、右の耳たぶをいじった。ピアス穴が三つある。もちろん、ここで勤務しているあいだは、穴だけだ。

「だってあの人、いくつです？」

「四十七歳よ」

「うちの親父とひとつしか違わないや。いい加減、小学校の優等生みたいなカラ威張りはやめるべきですよ」

編集長は横目になった。「ホスト君、あんた、四十七歳になる日を楽しみに待ってなさい。あたしがタイムマシンに乗って現れるから。で、チェックしてあげる。あんたが部下に向かって空威張りするサラリーマンになってないかどうか」


午前十一時、園田編集長と私は東京駅から特急に乗った。

「あたしの子供時代なら、泊まりがけで海水浴に行ったような場所よ」

この台詞を聞くのも五回目だ。

「まだ納得いかないなあ。森さんって、絶対に海辺の別荘地で隠居するようなタイプじゃないもん。現役感バリバリなんだし」

「だから話も長いんです」

「でしょ？　だったら都心に住んで、どっか系列会社の監査役か何かやればいいのよ」

大ざっぱなようでいて繊細な園田瑛子は、繊細なようでいて意外な死角を持つ人物でもある。大手都銀から引き抜かれ、今多コンツェルンの財務畑ひと筋に歩んできた森取締役は、なるほど七十歳になったからといって隠居するような人物ではない。彼がすべての役職から退き、房総半島の海辺にある別荘地〈シースター房総〉に引っ込んだのは、彼自身のためではなく、認知症を患っている夫人のためだ。編集長がそれに気づかないのは、当の夫人がまったく私たちの前に現れないからだろうし、しかもその上に誤解を重ねている。きっと見高《けんだか》な〈奥様〉で、窓際族のグループ広報誌の編集部員になんか、挨拶《あいさつ》するには及ばないと軽んじているのだろう、と。他には何の根拠もないのに、一途《いちず》にそう思い込んでしまうところは、流人の島の長にもそれなりの鬱屈《うっくつ》とコンプレックスがあるからだろう。それが死角をつくるのだ。

森夫人の病状を、私は事前に知っていた。義父から聞いていたのだ。そして、本人が言い出さない限り話題にしてはいけないと釘を刺されていた。

だが、インタビューは今日で終わりだ。編集長がいつか、まるで見当違いなところで森夫妻の闘病について聞かされ、深い自己嫌悪に陥るのを防ぐために、打ち明けてもいいタイミングだと思ったから、私はそうした。

ペットボトルの緑茶を手に、しばらく黙り込んでから、彼女は訊いた。「あのへんに、いい病院があるのかしら」

「専門の介護施設があるんですよ。いよいよとなったら、夫人をそこに入院させる予定だそうです」

「そう……」

またちょっと黙ってから、気の強い小学生のような顔をして、編集長は言った。

「でもやっぱり、森さんの話は長いわよ」

目的の駅のホームに降りると、潮風に吹かれながら、我々は駅舎のすぐそばにあるファミリーレストランに向かう。ここで昼食を済ませ、午後一時ジャストに森邸のインタフォンを鳴らすというのが毎回の段取りだ。住み込みの家政婦さんが我々を出迎え、外房の海を見おろすことのできるリビングに通してくれて、インタビューが始まる。

三時になると休憩をとり、家政婦さんが茶菓を持ってきてくれる。三十分ほど休んでまた再開し、終わるのは毎回六時過ぎだ。社内報に載せる記事を書くにしては長すぎるインタビューになっているのは、この聞き書きを元に、グループ広報室の編集で森取締役の回想録を出そうという企画があるからだった。もっともこちらは、実現するかどうかまだ確定していない。出版については、インタビューを原稿に起こしたものを森氏が読んで、彼の仕事人生に照らして恥ずかしくないものになっていると確かめてから決めるという。

精悍《せいかん》な小兵である義父とは対照的に、森信宏氏は偉丈夫だ。若いころには美丈夫と呼ばれたろう。ゲルマン系のDNAが混じっていそうな彫りの深い顔立ちで、肌は白く瞳の色は淡い。このインタビューでは持ち出せない話題だが、かつては財界人のなかでも指折りのモテ男だったそうだ。

挨拶を済ませると、いつものようにてきぱきと、森氏はインタビューに取りかかった。麻のシャツの上にジャケットを着ている。日焼けしているのはゴルフのせいだ。その気にさえなれば、今でも充分な艶福家《えんぷくか》になれることだろう。

最終回の今日は、森氏が今多コンツェルンの財務トップの座に就いてからの話になる。ときどき、どきりとするほど鋭い今多嘉親批判が飛び出して、そのたびに編集長が横目で私を見るのが可笑《おか》しい。失敗は失敗、善政は善政、今はまだそれを判断できる段階ではない事柄には、はっきりとそう言う。私はむしろ爽快だった。きっと義父もそう言うだろう。

休憩後の後半は、インタビュー全体を概観したまとめの話になった。森氏の人生論も混じり始めたので、家族のこと、夫人のことが話題になってもおかしくなかったから、私は少し緊張したが、我らが〈金庫番〉の明晰《めいせき》な頭脳と滑《なめ》らかな口舌には、それは余計な心配だった。

「まあ、だいたいこんなところかな」

肘掛け椅子に座り直し、脚を組んで森氏は言った。リビングのフランス窓の外には、水平線に茜色《あかねいろ》をひと筋残して、暮れゆく海の絶景が広がっている。

「書き起こしてもらった原稿を見て、手入れが必要なところには書き込むよ。私の記憶が曖昧《あいまい》な部分もあるだろう」

「畏れ入ります」

並んで頭を下げる我々に、森氏は笑いかけた。「疲れたろう。私はクタクタだよ」

「毎回、長い時間を頂戴してしまいました」

「いや、暇な身体だからそんなのはいいんだ。ただ、この歳になると、思い出すってことそのものが大儀なんだよ。蓋《ふた》をしておきたいことが一緒に出てきてしまうのを、いちいち押し戻さなくちゃならないからね」

家政婦さんを呼んでコーヒーをお代わりすると、「君らも、熱いのを飲んでいきなさい。いつも何の愛想もなくて申し訳なかった」

「とんでもないことです」

姿勢はそのままに、森氏のモードが切り替わったのを、私は感じた。

「杉村君」

「はい」

「菜穂子さんはお元気ですか」

眼差《まなざ》しが柔らかくなっていた。

「おかげさまでつつがなく過ごしております」

「それはよかった。僕は菜穂子さんが独身時代に、うちの家内の活動の関係でお会いしたことがあるんですよ」

自称が〈私〉から〈僕〉になり、ですます言葉になったのは、元部下ではなく今多家の親族である私に話しかけている、というアピールだろう。賢明な編集長は、しとやかに録音機器やメモの後片付けをしている。

「家内は、いろいろと手広くボランティアみたいなことをしていたからね」

菜穂子がそれを手伝ったことが、何度かあったのだそうだ。

「あれは、視覚障害者向けの録音図書を充実させようっていうグループ活動だったかな」

「菜穂子は図書館で、児童書の読み聞かせボランティアをしています。独身時代から続けていることのようです」

「ああ、じゃあそっちのスキルを買って、家内がお願いしたんでしょう」

家政婦さんが来てコーヒーカップを並べ替えるのを、編集長が手伝った。

「うちのは何しろ顔が広くって、人使いが荒かったから、菜穂子さんにもご迷惑をおかけしたかもしれません。しかし素晴らしいお嬢さんで、感嘆しました。あのときばかりは会長が羨《うらや》ましかったなあ」

「ありがとうございます」

「うちに息子がいたら、菜穂子さんを嫁にくれとねだるのにと、家内も言っていた。それから間もなくですよ、君にさらわれてしまったのは」

私に何も言わせず、「いやはや伏兵でした」と笑って、続けた。「でもね、なまじグループ内の誰かと姻戚関係になるよりも、君のような自由な男と結婚して、菜穂子さんは幸せですよ。僕も……そうだな、この歳になって、ちっとは生臭さが抜けてきたから、そんなことを思うんだろうけど」

編集長がしとやかに微笑してくれているので、私も同じ表情を決め込んだ。

「君もいろいろ気苦労が多いでしょうが」

森氏は私の目を見て言う。

「菜穂子さんの幸せを守ってあげてください。ほかのどんなことよりも、生涯の伴侶と決めた女性を幸福にすることが、男にとって最大の務めです」

私はまた頭を下げた。「お言葉、肝に銘じておきます」

過去四回にはなかったことだが、森氏は辞去する我々を玄関先まで送ってくれた。家政婦さんが先に立ち、車回しの先の門扉を開けに行く。

「おしまいに来て弁解するようだが、家内が一度もご挨拶をせず、失礼しました」

このタイミングで言おうと準備していたのだろう、淀みない口調だった。

「杉村君の耳には入っているんでしょう。家内はだいぶ、状態がよくなくてね」

私は曖昧にうなずき、編集長はその私に、何のことかしらと問うような顔をした。行きの特急で打ち明けておいてよかった。

「認知症なんだよ」と、森氏は編集長に言った。「この家で、一年ぐらいは一緒に暮らせるかと思っていたんだが、どうも無理のようだ。私も辛《つら》いし、家内にはもっと酷だろう。いや、本人はもう何もわからんと医者は言うんだけれど、私にはね、今の家内のなかに閉じこめられてしまった昔の家内が、自分のこんな姿を見ないでくれと、泣いて怒っているのがわかるんだ」

家政婦さんは門扉のそばで待っている。強い海風に、彼女のエプロンの裾《すそ》がひるがえる。

「私が言うのも何だが、才色兼備の、そりゃいい女だった。婆さんになってからも、いい女だった。菜穂子さんにも負けないくらいの」

言って、森氏は私の肩をぽんと叩いた。

「余計なことを聞かせました。ところで、いつもタクシーを呼ばないのかな?」

我に返ったように、編集長が姿勢を正した。「はい。バス停がすぐ近くにございますから」

「〈しおかぜライン〉という、あの黄色いバスだね?」

駅からこの〈シースター房総〉を通って巡回する路線バスである。一時間に一本ぐらいの運行なので、行きはタイミングが合わずにタクシーを使うが、時刻表をチェックしてみたら、帰りはちょうどいい頃合でバスが来るとわかって、便利に乗っている。「あおぞら」もご多分にもれず緊縮財政だから、節約できるところは節約する方がいい。車体がきれいで乗り心地がよく、いつもガラガラのバスで、しかも帰りの特急の乗り継ぎにもぴたりと合っていた。

「あのバス会社は、ここのデベロッパーが買い取って子会社化したんだよ。引退してから別荘地に定住しようなんていう年寄りの夫婦だと、自家用車の運転ができない場合もあるからね」

「それは存じませんでした」

空《す》いている割にはいい車体なのも、それを聞けば納得がいく。

「ほかにもあと三路線ぐらい走らせているはずだ。赤字ばっかりの小さいバス会社だけども、潰《つぶ》れてしまえば地元の人たちの足がなくなる。環境破壊をしまくって、銭金のことしか考えてないと言われるデベロッパーだって、たまには善行を為《な》すわけさ」

私は言った。「そのことに、本のなかで触れてはいかがでしょうか。あとがきでもよろしいかと思いますが」

森氏は軽くまばたきした。「そうだね。いい考えかもしれない。今の私がどんな場所にいて、昔を振り返って偉そうな口をきいているのか、読者にことわりを入れた方がいいかもしれないしなあ……。まあ、何人いるか怪しい読者だけども」

別れ際になって、森氏は気さくで温かな人柄の片鱗《へんりん》を見せてくれた。現役時代、外部の金融関係者からも、直属の部下たちからも、夢に出てくるほど恐れられた怖い〈金庫番〉は、実は秘書室の女性たちのあいだではいちばん人気の取締役だったということを、私は思った。

「会長に、どうぞよろしく伝えてください」

一礼して、森氏は言った。

「ご配慮、有り難く身に染みていると」

我々も丁重に挨拶を返し、門扉を通って別荘地内の道路へ出た。芝生や花壇に縁取られ、ぶらぶら歩いて心地よく、車で通って便利な舗装道は、〈シースター房総〉の建物の配置と同じように、人間工学的に考え抜かれた設計がなされているに違いない。

いつも我々が乗るのは、十九時ちょうどに〈シースター房総　サンセット街区〉というバス停に来る便だ。三分も歩けばたどりつくそのバス停が、今日の私には遠く感じられた。六センチヒールのせいばかりではなく、編集長も同じように感じているらしい。

「あたし、まだまだ素人だわ」

ふくらんだトートバッグを肩に、

「さっきみたいな言葉を、せめて二回目のインタビューで引き出せなくちゃ、プロじゃないよね」

もっと話を聞きたかったたな、と呟いた。

「チャンスはまだありますよ。さっきの感じだと、単行本の企画にも、すんなりとゴーサインが出そうじゃありませんか」

ぶらぶら歩いてゆくうちに、〈サンセット街区〉のバス停が見えてきた。透明な樹脂製で、近未来的なフォルムの雨よけに守られた黄色いベンチが、夕闇のなかにぼんやりと光っている。バス停の標識柱も、雨よけやベンチとデザイン・色調共に揃えてある。森氏の話を聞いて今さらながら気づいたが、これらの設備も、デベロッパーによって買収後に整備されたものなのだろう。

編集長と私はベンチに腰をおろし、てんでにパソコンと携帯電話の着信やメールをチェックした。いつもの習慣だ。月刊の「あおぞら」の発行業務は、最終校了日を除いてはさしてハードなものではないが、コンツェルン内の全業務・全企業にくまなく目配りする内容のものである以上、細かな修正や微妙な気配りを要することは多くて、その分、取材対象とのやりとりを頻繁に行うことになる。毎回、森氏のインタビューに午後を費やしてここに座ると、編集長も私も結構な量の返信待ちメールや留守録に対面するのだった。

「もう、嫌ねえ」

携帯電話の画面を見て、園田編集長が舌打ちした。

「〈ウエルネス〉が、また写真の差し替えを言ってきてる」

グループ内の健康食品・サプリメントの通販専門会社である。

「お試し七日間セットのパッケージを変えるんだって。そんなの前から決まってたことなんだろうから、先に言えっていうのよね」

私の携帯メールには、菜穂子からの伝言があった。義姉から急なお声がかりで、桃子を連れて夕食に行くからよろしく、という内容だ。午後三時過ぎに着信している。

〈了解　返信が遅れてごめん〉と、私はメールを返した。そして、ふと思いついた。

「編集長、どうでしょう、今夜は一杯やりませんか」

園田編集長は、「これから動物園に行きませんか」と言われたみたいな顔をした。

「何で？」

「何でって……インタビューがひと区切りついたし」

「でも、誰か残ってるかしら」

毎回、このインタビュー後に機材を置きに編集部に戻っても、誰か残業していたことはない。そういう時期ではないからだ。

「編集長と副編集長の飲み会じゃ駄目ですかね？」

私は一応、副編なのだ。

「あたしが会長の婿殿とサシで飲むわけ？」

「たまにはいいでしょう」と、私は笑った。「新橋に、旨《うま》い焼鳥屋があるんです。以前、谷垣《たにがき》さんに連れていってもらったんですよ」

谷垣さんは、グループ広報室の元メンバーだ。定年退職し、今は夫人とのんびり暮らしているはずである。

園田編集長お得意の〈会長の婿殿〉というフレーズは、私の綽名としてはきわめて穏当な方だ。陰では、スパイとかゲシュタポとか、腰巾着《こしぎんちゃく》とか言われていることを、私は知っている。今多一族の寄生虫とか、会長の娘のヒモという陰口も。

頻繁に顔ぶれの変わるグループ広報室のメンバーと、私はこれまで仲良く働いてきた。それでも、表向きはうち解けて仲良くなったとしても、誰かが私に「一杯どうですか」と誘ってくれることはなかった。それでなくても腰掛け的な職場にいて、いったいどんな奇特な社員が、会長のスパイで会長の娘のヒモなんかと親しくなりたがるだろう。なって得があるならいいが、何にもないのに。

だが、谷垣さんはそんな私に、「一杯やろう」と誘ってくれた。今でも、私はときどき無性にあの人が懐かしくなる。今夜のように、妻が急な外食などで娘を連れて家を空けるとき、一人でぶらりと件《くだん》の焼鳥屋へ行ってみたこともあるくらいだ。

「美味《おい》しいの？」

「焼鳥はもちろん、煮込みも最高ですよ」

「へえ、いいわねえ」

編集長が携帯電話をしまいこんだとき、バスが見えてきた。

〈しおかぜライン〉のバスの車体は、まったく近未来的ではない。旧式なステップのある乗り合いバスで、前の扉から乗り込み、中央の扉から降りる。運賃は全ルート百八十円均一だ。

白い車体に、幅広の黄色いラインが、バスの左右の窓を挟むように走っている。この黄色がとても鮮やかなので、印象としては「あの黄色いバス」になるのだ。フロントガラスのまわりは、涼やかなブルーのラインで囲んであるのだが、こちらはあまり目立たない。

昨今の路線バスはだいたいそうだが、窓はめ殺しで開閉できず、その分、サイズが大きいので、遠目からでも車内が見通せる。

ベンチから腰を上げ、編集長が言った。

「珍しいこともあるもんね。今日はお客さんがいっぱいよ」

実は、いっぱいというほどではなかった。六、七人の乗客がシートに座っているのが見えるだけだ。ただ、それでも「いっぱい」と表現したくなるほど、このバスががらんとしていることに、私たちは慣れていた。

白と黄色の車体がゆっくりとバス停に寄ってきて、停車した。中央の降車ドアは閉じたまま、前の乗車ドアだけが、ぷしゅうと圧搾空気の抜ける音をたてて開いた。

「お待たせいたしました。〈シースター房総　サンセット街区〉です」

編集長が先にステップを上り、運賃を支払った。真ん中の通路を歩いて、後部座席へと進んでゆく。私も続いた。

「ご利用ありがとうございます」

水色の制服に制帽をかぶった、女性の運転手だ。歳は三十代半ばぐらいだろうか。前回乗ったときもこの人が運転していて、私は顔を覚えていた。色白で下ぶくれで、ちょっと眉の薄いところが、私の姉に似ていたからである。但《ただ》し、この女性運転手の甘やかなアナウンスは、姉の声とはまったく違う。姉は何でもはっきり言う人で、声音もその気性によく合っていた。

手すりにつかまりながら奥へ進んで、編集長は最後列の座席に座った。

「発車いたします。おつかまりください」

私は編集長からひとつ席を空けて、並びに座った。バスはゆらりと傾《かし》いで発車した。

中央の降車ドアから前は、一人掛けの座席が左右に並んでいる。降車ドアから後ろは、ステップが二段あがっていて、二人掛けの座席が三列、通路を挟んで、前部と同じように左右対称に並んでいる。そして最後列には、車体の幅いっぱいに五つの座席が並んでいる。

乗客は、私と編集長を除いて六人だった。前部の一人掛けに四人、後部の二人掛けに二人。この二人はバラバラに座っているから、連れではなさそうだ。

右の窓際の座席で、編集長がおやという表情になった。

「ねえ、杉村さん。あれ」

指でちょいちょいと正面をさす。乗車口の上部に設置されている液晶の掲示板だ。二行になっていて、上の行にはこのバスの路線名と番号が表示され、下の行には次のバス停の表示が出る。いつもはそれだけなのだが、今は下の行の表示の文字が、右から左へ動いていた。

「しおかぜライン　02系統はただ今運行を見合わせています　ご迷惑をおかけいたします　しおかぜライン　02系統は」

この路線は03系統である。駅から真《ま》っ直《す》ぐ南下して市街地を抜け、〈シースター房総〉の広大な敷地に達すると、その外側を時計回りにまわって走っている。

「02系統って、どこを走ってたっけ」

何があったのかしらねという編集長の呟きに、私のひとつ前の二人掛けの通路側にいた乗客が、こちらを振り返った。

「〈クラステ海風《かいふう》〉へ行くバスなんですけどね。交通事故で、道路が通行止めになっちゃってるんです」

六十年配のご婦人である。白髪を薄紫色に染めたショートヘア、襟元に刺繍《ししゅう》のついた黒いアンサンブル。軽快でお洒落な出で立ちだが、隣の席には大きなボストンバッグが置いてある。

「事故を起こしたトラックの積み荷のせいで、何だか大騒ぎらしいですよ」

〈クラステ海風〉とは、近々森夫人が入るであろう介護施設の名称だ。〈シースター房総〉の東側に隣接している。事故が起こったという道路は、そこへ通じているのだろう。

「トラックが事故って、積み荷を道路にばらまいちゃったんですか？」

編集長が前の座席の背もたれに手を載せて、身を乗り出した。

「そうらしいですよ。ひどい臭《にお》いなんですって。何ていうんですか、ホラあの、蒸発するような」

「揮発性ですか？」

「そうそう、そういうものを積んでたから、道路沿いの家の人が避難したとか」

あらまあと目を丸くして、編集長はまた携帯電話を取り出した。ニュースをチェックしようというのだろう。

「事故は何時ごろのことですか」と、私はご婦人に訊いた。

「さあ、バスが止まったのは一時間ぐらい前だったかしらねえ」

「〈クラステ海風〉の方々も避難したんでしょうか」

人体に有害な揮発性の液体が道路にぶちまけられたのであれば、これは大事《おおごと》だ。お隣の〈シースター房総〉にも、何らかの情報がもたらされて然《しか》るべきだろう。

「あっちは風上だから、大丈夫だったみたいですよ」と、ご婦人は言った。「心配ないって、アナウンスがありましたから」

私はちょっと考えて、理解した。どうやらこのご婦人は、事故の一報が入ったとき、〈クラステ海風〉にいたらしい。誰かの見舞いか、あるいは職員なのか。それで現場で、当施設に事故の影響はないという情報を得たのだ。

「ニュースには出てないなあ」

携帯を閉じて、園田編集長が言った。

「ネットのニュースも、意外と遅いことがあるのよね」

あるいは、ご婦人の言葉から我々が勝手に推測するほどの大事故ではないのかもしれない。揮発性の液体といってもいろいろある。たとえばペンキでも臭いはひどいだろうし、道路は一時通行止めになるだろうが、それで死傷者が出るようなことはなかろう。

「次は〈シースター房総　メインゲート前〉です」

女性運転手の甘やかなアナウンスが響いた。バスがスピードを落とし始める。

〈サンセット街区〉のバス停から終点の駅前ターミナルまで、バス停は七つある。距離は四キロ弱ぐらいだ。〈メインゲート前〉を後にすると、バスのルートは〈シースター房総〉を離れ、海沿いからも遠ざかり、畑や雑木林のなかを抜けながら市街地に向かってゆく。

乗車用のドアは開かなかった。前部の一人掛けに座っていたサラリーマン風の男性が、降車ドアから降りていった。黒い鞄《かばん》を提げて、メインゲートの先にある〈シースター房総〉の総合管理事務所へ向かってゆく。

「発車いたします。おつかまりください」

アナウンスが終わるのを待って、編集長はまたご婦人に話しかけた。「ご近所にお住まいなんですか」

「わたしは西船《にしふな》から通ってるんですよ。母が〈海風〉におりますんで」

「まあ、それは大変ですねえ」

薄紫の白髪染めのご婦人は、にこやかに笑って軽く片手を振った。

「いえいえ、母はあちらでよくしていただいてますから、安心なんです。でも今日はホントにびっくりしました。いきなりバスが止まっちゃって」

02系統が動いていないので、〈クラステ海風〉の敷地内を歩いて、

「別荘地のなかの〈イースト街区〉っていうバス停がいちばん近いって教えてもらって、そこからこのバスに乗ったんです」

編集長も、ご婦人の隣席の重そうなボストンバッグに気づいていたらしい。ちょっと憤激した口調になって、

「〈クラステ海風〉じゃ、乗り物を手配してくれなかったんですか。ケチねえ」

「急でしたから、しょうがないですよ」

ご婦人の方はおっとりしている。

「お二人は、別荘の方ですか」

〈シースター房総〉の住人かという意味だろう。今度は我々が笑って手を振った。

「とんでもない。仕事で行ってたんです」

「そうですか。素晴らしい別荘地ですよねえ」

「〈クラステ海風〉も、わたしは外側からしか見たことありませんけど、素敵ですよね」

「本当はお高いんですよ。入居料がね」

ご婦人はまわりを憚《はばか》る顔になった。

「うちの母は運がよくって、県が補助金を出してる部屋にあたったんです。昔っから、くじ運だけは強い人でしてねえ。おかげさまでわたしは本当に楽になりました」

次のバス停〈滝沢橋〉が近づいてきた。アナウンスが流れるが、ボタンを押す乗客はいない。

二車線の道路の両脇に藪《やぶ》と空き地と、痩せた畑が広がっている。このあたりは住宅地ではなく、工場地でもない。市街地と〈シースター房総〉に挟まれて、もろもろの開発から置いてきぼりを食ったような、寂しい眺めだ。バス停の名称になっている滝沢橋も、狭い用水路の上にかかった、赤錆《あかさび》の浮いた小さな鉄橋である。スペースがなかったのか、ここはバス停もリニューアルからはじかれていて、昔風の台座付きの丸い看板だけがぽつりと立っている。

「〈滝沢橋〉を通過いたします」

女性運転手のアナウンスで、編集長とご婦人のおしゃべりにも区切りがついた。編集長はまた携帯を取り出し、薄紫の白髪染めのご婦人は、進行方向に向き直った。

空は既に、浅い夜に変わっている。街路灯の光が届かない部分は真っ暗だ。都心からたかだか一、二時間程度の距離でも、開発に見合う条件が揃わなければ、こんな景色になってしまう。

走行中のバスのなかで、右側の一人掛け席の真ん中に座っていた男性が立ち上がった。薄い灰色の背広の上下姿だが、サイズが合わないのか、妙にぶかぶかだ。手すりにつかまりながら危なっかしく足を運んで、運転席に近づいてゆく。

痩せて小柄で、まばらな頭髪は真っ白で、背中が少し曲がっている。かなりの年配者だ。右肩から斜めに幼稚園掛けしたバッグに右手を突っ込み、何か取り出そうとしている。

運転手と乗客の距離が近い乗り合いバスでは、ときどきこんな光景を見かけるものだ。誰でも経験があるだろう。何かちょっとした用件で、乗客が運転席に近づくのだ。このバスは○○というバス停に停まりますか。すみませんが、○×まで行きたいんだけども、どこかで乗り換えないといけませんか。一日乗車券はありますか。回数券をください。定期券を買いたいんだけども、営業所はどこですか。両替してもらえますか。

乗り合いバスの乗降口には、乗客への「お願い」が掲示してある。走行中に立ち上がらないでください。みだりに運転手に話しかけないでください、と。

よちよちと運転席に近づくあの白髪頭の老人は、しもぶくれの顔と甘やかな声の女性運転手に、何を言おうというのだろう。気にするというほどではないが、私はぼんやりと眺めていた。

運転席と通路を隔てる金属製の横棒に、左手でしっかりとつかまると、乗降口のステップを背にして足を踏ん張って立ち、白髪頭の老人は、女性運転手の方にかがみ込んだ。それとほとんど同時に、幼稚園掛けのバッグから右手を引っ張り出した。

バスはちょうど赤信号で停車した。女性運転手が老人の方に目を向けた。運転席の明かりに照らされて、帽子の庇《ひさし》の下のにこやかな横顔が、最後列の私からもよく見えた。

白髪頭の老人がバッグから取り出し、彼女の顔の真ん中に――目と目のあいだに、眉《み》間《けん》にくっつきそうなほどの近さで、ぐいと突きつけたものも、よく見えた。

拳銃だった。

我々の生活のなかには、数多の道具が存在する。ごく日常的なもので、誰でも名称と用途を知っているものもあれば、日常的に過ぎるので、用途は知っているし使ったこともあるけれど、正式名称は知らないというものもある。

それとは対照的に、頻繁に目にするけれど、使ったことはないというものもある。名称も用途も知っているけれど、普通の人間には用のない道具だ。いや、普通の人間が手にしたり使うことを禁じられている道具だ。走行中のバスのなかで、みだりに運転手に話しかけてはいけないという以上の、強い禁忌に縛られている道具だ。

拳銃は、その代表選手だろう。

白髪頭の老人はそれを手にして、女性運転手に銃口を向けている。

私はそれを見た。その光景を見た。それなのに、のんびり座っていた。

たぶん、ほんの数秒のことだったろう。でもそのときの私の気分は、確かに〈のんびり〉だった。目の前の出来事があまりに突飛だったからではない。誰かが誰かに拳銃を突きつける。そんな場面を、我々現代人は見慣れている。ドラマや映画などの映像のなかで、毎日のようにお目にかかっている。いささか食傷するくらい、数え切れないほどの「手をあげろ」シーンを目撃している。

だから私は〈のんびり〉していた。それが映像のなかの出来事ではなく、目の前の現実の一断片だと理解するまで、脳が手間取ってしまったからだ。

それは私一人ではなかったらしい。女性運転手の表情も、すぐには変わらなかった。銃口が目の近くにありすぎて、とっさに瞳の焦点が合わなかったのかもしれない。

私は我に返った。女性運転手も事態を認識した。彼女ははっと身じろぎ、白い手袋をはめた手が、ハンドルの上で滑った。

「ウソぉ」と、誰かの声がした。

運転手ではない。右側の一人掛けの座席の先頭にいる、若い女性の声だった。

「嘘でしょ？　何これ」

ほとんど笑い出しそうな声だった。座席から立ち上がって中腰になっている。

白髪頭の老人は、あのよちよちした足取りとは裏腹な素早さで、蛇が鎌首をもたげるように、さっと銃口を彼女の方に向けた。

「すみませんが、お嬢さん。静かに座っていてください」

このバスは、アイドリング・ストップのバスだった。信号待ちやバス停で停まると、エンジンも止まるのだ。だから車内は静かで、拳銃を手にした老人の嗄《しやが》れたような囁き声を邪魔する騒音はなかった。

若い女性は中腰のまま凍りついた。私は座席のシートから腰を浮かせた。前の席の年配の婦人の表情は見えないが、今、隣の座席のボストンバッグを引き寄せたところを見ると、事態を認識してはいるらしい。

編集長は？　横目で見ると、窓ガラスに頭を持たせかけて居眠りしている。

さっき一人降りたので、老人も入れて乗客は七人だ。

「おい、爺さん。何のつもりだ」

野太い声で呼びかけたのは、左側の一人掛け席に座っている紺地のポロシャツの男性だった。私のところからでは肩胛骨《けんこうこつ》から上しか見えないが、それでも充分に大柄だとわかる体軀である。ポロシャツの背中はぱつんぱつんで、横皺《よこじわ》が寄っている。

「運転手が女だからって、からかっちゃいかん。そんな玩具《おもちゃ》、とっとと引っ込めろ」

太いのは声と身体だけではなく、肝っ玉も同様であるらしい。ポロシャツの男性は席から立ち上がると、前に出ようとした。

白髪頭の老人は、彼に拳銃を向けた。また素早い動きで、銃口はまったく揺れない。

「ちょっと！　やめた方がいいです」

編集長のふたつ前、二人掛けの窓側の席から声が飛んだ。こちらは若い男性だ。スポーツマン風の短髪に、半袖の黄色いTシャツ。思わずというように片手をあげ、ポロシャツの男性を制止してから、その手をじわじわと引っ込めた。

「玩具なんかじゃない。この人、本気ですよ」

中腰のままだった若い女性が、ゆっくりと身をよじり、彼らの方を振り返った。

「嘘でしょ」と、若い女性はまた言った。可愛らしい声だが上ずっている。白いブラウスにチェックのキュロットスカートをはき、白いズックの踵《かかと》を踏んづけている。

「嘘よね？　それ本物じゃないでしょ？　モデルガンですよね？」

白髪頭の老人は、にこりともせずに、彼女の引《ひ》き攣《つ》った笑顔を見返した。そして手にした拳銃に、ちらっと目を落とした。

「いえ、本物のはずです」

彼は無造作に右手を持ち上げ、銃口をバスの天井に向けた。我々の誰も、何も言えず何をする間もない瞬時のことだった。

パン、と発砲音がした。

私は一瞬、目をつぶった。

バスの天井の凹凸のあるパネルに穴が空いた。発砲音にかぶって、パネルが割れる音が響いた。そちらの方がずっと大きな音だった。

編集長が飛び起きた。目を丸くしている。

みんな無言だった。誰もその場を動かない。呼吸さえ止めていた。

「なあに？　どうしたの？　事故？」

とんちんかんな問いを放って、園田編集長が私の方に身を寄せた。そしてようやく、運転席の脇に突っ立っている小柄な老人の手のなかにあるものに気づいた。

「あれ、ピストルじゃない」

誰も動かず、答えない。

「何やってんのよ」

部下の広報部員が出した伝票に疑義を呈するときのような口調だった。ちょっと、これは何よ？　納得いくように説明しなさい。それがあまりに園田瑛子らしかったので、私は笑い出しそうになった。まったくマイペースな人だ。その感情が、私に己を取り戻させてくれた。

「編集長、静かに。じっとしていてください」

「そうです。皆さん、お静かに願います」

そう言って、白髪頭の老人はにっこり笑った。今や銃口は天井ではなく、我々に向けられている。女性運転手以外の六人ならば、いつでも、誰を撃つこともできる位置と高さに。

「わかっていただけましたか、お嬢さん。これはモデルガンじゃありません。本物の拳銃なんですよ」

白いブラウスの若い娘は、ぶるぶると小刻みにうなずいてみせた。

「わ、わかりました」

キュロットスカートの裾も震えている。彼女の膝が笑っているのだ。

「あなたもわかってくださいましたか」

老人はポロシャツの男性にも訊いた。いつの間にか、彼は完全に立ち上がっている。

「わかったよ」

答えて、ゆっくりと両手を上げ、ついでその手を頭の後ろに持っていって、指を組んだ。

「これでいいか？」

「ありがとうございます」

老人は丁重に言って、また微笑した。

「皆さんも、この方と同じようにしていただけますか。ああ、立たなくて結構です。座ってください」

指示に従い、我々は座席に腰をおろしつつ、のろのろとホールドアップの姿勢をとった。

運転席を横目で見て、老人は言った。「運転手さんもお願いします」

女性運転手の手はわなないていた。白い手袋のせいで、はっきりわかる。

こんな格好をすると、やたらと目が動いてしまうものだ。いわゆる〈泳ぐ〉のだ。と、遊泳中の私の目が前列の年配のご婦人をとらえた。彼女は手を頭に持っていって、上品な薄紫色に染めた髪にくっついた異物に気づいた。さっき飛び散った天井のパネルの破片だ。どうするかと思えば、当たり前のようにさっさと払い落とした。それから頭の後ろで指を組み合わせた。私はまた笑い出してしまいそうになって、きつくくちびるを噛《か》みしめた。

「ねえ、質問があるんですけど」

編集長が、まだ伝票の数字に釈明を求めるような口調のまま、やや声を張り上げた。

「これって強盗なのかしら。あなた、お金がほしいんですか」

これまた園田瑛子らしく端的だった。ホールドアップしていなかったら、私は手で目を覆うところだった。

同じ気持ちの乗客が、少なくとも一人はいるようだ。黄色いTシャツの青年が、信じられないというように目を剝《む》いて、編集長を振り返ったのだ。

すぐさま老人が声を上げた。「そこの君、動かないでください」

Tシャツの青年は、半端に身を捩《よじ》ったまま静止した。目も剝いたままである。

「強盗ではありません、奥さん」と、老人は依然、丁寧な口調で答えた。しかも外見とはまるでそぐわない、張りのある若々しい声なのだ。まるで、枯れてしぼんだ老人の身体のなかに、働き盛りのビジネスマンが隠れているかのようだ。

「あたし、奥さんじゃないんですけど」

「編集長、いい加減になさい」

思わず私が口を出したら、老人は拳銃を構えたまま、またにっこり笑った。

「あなた方お二人はご夫婦ではなくて、上司と部下なんですね。出版社にお勤めですか」

編集長は口を尖らせて答えない。老人も、強いて返答を求めなかった。

「では次の段階に進みましょう。皆さん、携帯電話をお持ちですね？　まことに申し訳ありませんが、一時、私に預けてください」

老人は半歩右に動いて、白いブラウスの娘に目を向けた。「まず、あなたからです。携帯電話を出してください。ゆっくりとね。取り出して、私に見せてください」

「手を、動かしていいの？」

「いいですよ。でもお嬢さん」

慇懃《いんぎん》に、老人は彼女に言いきかせた。

「あなたが何か余計なことをしたら、後ろの席の黄色いTシャツを着た彼が死ぬことになります」

件の若者がびくっとした。白いブラウスの娘は振り返り、彼を見た。

「お嬢さんだけではありません。ほかの方々にも申し上げます。どなたかが私の隙をついて何かしようとしたら、彼の黄色いTシャツにほかの色が混じってしまいますよ」

「わ、わかりました」

当の若者が、老人にではなく我々に言った。頭も首も動かさず、ただ顎だけがガクガクしている。

「皆さんも動かないでくださいね」

「わかったよ。動かんから」

ポロシャツの男性の野太い声は、いささか不穏な怒気をはらんでいる。

「ほらあんた、さっさとやれよ」

男にせっつかれて、白いブラウスの娘は膝の上のバッグの中身を掻き回し始めた。あわてているので、なかなか見つからない。

「こ、これ。わたしのケータイです」

パールピンクの小さな携帯電話をつかんで、老人の方に差し出そうとする。

「床に置いてください」

彼女は前屈みになってケータイを床に置いた。老人の手のなかの拳銃は、その動きにはつられず、ぴたりと黄色いTシャツの青年に狙いをつけている。

「では、私の足元へ滑らせてください。ゆっくりとね」

彼女は指示に従った。パールピンクの携帯電話は、ほんの五十センチほど床を滑って、老人の靴の爪先で止まった。光沢のない黒い革靴だった。

「ありがとう」

彼女に笑いかけ、銃口はそのままに、老人はさっと足を動かして、その携帯電話を横様に蹴った。携帯電話は派手な音をたてて、前部の乗降口のステップを落ちていった。

「次はあなたです。携帯電話を取り出して見せてください」

老人はポロシャツの男性に言った。銃口が動いて、ブラウスの娘に狙いをつけた。

「今度は、ほかの方々が余計なことをすると、このお嬢さんが悲しいことになります」

ポロシャツの男性は、ズボンの尻ポケットから携帯電話を取り出すと、顔の高さに掲げてみせた。

「では席を立って、しゃがんで床に置いてください」

指示に従うポロシャツの男性の息が荒い。私のいるところからでもわかる。大柄だから息が切れやすいのか。それとも、怒りと緊張で今にもブチ切れそうなのか。

「私の足元に滑らせてください」

ポロシャツの男性は、その指示に従わなかった。携帯電話を床に滑らせて、直接、前部のステップの下へ落としたのだ。大きな音がした。

手を上げ、後頭部で指を組んだまま、白いブラウスの娘が震え上がった。

「これでいいんだろ」

床にしゃがんだまま、ポロシャツの男性は上目遣いで、歯を剝くようにして言った。

「はい、手間が省けました。席に戻ってください」

老人の穏やかな口調は変わらない。白いブラウスの娘が、ほうっと息を吐いた。老人との距離が近いせいもあって、この娘がいちばん怯えている。

「次は君です」

老人は黄色いTシャツの青年に目を向けた。銃口は白いブラウスの娘から動かない。うなずいて、青年は携帯電話を探し始めた。Tシャツの裾をめくり、穿《は》いているジーンズのポケットを叩く。見つからない。

「あれ？　あれ？」

白いブラウスの娘の両肘が揺れている。

「ご、ごめんなさい。ケータイがないんだ」

身体に火がついて、それを叩き消そうとでもしているかのようだ。

老人は落ち着きはらっていた。「シートの上に落ちていませんか」

青年はシートを手探りした。Tシャツの襟元の色が変わっている。冷汗の色だ。

「あった！」

勢い余って、つかんだ携帯電話を放り出してしまった。それは左側の空いた座席の上にまで飛んでいった。

「そのまま動かずにいてください」

老人は青年を制すると、私の前のご婦人に声をかけた。

「すみませんが奥さん――あなたは〈奥さん〉でよろしいでしょうか」

薄紫色の白髪染めがお洒落なご婦人は、ちょっと顎を引いただけで無反応だ。

「きれいな髪ですね」と、老人は彼女に笑いかけた。

「ああ、わたし？」

ご婦人は要領を得ない。だが老人は焦《じ》れない。笑顔は優しく、口調は辛抱強い。

「彼の携帯電話を拾って、手に持って、ステップを降りてきていただけますか」

銃口を向けられたまま、座席のなかで半身になってこちらを見ている白いブラウスの娘の頬が濡れている。泣いているのだ。

「泣かないでください、お嬢さん」

拳銃を手にした老人は、諭すような口調で若い女性に言った。

「皆さんが私の言うとおりにしてくだされば、そんなふうに泣かなくてはならないほど悲しいことも、怖ろしいことも、何ひとつ起こりません。お約束します」

「ご、ごめんなさい」

白いブラウスの若い女性は、鼻声で謝った。下を向いて震えながら、頭だけがくがくと動かす。息が乱れている。

「わ、わたし怖がりなんです。ごめんなさい、ごめんなさい」

黄色いTシャツの若者の携帯電話を手にしたまま、白髪染めのご婦人は中央のステップの縁《へり》に突っ立っている。

「これ、そっちに持って行けばいいんですね」

　こちらは落ち着きはらっている。異様なほどの冷静さに、私は一瞬、このご婦人は事態を理解していないのではないかと疑った。あまりに突飛な出来事なので、この人には何が起こっているかわからないのではないか。

「まず、ステップを下りてください。奥さん、足元に気をつけて」

　白髪染めのご婦人は、ためらう様子もなく動き出した。座っているときは気づかなかったが、足が悪いらしい。右手で携帯電話を握りしめ、左手で座席の背もたれにしっかりとつかまって、たった二段のステップを、身体を横にしてそろそろと下りてゆく。

「それじゃ、その携帯電話を私の足元に滑らせてください」

　ご婦人はしゃがむ動作も慎重だった。膝を折るのが辛いらしい。

「……はい」

　返事と共に携帯を手から放った。意外に勢いよく放ったので、小さな電話機は滑るというより床の上を低く飛んで、一度落ちて跳ね返ってころころと転がった。

「ありがとうございます」

　またその携帯を乗降口の下に蹴り落とし、老人は微笑した。

「では、次は恐縮ですが奥さんご自身の携帯です。同じようにしていただけますか」

　ご婦人はまた無言で自分のバッグを探る。

　こんな場合でなければ苛《いら》ついてしまうような鈍重な動きで、ご婦人は老人の指示に従った。次は私か編集長だと思ったら、老人は白髪染めのご婦人に指図を続けた。

「奥さん、次はそちらの会社員の方の携帯を受け取って、同じことを繰り返してください」

私は携帯電話を差し出した。私の携帯を蹴り落としてしまうと、編集長の番だった。単調な繰り返しだった。若い女性の涙は止まり、乱れていた呼吸も鎮まった。誰も取り乱していない。

この場面を冷静な観察者の目で眺め、考えてみたら、チャンスだと思うだろう。老人の隙をついて拳銃を奪うとか、老人に飛びかかるとか、何かできそうなものだと思うだろう。振り返ってみれば私だってそうだ。

だが我々乗客は、みんな頭の後ろに手をやり、ぼさっと座って、携帯が床の上を滑ったり転げたりしているのを漫然と見守っていた。私自身の頭にも、勇敢で思い切った決断は浮かばなかった。

まだ、どこか絵空事のような気がしていた。本物の拳銃を持ってはいても、弱々しい老人が一人きりだ。無理をしなくても、自然に何とかなりそうな気がした。自然に？何が自然だ。こんな不自然な状況で。

ようやく、乗客全員の携帯電話が前方の乗降口の下へと消えた。

老人は白髪染めのご婦人を労った。「ありがとうございました、奥さん。膝が痛いのはお辛いですね」

「関節炎なんですよ」と、彼女は言った。ここが病院の待合室で、たまたま隣り合わせた老人に、「あなたはどこが悪いんですか」と話しかけられて答えた——というくらいの口調だった。やっぱりピントがズレている。

「それじゃ、運転手さん」

女性運転手に向き直り、銃口も彼女にぴたりと向けて、老人は言った。「すみませんが前のドアを開けてください」

一瞬、ためらったような間があいた。それからドアが開いた。

「皆さん、動かないでください」

老人は後ずさりして乗降口に近づき、一段下りると、携帯電話を外に蹴り落とし始めた。

「あ」と、小さな声がした。黄色いTシャツの若者だ。自分の携帯電話が蹴り出されるのを見て、思わず反応してしまったのだろう。

老人が微笑んだ。「すまないけれど、念のためにね。後で回収できるから、ちょっとのあいだ我慢してください」

若者に語りかけ、笑いかけつつも、老人の目も銃口も女性運転手から動かない。

私の脳裏に、通路を走り、老人に飛びついて、彼と彼の手のなかの拳銃ごとバスから外へ転がり出る自分自身の姿が浮かんだ。やればできそうに思えた。造作もないことのように思えた。

「さあ、これでいい。ドアを閉めてください」

老人がさっきの位置に戻り、ドアが閉まった。私の空想も終わった。

「運転手さんのお名前は、柴野《しばの》さんですね」

車内には運転手の名前が表示されている。

「柴野さん、バスを発車させてください。念には及びませんが、静かに出してくださいね」

急発進させろ——と、私の心のなかの私が言った。バスを揺らせて、あのじいさんを転ばせてしまえ。

「この人の携帯電話はいいのか？」

誰かと思えば、野太い声の持ち主、ポロシャツの男性だった。

「運転手だって携帯を持ってるぞ。いいのかね」

「かまわないんですよ。気にかけてくださってありがとう」

老人がにこやかに答え、バスのエンジンがかかった。車体が震えた。

そのときになって、私は気づいた。滝沢橋を過ぎたこのあたりで、駅までの一本道は切り通しにさしかかる。もちろん道は舗装されているし、切り通しといったところで峻《しゅん》険《けん》な場所ではない。普段なら気にもとめずに通り過ぎるだけだ。

が、今は違った。この場所には大きな意味があることに、私は気づいた。老人が拳銃を取り出し、さっきの地点でバスを停めさせたことには、ちゃんとした理由があったのだ。

この先で、道はL字型に右に曲がっている。急発進したら、バスは切り通しのコンクリートの壁にまともに衝突してしまうのだ。

ゆらりと、バスが動き出した。私の頭も動き出した。アクション映画の主人公のような自分自身を夢想するためではなく、この状況をちゃんと把握するために。

この老人は、自分のやっていることをよく心得ている。弱々しい外見や動作を見くびってはいけない。

急発進できない場所で停車させたこと。乗客全員の携帯電話を始末するために、誰かを動かさなければならないという局面で、素早く動くことのできないあのご婦人を選んだこと。

そして今、バスを走らせ始めた運転手のこめかみに銃口を近づけていること。

「どうぞ、余計なことをせずにお願いします」

バスがL字型の角を曲がりきった。

「柴野さん、三晃《さんこう》化学へ向かってください」

老人の声は穏やかだ。

「場所はわかるでしょう？　三晃化学の工場です。閉鎖になってから二年ばかり経ちますかね。ずっとあのままですが、買い手がつかないんですかね」

行き先も決めている。老人は、この先の計画を立てているのだ。思いつきでやっていることではない。

「三晃化学なら知っていますが、あの前の道には、このバスは入れません。手前の三叉《さんさ》路《ろ》の高架下をくぐれないんです」

柴野運転手の甘やかな声は、わずかにかすれていた。

「脇道があるでしょう。ぐるっとまわって、通用門まで行ってください。以前は従業員用駐車場だったところが、空き地になっていますよね」

わかりましたと、柴野運転手は答えた。

まるでタクシー運転手と客の会話だ。どちらもこの地元に詳しい。サンコウカガクの場所も、その工場が閉鎖されて現在まで無人の状態であることも、そこへ通じる脇道があることも、女性運転手と老人には周知の事実なのだ。

「皆さん、どうぞお静かに」

老人は、柴野運転手に視線と銃口を向け、揺れる車内でしっかりと両脚を踏ん張って立っている。

「しばらくそのままご辛抱願います」

「なあ、じいさん」

ポロシャツの男性が、焦れたように声をかけた。ついでに手も下ろそうとする。

「あんた、何が目的なんだ」

「すみませんが手を上げてください」

ポロシャツの男性はわざとらしくため息をついてから、頭の後ろで手を組み直した。

「わかったよ。でもなあ」

「私の目的については、おいおいお話しいたします。今は、皆さんが余計なことをなさると、柴野さんが悲しいことになるということだけを考えていてください」

「——運転手さんを撃ったら、バスも事故っちゃいますよ」

Tシャツの若者が抗議するように言った。こちらはことさら殊勝に、頭のてっぺんでしっかりと指を組んでいる。

「それは困りますねえ」と、老人は真面目に言った。「ですから撃たせないでください」

事故を起こしても大事にはなりそうもないスピードで、バスは正規のルートから逸《そ》れてゆく。いつもは横目で通り過ぎるだけの、畑のなかを抜ける一車線の道に入った。

「おじいさん、本気なんですか」

老人は答えない。Tシャツの若者も、それ以上は訊かずに口を閉じた。

道なりに走って、やがて前方に、ひとかたまりのくすんだ建築物が見えてきた。〈合成化学肥料　三晃化学株式会社〉という古びた看板。スレート屋根の建物と、複雑に交差するパイプの群れ。錆《さ》びた煙突に、曇った窓ガラス。

対向車はいない。周囲に点在する人家に明かりはあるが、人影は見えない。自転車一台通りかからない。

老人が一瞬、柴野運転手から目を離した。左手首の腕時計を見たのだ。

「少しスピードを上げてください。このバスが終点に着く時刻までに、三晃化学に行きたいんですよ」

柴野運転手は答えなかったが、バスは加速した。私は横目で編集長の表情を窺《うかが》った。さっき、「あたしは奥さんじゃない」と言い返したときのまま、ムスッとしている。怯えて泣くより不機嫌である方が、この人らしい。

三晃化学の廃工場には、まだところどころに明かりが点いていた。敷地全体をぐるりと取り囲む灰色のコンクリート塀の上に等間隔で細い鉄柱が突き出していて、その上にライトが取り付けてあるのだ。鉄柱のあいだには鉄条網が巻き付けてあり、侵入者を防いでいる。場内にもいくつか夜間照明がついている。くっきりとしたグリーンの非常灯も見えた。

「何だ、ここは」と、ポロシャツの男性が怒ったような声を出した。「倒産したのかね。物騒だなあ」

柴野運転手は確かにこの場所をよく知っているらしく、迷わずにバスを走らせて、元の従業員用駐車場へと向かった。私にもそれとわかったのは、傾いた表示板が見えたからだ。

〈三晃化学社員専用駐車場　無断駐車の場合は警察に通報します〉

白地に赤ペンキ文字の看板は、風雨にさらされて色褪《いろあ》せていた。

「――社員寮だわ」

編集長が、ムスッと閉じていた口を開いて呟いた。元の駐車場、今はただの空き地の右側に、四階建てのビルが立っている。こちらはまったく明かりがない。コンクリート塀のライトに、薄ぼんやりと外郭が浮かび上がり、窓が並んでいるのが見えるだけだ。

「どうしてわかります？」と、私は小声で訊いた。

「看板があったの。今は誰も住んでないみたいね」

会社も工場も閉鎖され、社員はみんな去った。今では鼠《ねずみ》の巣になっていることだろう。

頭を少し動かして、私は窓から見える景色を確かめた。人家のものらしい窓明かりが、バスの後方、道を隔ててかなり遠くに並んでいる。あの感じではアパートかもしれない。

こんな時刻に、〈しおかぜライン〉の黄色いバスが、何で廃工場の駐車場なんかにいるんだろうと不審に思う、気の利いた住人がいてくれるといいが。

それ以外の暗闇は、ただの夜か、田圃《たんぼ》か畑か、いずれにしろ何も訝ってくれる存在ではなさそうだった。

バスのタイヤが砂利を踏みしめる音がする。バウンドするように揺れる。

「できるだけ塀に近づけて駐めてください」

老人の指示に、ハンドルを取りながら柴野運転手が問い返した。

「どちら側を向きますか」

「バスのドアがある側が、塀に平行になるように付けてください」

老人は言って、にこりとした。

「あなたの腕ならできますよね」

「ぴったり付けていいんですか」

「ぎりぎりまでくっつけてください」

老人の意図は明白だった。三晃化学のコンクリート塀で、バスの出入口を塞《ふさ》いでしまうつもりなのだ。

縦列駐車の要領だ。切り返し、少し前に出てまた切り返し、バスの横っ腹にコンクリート塀が近づいてくる。

「ストップ」

乗降口がある側の窓の外に、くすんだ灰色のコンクリート壁が迫って、バスは駐まった。

「エンジンを切ってください。ありがとう」

両替でもしてもらったみたいな軽さで、しかし本当に感謝しているように聞こえた。

「後ろの席の皆さん」

老人は柴野運転手に拳銃を突きつけて、我々四人に呼びかけた。白髪染めのご婦人、Tシャツの若者、編集長と私だ。

「どうぞ前に出てきて、空いた席に座ってください。私は立ったままでいいですから、気にしないでください」

真面目なのか冗談なのか。

Tシャツの若者が真っ先に動いて、白いブラウスの女性のすぐ後ろの席に移った。私は編集長を促した。編集長は白髪染めのご婦人に、「一緒に移りましょう」と声をかけた。

白髪染めのご婦人は、また苦労してステップを下りた。ポロシャツの男性のひとつ前の席に座る。編集長はTシャツの若者の後ろに座った。

左側の先頭、老人にいちばん近い席が空いた。最初から、私が移るつもりだった席だ。私がそこへ近づいてゆくあいだ、老人は私を見ていた。柴野運転手に向いている銃口が、いつこちらを向くかと、私は身構えた。銃口は動かなかった。

「狭くて申し訳ない」と、老人は言った。

バスの前半分では、席と席の間隔がかなり違っている。最前列の前に機械を格納した部分が飛び出しているので、左側の方が狭いのだ。さらに右側の方は、車椅子やベビーカーの乗客が乗って来たときには座席をたたんでスペースをつくれるように、ゆったりと間隔をとってあった。

「まるで車掌のような言い方ですね」

特に勇気を奮ったわけではなく、思わず、私は老人に話しかけた。

老人もまた、力むことなく返してきた。「そうですな。私を、風変わりな車掌だと思っていただけると有り難い」

「ふざけたことを」

吐き出すように、ポロシャツの男性が言った。今度は手は動かさなかったが、はっきりと表情が変わっていた。怒ると同時に、老人を侮っている。

「何だか知らんが、こんな粋狂に付き合わされる身にもなってくれ。じいさん、あんた頭がおかしいわけじゃないんだろ？　いい加減でこんな茶番はやめにしてくれ」

「では、終わりにしましょうか」

言葉と同時に銃口が動き、ポロシャツの男に狙いをつけた。私は首筋の毛が逆立つのを感じた。最初に天井板を撃ってみせたときと同じだ。無造作に、まばたきもせず、老人は引き金を引く。その指に力がこもるのを、私は見たのだ。

ポロシャツの男も、見た。感じた。顔色が変わった。血の気が引く音が聞こえた。

瞬間、私は目をつぶった。

何度思い返しても情けない。私にできたのは、また、ただ目をつぶることだけだった。発砲音がした。今度もパン！　と乾いた音だった。軽い音だった。何の害もなさそうな音だった。

何かがぱっと舞い上がった。座席の背もたれの詰め物だ。銃弾は、バスの後方の二人掛けの席のひとつ、今は誰も座っていない背もたれに撃ち込まれたのだ。

私が目を開けると、ポロシャツの男も目を開けるところだった。

みんな凍りついていた。動かない。白髪染めのご婦人だけが、ゆっくりまばたきをした。

「あなた」と、ご婦人は老人に言った。一転して目つきが険しくなった。「そんなもの振り回して、危ないじゃありませんか」

どうにも認識が遅い。しかし、ここで声を出して怒るのは私よりもはるかに勇敢だ。

「奥さん」私はできるだけ穏やかに声をかけた。「このご老人も、遊びでこんなことをしているわけではなさそうですから――」

ご婦人は私なんかには目もくれない。真っ直ぐに老人を見据えている。

「わたし、何度かクリニックであなたを見かけたことがありますよ。顔に見覚えがあるんです。わたし、人の顔を覚えるのは得意なんですよ」

老人は骨張った指でしっかりと拳銃を握りしめ、ご婦人の講釈を聞いている。銃口は依然、ポロシャツの男性に向けたままだ。

「あなた、どこか悪いんですね。重い病気なんでしょう。だからって自棄《やけ》になっちゃいけません。近ごろはね、お薬も手術の仕方なんかも、本当に進んでるんですよ。ほんの二、三年前には治らなかった病気も、立派に治るんです。わたしの母だって、今まで何度も命を落としかけましたけど、そのたびに先生が助けてくださいました。あなた、自棄になったらいけませんよ」

ご婦人を見つめ返す老人のこけた頰の線が緩んだ。まなざしも和らいだ。

「ご忠告ありがとうございます、奥さん」

あなたはいい方ですね、と言った。

「柴野さん」

呼ばれて、女性運転手がびくりとした。

「はい」

「運転席を離れてください。あなたにはバスを降りてもらいます」

凍りついて首を縮めたままのポロシャツの男が、目玉だけ動かして柴野運転手を見た。

老人は運転手を降ろすつもりだ。バスを乗っ取ったのは、どこかへ移動するためではない。このバスはここが終点だ。

「後ろへ行って、非常出口を開けてください」

バスの乗降口の反対側、さっきまで編集長が座っていた側の窓は、緊急用の非常ドアになっている。いざというときはシートの座部を持ち上げ、足元のレバーを操作するのだ。

私はこれまで様々な場所で公営バスに乗ってきたけれど、幸いなことに、非常レバーを操作しなくてはならない局面に遭遇したことはない。ただ、それがそこにあることは知っていた。たいていのバスで同じ位置にあり、同じような操作説明書きが貼ってある。

柴野運転手は運転席から動こうとしない。老人の横顔に向かって言った。

「申し訳ありませんが、わたしはこのバスから降りられません」

震えを帯びてはいるが、あの甘やかな声だ。

「この状況で、お客様を置いてわたしだけバスを降りることはできないんです」

老人は横目で彼女の表情を窺った。その気になればいつでも彼女を、あるいはポロシャツの男を撃つことができる位置に立っている。猫背で、ぶかぶかのスーツで。

「会社の規則ですか。違反すると解雇されるのですか」

「そういう問題ではありません。運転手としての責任があるからです」

一瞬、くちびるを固く結ぶと、意を決したように彼女は続けた。「非常ドアは開けます。そこからお客様を降ろしてください。人質はわたし一人で充分でしょう」

「そ、そうだな」

ポロシャツの男が、飛びつくように賛成した。冷汗をかき、目だけきょときょとさせている。

「そりゃ名案だ。そうしよう。じいさん、あんただって人質が大勢じゃ手に余るだろう」

老人が動いた。私と白髪染めのご婦人の前を素早く横切り、ポロシャツの男に迫った。左手で彼の二の腕をつかむと、右手の拳銃の銃口を彼の顎の下に持っていった。たるんだ肉に食い込むように、ぐいと突きつけた。

「柴野さん、非常ドアを開けてください」

ポロシャツの男はすくみあがった。目玉が上ずり、銃口から逃げようとして首を伸ばす。

「どうぞ、手早くお願いします」

「運転手さん」

黄色いTシャツの若者が声を出した。

「今は言われたとおりにした方がいいです。非常ドアを開けてください」

彼の前で若い女性もうなずいている。

「いい判断です」

にこりともせず、ポロシャツの男にぴたりと寄り添ったまま、老人は言った。

「彼は賢明です。柴野さん、あなたは間違っている。何が充分で何が充分でないかを決めるのは、あなたではなく私なんですよ」

女性運転手の口元がわなないている。

「さあ立って。ああ、その前に、あなたの携帯電話はどこにありますか」

「座席の下の物入れです」

「取り出してください。ゆっくりとね」

前屈みになって物入れを開け、柴野運転手は銀色の携帯電話を取り出した。

「料金箱の上に載せてください。じゃあ、立って運転席から降りてきてください」

立ち上がり、仕切りのバーを上げて、彼女は一段高い運転席から降りてきた。

「皆さん、お静かに。動かないでください」

老人は女性運転手を見つめ、ポロシャツの男の首の肉に銃口を食い込ませて、淡々と言った。「私はこんな年寄りです。皆さんが束になってかかってきたら、とてもかないません。しかし、拳銃というのは便利なものでね。皆さんに取り押さえられる寸前に、一秒の十分の一でもあれば、引き金を引けます。するとこの方は死にます。即死はしなくても、かなり大変なことになるでしょう。この方だけが貧乏くじです。それは気の毒です。とても気の毒です。皆さんもそう思うでしょう？」

「わかってます」と、Ｔシャツの若者が言った。「誰もバカな真似はしませんよ」

彼の前で、白いブラウスの若い女性が、ほっそりとした喉《のど》をごくりとさせた。

「そうだ柴野さん、そこにある小銭を持って行きなさい。何かで要ることもあるでしょう」

料金箱の脇の、回数券や一日乗車券を挟んであるポケットに、千円札が数枚入っている。

女性運転手は黙って指示に従った。千円札を胸ポケットに入れ、後方へと通路を歩く。レバーを操作するにはしゃがみこまねばならず、彼女の姿は完全に我々の視界から消えてしまう。だが老人に慌てる様子はなかった。

がたん、という音がして、最後部の右側の窓枠が動いた。背もたれの向こうで、柴野運転手が身を起こした。

「開けました」

両手を開いて目の高さに上げた。私のいる場所からでは、本当に非常ドアが開いたのかどうかは見えない。かすかに外気を感じるような気がしたが、錯覚かもしれない。

拳銃を手にした老人は、すぐ前にいる白髪染めのご婦人に、親しげに笑いかけた。

「奥さん、あなたのお名前を教えてください」

ご婦人は眉をひそめ、身を引いた。

「あなたはいい方です。今日の記念にお名前を教えてください」

「お、教えてやれよ」

首を圧迫されているせいで、ポロシャツの男の声が喉にこもる。

「教えてやってくださいよ、頼むから」

「――迫田《さこた》です」

「では迫田さん、あなたにはバスを降りていただきます。手荷物を忘れないように。後ろの座席にボストンバッグがありますよね」

「持っていっていいんですか」

「かまいません。柴野さん！」

手を上げたまま、女性運転手は「はい」と応じた。

「迫田さんがバスを降ります。こっちに来て手を貸してあげてください」

迫田さんは膝をかばいつつ、背もたれにつかまって立ち上がった。その目が順繰りに我々を見た。編集長、Tシャツの若者、泣いている若い女性。そして私。

「わたし一人で降りるんですか。ほかの皆さんはどうなるんです？」

「それはあなたが心配することじゃありませんよ、迫田さん」

柴野運転手が戻ってきて、中央のステップの縁に立った。迫田さんに手を差し伸べる。

「まず、バスから降りましょう。お荷物はわたしが上からお渡しします」

狭い通路で身体を入れ替え、迫田さんは非常ドアへと進んでゆく。歩みは見るからにぎこちなく、膝が痛そうだった。柴野運転手が後ろをついてゆく。迫田さんが非常ドアの位置までたどり着くと、薄紫色のお洒落染めにした前髪が、外気にふわりと揺れるのが見えた。

「こんな高いところ、降りられないですよ」

迫田さんは非常ドアから後ずさりした。

「飛び降りなきゃならないじゃありませんか。できませんよ」

確かに、非常ドアはタイヤの脇にあり、普通の乗降口よりもかなり位置が高い。

「申し訳ないが、降りてください。柴野さん、何とか手伝ってあげてください」

老人が運転手で、柴野運転手が車掌で、不測の事態が起きて非常ドアから乗客を降ろさねばならなくなり、怖がる年配者をなだめたりすかしたりしている。まるでそんな局面のようだ。

「手伝いましょう」と、私は言った。老人との距離が近くなったので、大きな声を出す必要はなかった。

「余計なことはしません。約束します。運転手さんは女性ですから、一人じゃ無理ですよ」

老人は私の目を見た。私も老人の目を見た。

「運転手さんは、日ごろ、こういうときのために訓練を受けているはずです。柴野さんは大丈夫ですよ」

老人の目が、私の目を覗き込んでそう答えた。冷静な返答であって、それ以上のものではなかった。銃口は依然、ポロシャツの男の顎の下に食い込んでおり、動きはない。

私は軽くうなずき、後方に目をやった。Ｔシャツの若者も白いブラウスの女性も編集長も、非常ドアの方を見ている。

「迫田さん、いっぺんここに座ってください。そうそう――座って、ゆっくりと下にずり落ちる感じで降りれば怖くないですよ」

柴野運転手は、迫田さんを非常ドアの縁に座らせたらしい。

「駄目ですよ。高いんだもの」

「大丈夫です。やってみてください」

「高いから怖くって」

「じゃ、ちょっと待っててください。そのまま座っていてくださいね」

通路を戻ると、柴野運転手は迫田さんのボストンバッグを抱え上げた。サイズは大きいが、さして重そうではない。

「迫田さん、このバッグの中身は何ですか。壊れ物は入っていますか」

「母の着替えです。洗濯物ですよ」

「それじゃ、これを使わせてください。足元に置いてクッションにしましょう」

白いブラウスの女性が、これを聞いてほっと息を吐いた。

Ｔシャツの若者が、ちらっと彼女を見やった。目が合って、彼の方が先にうなずいた。若い女性もうなずき返した。二人のあいだに、こんな場合でも微笑ましい何かが通った。

「――歳をとるとね」

老人が、彼もまた後部の二人のやりとりに目をやりながら、呟くように言った。

「若い人には何でもないことが、難しくなるんですよ」

「だったら乗降ドアを開けて、普通に降ろしてあげりゃいいじゃないの」

我らが編集長のご発言だった。相変わらずむっつりとして、眉間に皺を寄せている。グループ広報室内で、誰かのミスを指摘するとき、誰かの提案を「アイデア倒れだ」と退けるとき、いつも披露するお馴染《なじ》みの皺だ。

老人は目元だけで笑うと、私を見た。今度はその目に、かすかだが面白がっているような色が見えた。

「あなたの編集長は気難しい方ですね」

私が何か答える前に、バスの後方でどさりと音がした。迫田さんが地面に降りたのだ。

「大丈夫ですか？　怪我はありませんか」

柴野運転手が大声で呼びかける。返事はないが、女性運転手はすぐにこっちを向いた。

「迫田さんが降りられました！」

こんな状況でも、ひとつのことが上手《うま》くいくと、人は元気になれるのだ。柴野運転手の表情は明るかった。

「ほら、大丈夫だったでしょう？」

老人は私に言って、後方に首を伸ばした。

「柴野さん、よく聞いてください」

開け放った非常ドアのすぐ脇で、女性運転手はまた両手を耳の高さに上げた。

「あなたもバスを降りるんです。降りたら、どこかで電話を借りてください。このあたりには交番はありませんし、パトカーの巡回もありません。三晃化学の敷地内には入れませんから、無駄に遠回りをしないで、近所の家を訪ねる方が無難です」

「電話を……借りるんですか」

「そうです。だって警察に通報しなくちゃならんでしょう」

私の不機嫌な上司が疑わしげに目を細め、若い男女が目を丸くするなかで、老人はてきぱきと女性運転手に指示を飛ばした。

「先に会社に電話してもいいですが、そのへんの判断はあなたにお任せします。あとあとのことを考えたら、緊急マニュアルに書いてあるとおりにした方がいいでしょうね」

「――警察に通報していいんですか」

「あなたの立場で、通報しないわけにいかないでしょう。しっかりしてくださいよ、柴野さん」

老人はいっそ楽しげだった。私の不機嫌な上司は、呆《あき》れたように天井を向いた。ついでに、頭の上で組んでいた手を下ろし、ああ疲れたというようにぶらぶら振ってほぐして、また元の姿勢に戻った。

これまでにも私は、いろいろな局面で、園田編集長の様々な〈個性〉と対面してきた。付き合いにくい個性もあれば、付き合い甲斐《がい》のある個性もあった。しかし、これはどっちに評価すればいいのだろう。剛胆なのか、強がりなのか。現実を甘く見ているのか、現実に呑まれにくいのか。

「あなたの携帯電話をお借りします」

老人は女性運転手に向かって呼びかけた。「ですから、これから私と連絡をとりたい向きには、あなたの携帯電話の番号を教えてください。電池切れになったらそれまでですが」

女性運転手は黙ってその場に立ったままだ。と、手を動かして制帽を脱いだ。

「わたしは車内に残ります。この帽子を迫田さんに渡して、警察に通報してもらいます。わたしの帽子があれば、証拠になりますからすぐ信じてもらえるでしょう」

「あなたご自身が通報し、あなたご自身が営業所の偉い人たちと話す方が、はるかに確実です。拳銃を持った男にバスを乗っ取られた。乗客が五人、人質にとられている。場所は三晃化学の脇の空き地だと」

「でも」

ためらう女性運転手に、声が飛んだ。「行ってください」

Tシャツの若者だ。やはり疲れたのか、彼の肘も下がってしまっているが、声にも表情にも凜《りん》としたものがあった。

「運転手さん、バスを降りて通報してください。その方がいいです」

私も声を出した。「そうしてください。今はそれが、あなたの責任を果たすことだ」

柴野運転手はかぶりを振った。「できません。お客様を置き去りにするわけにはいきません」

「あなたは女性ですよ」若者が言った。「こういう場合、女性から先に解放されるのが筋ってもんです」

「でしたら、そちらの女性のお客様を二人、先にバスから降ろしてください。わたしは職場を離れません」

きかん気の子供のように言い募り、柴野運転手はこちらへ戻ってこようとした。すかさず、老人はポロシャツの男をさらに引き寄せ、首筋に銃口を押しつけ直した。ポロシャツの男は不自然に首をねじ曲げられて低く呻《うめ》き、運転手はつっかかったように足を止めた。

「――わたしも、あなたのお顔に見覚えがあります」

震える声で、運転手は老人に言った。

「何度か、02系統のバスにお乗せしました。わたしたちは輪番で三つのルートを走りますから」

老人は答えない。

「〈クラステ海風〉付属のクリニックに通っておられるのではありませんか。さっき迫田さんもおっしゃっていましたが、どこかお加減が悪いんですか。だったら、こんなことをしていたらお身体に障ります」

考え直してくださいと、声を振り絞った。

「今なら、まだ間に合います」

車内に沈黙が落ちた。しじまのなかで、我々の鼓動が波動になって空気を震わせたのだろうか。一発目の銃弾で壊された天井板の破片が、今ごろになってひらりと落ちてきた。

「柴野さん、バスを降りてください」

老人の辛抱強い口調に変わりはなかった。「あなたの帰りが遅くなったら、ヨシミちゃんが可哀相でしょう」

一撃だった。女性運転手は見えない棒にでも叩かれたかのようによろめいた。顔から血の気が引いた。

「どうしてうちの娘の名前を知って」

「私は用意周到な人間なんです」

それだけ言って、老人は柴野運転手から目を切ると、ポロシャツの男に問いかけた。

「あんた、立てますか」

男は目を泳がせ、何とかうなずいた。

「それじゃ、立ちなさい。これからひと仕事してもらいます」

「だったら、銃を何とかしてくれ」

「私は一歩下がりますが、いつでもあんたを撃てますよ」

「わかってるよ」

ポロシャツの男の腕をつかんだまま、老人は几帳面に一歩だけ彼から離れた。男は呻くような声をあげて座席から腰をあげた。

「運転手さんがバスを降りたら、あんた、後ろへ行って非常ドアを閉めなさい。元通りにきっちり閉めるんですよ」

そのとき、私は老人の新しい表情を目撃した。冷笑だ。それ以外の表現がない。

「あんたがその気になれば、飛び降りて逃げることもできる。あんたが逃げた後、この車内で何が起こるか、誰がどうなるかは、あんたには関係ないことだからね。だが、女性を二人も置き去りにして、尻に帆をかけて一人だけ逃げ出せば、これから先のあんたの人生は、あんまり明るいものじゃなくなるだろうね。それでも、命あっての物だねだと思うなら、かまわないから逃げなさい。非常ドアは、あんたより男気のある人に閉めてもらうことにするから」

老人は怒っているのだ。さっき柴野運転手が、自分がバスに残るから乗客を解放してくれと頼んだとき、飛びつくように賛成したこの男に怒っているのだ。

「——逃げやしないよ」

当の本人にも、その怒りは伝わっているらしい。まだ目が泳いではいるが、ポロシャツの男のいかつい顔に生気が戻ってきた。

「そんなもんで人を脅かして、偉そうに説教しやがって。言っとくが、俺はあんたみたいな老いぼれが怖いわけじゃないよ。こんなところで死ぬわけにはいかないってだけだ」

「その意気です」と、老人は言い返した。

柴野運転手がバスから降り、ポロシャツの男が非常ドアに近づき、片手でシートにつかまりながら宙に腕を伸ばして開いたドアを引き寄せ、けっこう苦労してドアを閉め、さらにしゃがんでシートの後ろに姿を隠し、非常ドアの操作レバーを元通りの位置に戻し、また立ち上がる——一連の行動がすべて終了するまで、私は半信半疑だった。心の半分では、男は開いた非常ドアから地面に飛び降りて、振り返りもせず逃げ出すに決まっていると思っていた。

いや、正確に半信半疑と言っていいかどうかは疑問だ。なぜなら、残った心の半分は、後頭部に押しつけられた銃口の硬い感触を味わうことで手一杯だったからだ。老人は、さっき男にしたように、私に寄り添って腕をつかもうとはしなかった。するりと私の背後に回って、私に拳銃を見せず、ただ銃口の存在を感じさせるだけだった。

私の方が危険だと思って、逆襲されにくい位置に移動したのか。それとも、私の方があの男よりずっと弱いので、まともに銃口を見せつけたらパニックになると思われたのか。

私と銃口の、両方を同時に見つめる編集長の顔から、ようやくあの不機嫌が消えた。

「杉村さん」と、編集長は言った。囁くような声だった。

「大丈夫ですよ」と、私は言った。「おとなしくしていれば撃たれません」

老人は黙っていた。私も編集長も黙った。私には、夢にも思ったことがない経験だった。笑わず、怒らず、口を尖らせることもなく、かすかに目尻を引き攣らせて押し黙る園田編集長を目の当たりにするとは。

「これでいいのか？」

バスの後方で、作業を終えたポロシャツの男が声を張り上げた。息が荒い。

老人も大声で訊いた。「柴野さんと迫田さんは、まだそこにいますか？」

男は窓から外を覗《うかが》った。「いるよ」

「早く行くように言ってやってください」

ちょっとためらってから、男は平手で窓を叩いた。それからその手で、しっしと追い払うような仕草をした。

「行けよ！　早く逃げろ！　さっさと一一〇番しろってんだよ！」

私の後頭部から銃口の感触が消えた。老人が一歩下がったのだ。

「では皆さん、床に座ってください」

若い男女が顔を見合わせ、今度もまた彼が先にうなずいて、座席から降りた。白いブラウスの若い女性は彼に身を寄せ、キュロットスカートの膝を抱えて体育座りをした。Tシャツの男性は正座している。

私はゆっくりと座席を離れ、立て膝をして床に尻をつけた。編集長はまだシートに腰かけたままだ。その膝頭が震えていることに、私は初めて気がついた。

「編集長」

私が声をかけると、編集長はぶるりと身震いし、やおら足をばたつかせて、六センチヒールのパンプスを脱ぎ捨てた。そして腰を上げ、私に背中を向け、両手で身体を抱きしめるようにして座り込んだ。

「あなたもこちらへ戻ってください。さっきまでと同じように、両手は頭の後ろで組んで」

呼びかけられて、まだ最後列にいたポロシャツの男は、未練がましく非常ドアを一瞥《いちべつ》した。やっぱり逃げておけばよかったと、その横顔が白状していた。それを眺める私も、逃げておけばよかったのにバカ正直な人だ――と思っていた。ついさっきは心のなかで、雲を霞と逃げ出すこの男の姿を思い描き、一方的に軽蔑していたのに。

大柄な男は、狭い通路を横歩きで引き返してきて、バスの真ん中の段差まで戻ると、唸《うな》り声をあげてそこに腰かけた。

「じいさん、俺は椎間板ヘルニアなんだよ。そんなとこに座ったら、十分もしないうちに腰痛が出ちまう。ここでいいだろ」

「では、下の段に座ってください」

男は素直にステップを一段下がった。ほとんど同時に、車内の照明が消えた。老人が運転席のスイッチを切ったのだ。

真っ暗ではない。コンクリート塀の上に並んでいるライトの明かりが、窓から差し込んでくる。ただ、二年ものあいだ放置され、掃除されていないだろうライトの光は黄色く濁り、淀んでいた。

何のモードであれ、それが切り替わったことを、私は感じた。

2

「嫌な色のライトですな」

私の後ろで老人が呟いた。

「皆さん、黄疸《おうだん》になったみたいな顔色だ」

だったら車内灯を点けてよと、我らが編集長は言わなかった。振り返りさえせず、固く膝を抱いている。彼女のモードも切り替わったのだ。

「この三晃化学という会社はね、けっして業績が悪かったわけじゃないんですよ。同族会社で、経営権をめぐって身内の争いが起こりましてね。傷害事件にまで発展してしまった。それでケチがついて」

まるで自分の会社であったかのように、老人の口調は悔しげだった。

「廃業した後も、こうやって施設や建物を野ざらしにしているところをみると、まだゴタゴタが解決していないんでしょう。しかし、セキュリティのためにも、もっと明るいライトに替えるべきだと思いますね」

あの——と、小さな声がした。白いブラウスの若い女性だ。

「手を下げてもいいですか。痺《しび》れてきちゃったんです」

私は身をよじり、運転席の脇に立っている老人を仰いだ。ぎょっとするほど間近に銃口があった。

「もういいでしょう。せめてご婦人方だけでも楽な姿勢にしてあげて」

言いかけた私の目の前で、老人は拳銃を構えたまま、空いた手で幼稚園掛けしたバッグのなかから何かを取り出した。

白いビニールテープ。絶縁テープだろうか。使いかけで、輪が小さくなっている。

「お嬢さん、お名前は」

黄色く濁った光のなかでも、彼女が目を瞠《みは》ると、その瞳がきれいに澄んでいるのがわかった。

「前野《まえの》です」

「では前野さん。このテープを使って、皆さんの手足をぐるぐる巻きにしてください」

言って、老人は可笑しそうに笑った。

「何とも幼稚な表現ですが、私の言いたいことはわかるでしょう?」

「——わかります」

前野嬢はビニールテープを受け取った。

「皆さん、両手と両足首を揃えて、私に見えるよう前に出してください。君、お名前は」

正座している若者だ。黄色いTシャツの下は、くたびれたジーンズだった。

「僕？　ですか」

「お名前を教えてください」

「坂本《さかもと》といいます」

「じゃあ坂本君、体育座りをしてください。前野さん、坂本君から順番に、ぐるぐる巻きにしていってください。あわてなくていいですからね」

はい、と前野嬢はうなずいた。ビニールテープの扱いに苦労している。彼女は爪を短く切り揃えていた。

「椎間板ヘルニアの方、お名前を教えてくださいますか」

バスの中央のステップで、ポロシャツを着た大柄な男は老人を睨《ね》めつけている。

「――嫌だ」

向こうっ気が強いかと思えばだらしなく、いわゆる〈ヘタレ〉かと思えばこんなふうにヘソを曲げるところもある。

「困りましたね。ずっと〈椎間板ヘルニア〉さんとお呼びせねばなりません」

「人に名前を訊くなら、まず自分から名乗るのが礼儀だろう」

「ああ、そうですね」老人は穏やかにうなずいた。「失礼しました。私は佐藤《さとう》一郎《いちろう》です」

誰にもウケなかった。ポロシャツの男がフンと鼻息を吐いた。

「じゃあ、俺は田中《たなか》一郎だ」

「わかりました。次はあなたです。お名前を教えてください」

編集長に訊いている。返事がない。私は編集長の斜め後ろにいて、彼女がうつむいているので、頬も目元も見えない。

「――園田です」

普段の彼女の声が百ワットの電球ならば、今の彼女の返事には、バスの外から差し込んでくる淀んだ黄色いライトほどの明るさしかなかった。

「いつもはどのように呼ばれているんですか」

また返事がない。私は代わりに答えた。「ほとんどの場合、〈編集長〉です」

「では、私もそうお呼びしましょう」

いいですねえ……と、老人は微笑んだ。

「〈編集長〉。いい響きだ。私も若いころ、出版社で働きたいと思っていたことがあるんですよ。羨ましい」

老人は軽く身をかがめ、一段と声をやわらげて、園田編集長に語りかけた。

「今でも出版人に憧れています。こうして〈編集長〉と口にすると、何だか私も編集者になったような気がしますよ」

うつむいたまま、園田編集長が小さく言い捨てた。「出版社なんかじゃないわよ」

老人が、言葉の意味を問うように私の顔を見た。

「編集長も私も、出版社勤めではありません。物流業の会社で、社内報の編集をしているんです」

「はあ、社内報ですか」

老人が目をしばたたく。編集長がようやく顎を持ち上げ、横目になって彼を見た。

「会長が道楽で出させてる、毒にも薬にもならない社内報ですよ。あたしの肩書きだって、ほとんど冗談みたいなものよ。陰じゃ物笑いのタネになってる。本当は窓際族なんだもの」

老人は私を見た。「あなたも同意見ですか」

「百パーセント一致しているわけじゃありません。それに園田さんは優秀な編集長です」

老人がうんうんとうなずくと、銃口も一緒に上下した。

「話が前後しましたが、あなたのお名前は」

「杉村です」

「編集長の直属の部下ですか」

「肩書きは副編集長です」

「〈副編〉ですね」にっこりして、老人は言った。「それも格好いい響きです」

「佐藤さん」と、私は言った。「私のフルネームは杉村三郎といいます。兄と姉が一人ずついまして、兄の名前は一男《かずお》です。私の年代でも、まだ子供にそういう古風な命名をする親はいるんです」

「政治家には小沢一郎という人がいますね。まあ、あの人はあなたよりだいぶ上の世代か。私よりは若いけれど」

老人は楽しそうだった。

「忘れちゃいけない、鈴木一朗さんもいます。世界のイチローだ。彼は素晴らしいですね」

前野嬢がポロシャツの田中一郎氏の手首と足首をぐるぐる巻きにして、次は編集長の処置に取りかかった。キュロットスカートから覗く膝頭が汚れている。しゃがんだまま、膝をついて動いているからだ。

「ですからあなたが本当に佐藤一郎という名前でも、別に驚きはしません。でも、佐藤さんと呼んでいいんですか。それとも〈佐藤様〉の方がいいのかな」

私としては、拳銃を振り回して我々をいいようにしているこの老人に、精一杯の皮肉を込めたつもりだった。自分の鼓動が速くなるのを感じて、情けなかった。口に出してみると、ちっとも気の利いた皮肉ではなかった。

「呼び捨てでもかまいません。〈じいさん〉のままでもいいくらいです。ああ、そうだな。私のことは〈じいさん〉で通してください」

少しも動じずに、老人は言った。まなざしは、むしろ和らいだ。

「皆さんをこんなことに巻き込んで、本当に申し訳ありません。ただ私は、自分の憤懣《ふんまん》や欲求不満を解消するために、こんな事態を引き起こしているのではありません。自棄になっているわけでもないんですよ。迫田さんには叱られてしまったが……」

前野嬢が私の手首と足首にビニールテープを巻き始めた。巻きつけ方は緩いが、テープは分厚く、粘着力が強いので、意外と自由がきかない。こんなところにも、老人の計画性が覗いていた。

「自己紹介も済んだことですし、まわりがうるさくなる前にお話ししておきましょう。私は皆さんを人質に――皆さんを盾にしているわけですが、それにはちゃんとした目的があるのですよ」

「金か」と、ポロシャツの田中一郎氏が吐き捨てた。「借金でもあるのかよ。じいさん、いくら欲しいんだ？」

老人は素早く切り返した。「田中さん、あなたはいくら欲しいですか」

田中氏は目をしばたたいた。「え？」

「お金ですよ。何のヒモもついていないお金がもらえるとしたら、あなたならいくら欲しいですか」

「何なんだよ、いったい」

「真面目にお尋ねしてるんです。ぱっと頭に浮かぶ金額は、いくらぐらいです？」

さすがにひるんだのか、田中氏は答えない。すると〈じいさん〉は坂本君に目を向けた。

「君は学生さんかな」

坂本君はきょとんとしている。作業を終えた前野嬢が、彼の隣に戻ってきた。

「あの、前野さんはどうしますか」と、彼は訊いた。「彼女もぐるぐる巻きにしないといけないんでしょう」

前野嬢も生真面目に緊張している。

「あなたはそのままでいてください。ビニールテープは座席の下にでも置いてください。もう用はないから」

「でも……」

前野嬢はかえって不安げになった。

「わたしだけですか」

「もう少し、お手伝いを願いますからね。難しいことじゃありませんから、そんな顔をしなくても大丈夫ですよ」

前野嬢は坂本君の顔を見ると、いっそう身を縮めて膝を抱え、彼に寄り添った。

髪型こそスポーツマンタイプにすっきりと短く、背丈もそこそこあるが、坂本君は全体に痩せ気味で、けっして体格がいいとは言えない。だが、若い女性に頼られて、男気を出せないほどの腰抜けではなさそうだ。目元が引き締まった。

「僕は学生でした」

「大学生だね」

「先月までです。中退しちゃったんです」

「ほう……」

老人は本当に驚いているようだ。

「勉強して、せっかく受かったのに辞めてしまったんですか。どこの大学？」

「……大したところじゃありません。おじいさん、きっと知らないですよ。三流以下の私立だから」

「そうですか。何を学んでいたの？」

「工学部にいましたけど、ほとんど授業には出てなかった」

ちょっと考えてから、老人は訊いた。「雀荘《ジャンそう》に入り浸っていたという口かな」

「まさか」思わずというふうに、坂本君は短く笑った。「それって古いですよ」

老人はまた驚いた。「今時の大学生は、麻雀《マージャン》なんかやらんですか」

「やらなくはないですけど……。しょっちゅう雀荘にいるような連中もいますけどね。今はもう、おじいさんが言ってるみたいな感じで、授業に出ない大学生が集まるのは雀荘、っていう時代じゃないと思うなあ」

「それなら君は、授業に出ないで何をしていたんですか」

坂本君の口元から、さっきの短い笑いの名残が消えた。急に現実に返ったというふうに見えた。ただこの場合の現実は、我々がバスジャックの人質になっているという現実ではなかった。彼はこんなことを呟いた。

「マジな質問ですね」

「失礼だったら申し訳ない」

「いえ、いいんです。ただ僕、親とか先生とかにも、こんなふうに率直に訊かれたのは初めてです」

「君が大学を中退したいと言ったとき、ご両親はその理由を訊かなかったの？」

「そんなことないです。あれこれ訊かれたし、もちろん僕も説明したけど……。でも、授業に出ないで何してたんだ？　なんてことはいっぺんも訊かれなかった」

口を丸くして、ほう、と老人はまた言った。

「……何もしてなかったんです」と、坂本君は呟いた。

編集長が顔を上げ、首をよじって彼を見ている。

「だらだら寝てたり、コンビニで立ち読みしたり、メールしたりパソコンいじったり。だから」

何故かひどく決まり悪そうに、彼は隣の前野嬢を盗み見て、早口に言った。

「ほかにやりたいことがあるから授業に出なかったんじゃないんです」

「そういうのはな、小僧。サボりというんだ」

聴衆役になっているうちに、元気を取り戻したらしい。田中氏が叱りつけるように言った。

「ただサボってのらくらしてただけだ。いちいち考えて答えるようなことじゃねえよ」

「そうですね。すみません」

可笑しそうに、編集長がふっと笑った。「ごめんなさい、笑ったりして。だけど、何でこんな話をしてるのかしらね」

「あ、そうですね」

途端に現実に戻ったのか、反射的にまた後頭部で手を組もうとして、坂本君は手首を固定されていることを思い出した。

「これから先は、何をしたいですか。大げさに言うなら、君の人生の目的です」

老人は話を打ち切るつもりがないらしい。淡々と穏やかな語調で質問を続けた。

「ちなみに、サボってのらくら暮らしたいというのだって、立派な目的ですよ。私はそう思います」

「だけどそれじゃ……」

「暮らしに不自由しない程度のお金があれば、好きなようにのらくらできます。君にはいくらぐらい必要でしょうね」

老人はそう言って、編集長に笑いかけた。

「話の舵《かじ》をとってくださってありがとうございます」

坂本君はまた前野嬢を盗み見たが、彼女は目をまん丸にして老人の顔を見つめていた。

そして言った。「そんなの、見当もつかないですよ。遊んで暮らすっていっても、どんなふうに遊ぶのかによって、必要なお金は全然違ってくるでしょうし」

「それじゃ前野さんは」老人は切り返した。「ヒモつきでなく、自由に使えるお金をもらえるとしたら、いくら欲しいですか」

税金もかからずに——と、冗談のように言い足して、老人は目を細めた。

坂本君が割り込んだ。「変な言い方だけど、僕、金にはそんなに困ってないんです。一人っ子だし、親は二人とも元気で働いているし」

「それは、君のご両親が働いておられて定収入があるというだけで、君のお金じゃないでしょう」

「そうだけど」

「俺は欲しいよ。いくらでも欲しい。一億でも二億でも三億でも」

腹立たしそうに鼻を鳴らし、歪《ゆが》んだ笑みを浮かべて、田中氏が吐き捨てた。

「会社の運転資金になるからな。一億あれば、新しい機械も買える。従業員にボーナスも出してやれるし、滞納してる源泉税も払える」

「ああ、あなたは会社を経営しておられるんですか」

「おられるような会社じゃないよ。吹けば飛ぶような零細企業なんだから」

「どんなお仕事ですか」

「金属加工業だよ。ボルトとかナットとか」

「従業員は何人いますか」

「女房は頭数に入れなくて、五人」

「大事な五つの人生を、あなたが預かっておられるわけだ。立派なことです」

　編集長がまた笑った。今度のは明らかに失笑だった。「何なの、これ。何してるんですか」

「私はただ、皆さんに質問しているだけです。編集長、あなたにも同じことを伺ってよろしいですか」

「あたしはお金なんか要りません」

「まあ、そう突っ張らずに」

　老人は余裕の笑顔で、すっかりくつろいでいる。私は突飛な想像をして、頭に浮かんだそのイメージに、一人で勝手に混乱した。夜道で突然、バスが故障して立ち往生してしまった。運転手は救助を求めてこの場を去り、残った我々は、事態が打開されるのを待つだけで所在ないし、イライラする。すると年配の乗客が年の功で、皆の気持ちを落ち着かせるために世間話を始めた。我々は床に車座になり、その世間話に付き合って、だんだんと興に乗ってきた。そんな無駄話なんかくだらないというへそ曲がりも、老人の話術に引き込まれかけている――

「じゃ、設定を変えましょう。私はこうして皆さんにご迷惑をかけている。皆さんを脅しているのも事実です。ですから、後で賠償金をお支払いします。慰謝料と言ってもいいかな。皆さんの現実的な損害を埋め合わせ、なおかつ私の謝罪の気持ちを金銭に換えてお支払いするわけです。さて皆さんは、それぞれどれくらいの額をご所望になりますか」

まず、田中さんは一億円で決定と、老人は田中氏に言った。「私の財政状況から、上限は一億円とさせていただきます。本当はもう少し捻出できなくもないんですが、一億円がきりがいいところでしょう」

前野嬢と坂本君は呆れている。

「おじいさん――」

「リッチなんですね」

孫のような若い二人の素朴な声に、老人は嬉しそうに笑み崩れた。

「はい。私は金持ちなんですよ」

「だったらどうして」

勢い込んで身を乗り出した前野嬢の眼前に、老人は拳銃を突き出した。前野嬢は水をかけられた犬のように震え上がった。

「すみませんが、動かないでください」

まだ脳裏に居残っていた私の突飛な想像も、それで破れた。我々は人質で、いつ射殺されてもおかしくない状況で、これはバスジャックなのだ。

「申し訳ないね。私としても、皆さんにはできるだけリラックスしてお付き合いいただきたいのですが、急に動かれると、やっぱり警戒してしまうんですよ」

ごめんなさいと、尻で後ずさりして前野嬢は呟いた。背中をぴったりと坂本君の肩に押しつけている。

「わかった。わかりました。これはゲームですね。そう思えばいいんだ」

坂本君はうなずいて、妙に力のこもった声を出した。テープで拘束された両手を、大きく上下に振っている。

「僕らは時間つぶしにゲームをしてる。人生ゲームだ。おじいさん、知ってますか」

「昔、そういうボードゲームがありましたな」

「やっぱ古いな。今はパソコンゲームになってますよ。鉄道会社を経営して、いろんなところに路線を敷いて収益を上げて、土地を買収して駅やショッピングモールを造るんです。いちばんリッチになったプレイヤーが勝つんです」

「楽しいゲームですよね」

いい加減な相槌《あいづち》ではなく、老人は本当にそのゲームを知っているように、私は感じた。

「じゃあ坂本君は、このゲームで何を目指しますか」

「僕は、えっと、まず」

世界旅行をしたい、と言った。

「バックパッカーじゃなくて、ちゃんとした旅行です。だってそれなりの備えがなくっちゃ、世界には危険な場所もあるから」

「はい、はい」

「それにはどれぐらいかかるのかな。どう思う？」

坂本君は前野嬢に訊いた。まださっきの恐怖から立ち直りきっていない前野嬢は、首を横に振るばかりだ。

「クィーンエリザベス二世号に乗りたいっていうんじゃなければ、一千万円あれば足りるんじゃない？」

我が編集長の助言だった。目元に冷笑を残しながらも、少しは話に参加する気になったらしい。

「とんでもなく辺鄙《へんぴ》な場所にある世界遺産を観たいとかいうオプションは別にして」

「一千万円ですか」

「いつもファーストクラスに乗るわけにはいかないかもしれないけど」

「いいです。それで手を打ちます」

陽気に言って笑い、坂本君は急にちくりと刺されたみたいな顔をした。

「でも、何かそれ、駄目だな」

「何故ですか」と、老人は優しく問いかけた。

「濡れ手で粟《あわ》の一千万円でしょ。そんなの、僕一人で使っちゃうわけにいかない」

「ほほう」

「一千万円あったら、その分だけ、親の住宅ローンを繰り上げ返済できるから……」

編集長が吹き出した。「つまんないわねえ。ただのゲームなのに」

「それはそうですけど」

　拘束された手を持ち上げて、坂本君は頭を掻こうとした。もちろんできやしないが、彼の気持ちはよくわかった。

「うちの親父、三十五年の住宅ローンを組んでるんです。まだ半分も返せてない。途中で金利が上がっちゃったのに、残業カットで年収は下がってるし、家の資産価値なんかあってないようなもんだし」

「君はご両親想いだね」

　老人の言葉に、坂本君は照れた。黄色く濁った光のなかでも、若者の素直な含羞《がんしゅう》は輝いて見えた。

「僕の入学金も学費もまるっきり無駄になって、すごく叱られるって覚悟してたのに、二人とも何か優しいんですよ」

「君を大事に想っておられるからですよ」

「こんな駄目息子なのに？」

　呟いて、坂本君は縛られた手の甲で鼻の下を拭いた。

「自分の人生の目標を見つけるまで、ゆっくり考えなさいって言ってくれました。ホントはそんな余裕なんかないだろうに」

「そうよ。お金に困ってないというのは、あなたの独りよがりだわよね」

　厳しく決めつけて、編集長は身体ごと老人の方に向き直った。「住宅ローンなら、あたしも背負ってます。猫の額みたいな2DKのマンションですけどね。そのローンを全額、耳を揃えて銀行の担当者に突きつけてやれたら、きっと気分いいでしょうね」

老人は面白そうに眉毛を動かした。近くで見ると、眉にまじった白髪が光っている。

「ローン契約のとき、何か不愉快な目に遭われたんですか」

「独身女性ですからね。店先に飛んできたコンビニの空き袋みたいに扱われましたよ」

「銀行の連中はみんなそんなもんだよ」と、田中氏も乗ってきた。「あいつら、てめえの金でもねえのに、威張りくさりやがる」

「では、こうしましょう」

老人は我々を見回した。

「坂本君と編集長には、それぞれの住宅ローンの残額に一千万円を上乗せした金額をお支払いします。ローンに相当するお金が賠償金で、上乗せの一千万円が私の慰謝料です」

「俺は一億円ぽっきりかよ」

田中氏が口を尖らせたので、私は思わず笑ってしまった。前野嬢も吹き出した。

「合計でいくらになりますか」

編集長が即答した。「三千五百万円」

坂本君は首をかしげる。「親父のローン、細かい額まではちょっと」

「ざっとでいいわよ。ざっくり」

「一千万円足すと、やっぱり三千五百万くらいじゃないかなあ……」

「前野さんはいかがです」

老人に目を向けられて、彼女はまたちょっと反射的に肩を縮めたが、笑みは残っていた。

「わたし……わたしは、学費があると助かります」

「学費？」老人のまなざしが、さらに親密なものになった。「そうか、あなたも学生さんなんですね」

「まだ、これからなんです。今はそのためにバイトしてるんです」

「何を勉強したいんですか」

彼女は恥ずかしそうに目を伏せた。小声で何か言ったが、聞き取れない。

「うん？　すみませんがもう一度」

「――パティシエになりたいんです」

老人が訝しげに編集長を見た。彼女はすぐに答えた。「ケーキ職人ですよ。今はそういう洒落た呼び方をするんです」

そして、久しぶりに〈お局・園田瑛子〉の目つきになった。「今日日《きょうび》、あなたみたいな娘さんがなりたがる職業のナンバー・ワンだわよね」

〈お局・園田瑛子〉の眼力は、永年、今多コンツェルンという組織のなかで鍛え上げられている。無垢《むく》な前野嬢などイチコロだ。

「わ、わたし、本当にちゃんと」

「実はきつい仕事らしいわよ。ああいう世界には徒弟制みたいなヒエラルキーが残ってるから、一人前になるまでは人間扱いされないしね。ドラマでやってるみたいなきれいな商売じゃないわよ」

前野嬢は小さくなってしまった。すかさず、坂本君がレスキューに出動だ。

「けど偉いよ。ちゃんと自分の目標があって、そのために働いてるんだもん。オレなんか」

編集長が遮った。「料理人は、学校出ただけじゃ駄目ですからね。修業しないと」

「すげえ意地悪ですね。この人、若い女の子にはいつもこうなんですか」

坂本君は私に矛先を向けてきた。私が答える前に、編集長が言い捨てた。「あたしは現実的なの。つまり大人だってことよ」

微笑を浮かべてこの応酬を聞いていた老人が、つと目を上げてバスの後方を見た。その瞬間、私も気づいた。

「楽しいお話の途中ですが、私たちの現時点での焦眉《しょうび》の現実が到着したようです」

老人は小声で言った。みんな、バスの後方を振り返った。パトランプの光が車内に差し込んできたのだ。

緊急車両の回転灯は、現実を負の方向に変質させてしまう圧倒的な力を備えている。それがそこで光っているというだけで、ほとんどの場合、人は不安を覚えるものだからだ。たとえば夜半、帰宅途中で家の近くに回転灯の光を見つけたら、誰でも思うはずだ。どこで何があったんだろう、うちは大丈夫だろうかと。

だが希《まれ》には、同じその回転灯に、人が安堵の想いを抱くこともある。周囲の現実の方が、先に負に変換されている場合だ。

その希な体験が、私にはこれ以前にもあった。ほんの二年前のことだ。そのときの事態と現状とはかなりの違いがあるが、回転灯を見てほっとしたことに変わりはなかった。

「やっとおでましだ」

のろくさしやがって――と、田中氏が毒づいた。同意する声はなかった。

「パトカーですね」

坂本君が呟いて、老人に顔を向けた。

「おじいさん、警察が来ちゃいましたよ」バスの外に新しい光源が現れたせいで、三晃化学がおざなりに取り付けた塀の上の電球が放つ光は、〈明かり〉と表現されるものから、気の滅入《めい》るような黄色い薄暗がりへと格下げになったようだった。そのなかで、坂本君の表情は無理に明るかった。

「今ならまだ、ギリギリセーフです。こんなこと、やめにしましょう。冗談だってことにしちゃいましょうよ」

老人は彼には答えず、バスのリアウインドウに目をやって、言った。

「パトカー、停まりましたね」

回転灯の接近が止まったのだ。バスの斜め後ろ——どれくらい離れているのか、床の上に座っている状態では見当がつかなかった。

「前野さん、すみませんが後ろの窓から顔を出してあげてください」

「でも」彼女は小声で言って、相談するように坂本君を見た。

「いいんです、やってください。そうだな、窓からお巡りさんに手を振って、その手でバツ印を作ったらいいでしょう」

冗談には見えないようにね——と、老人は優しく言い足した。

前野嬢はのろのろ立ち上がると、後部へと移動した。我々は彼女が座席の上に膝立ちになり、外に向かって両手を振り、その手でバツ印を作るのを眺めた。

前野嬢は大きく身振り手振りをして、すぐに声を出して呼びかけ始めた。

「だから、バスジャックなんです。わたしたち、人質に、とられてるんです！」

右手で拳銃の形を作り、こめかみにあてがってみたりしている。

「どうも、伝わらないようですなあ」

老人がのんびりと言って、何故か私に笑いかけてきた。「どうしたらいいと思いますか、杉村さん」

「とろいんだ。田舎の警察だ」田中氏がさらに忌々《いまいま》しそうに吐き捨てた。「窓を開けろよ。俺が大声でわめいてやるから」

「窓は開かないんですよ」

「運転席の右側の窓は開くはずだぞ。俺は見たことがある」

「窓は開けません」

口調も表情も変わらないが、その一瞬、ひやりと酷薄な色が老人の目の奥をよぎった。黄色い電球のせいでも、回転灯の光のせいでもない。

私は老人に言った。「こちらから電話をかけてみたらどうですか」

「一一〇番するんですか？」

老人は意外そうに目をしばたたいた。

「どこでもいいんです。この事態の裏付けになる言葉を、外部の人に聞かせるんですよ」

「今さら、まどろっこしいですなあ」

車内に真っ白な強い光が差し込んできた。どうやら、後方に停まったパトカーが、ヘッドライトをハイビームにしたらしい。車内の様子を窺おうというのだろう。

「まったく、もう！」

眩《まぶ》しそうに手を上げて顔を覆い、前野嬢が腹立たしげに叫んだ。こっちを振り返り、

「運転手さんが一緒に乗ってるんですよ。一生懸命説明してくれてるみたいなのに、お巡りさんたち、本気にしてない感じです」

柴野運転手が来ているのか。それなら——と思ったとき、はかったように彼女の携帯電話が鳴り始めた。

「可愛い呼び出し音だ」

老人は微笑んだ。柴野運転手の携帯電話の着メロには、私もどこかで聞き覚えがあった。きっと〈ヨシミ〉という娘さんの好きなメロディなのだろう。歳も、うちの桃子と同じくらいなのかもしれない。

老人は左手で携帯電話を取り上げた。着信を知らせる小さなライトの色が、点滅するたびにカラフルに変化する。しばらくそれを眺めてから、彼はそれを私の右の耳に近づけた。

「杉村さん、出てください」

そう言って、通話ボタンを押した。着信音が止まり、「もしもし?」と呼びかける男性の声が聞こえてきた。

また、私の目と鼻の先に銃口がある。

「もしもし? もしもし?」

皆の視線が私に集中している。

「――はい」

私が声を出すと、編集長がはあっと息を吐いて目をつぶった。身をよじってこちらを向いていた前野嬢が、窓にへばりつくようにして外を覗いた。

「すみませんが、あなたはどなたですか?」電話の向こうの男性の声が訊いた。皮肉なことに、それはちょうど、我々が道に迷って交番を訪ねるときのような口調だった。引ったくりや窃盗に遭って、交番へ駆け込むときの口調ではなかった。つまりのどかなのである。

「このバスの乗客です」と、私は答えた。老人が私にうなずきかけた。

「そうですか。今、こちらにですね、このバスの運転手だという女性が来てるんですよ。それでですねえ」

「その人の言っていることは本当です。私たちは拳銃を持った乗客の一人に人質にとられています」

ちょっと間があいた。驚いているのだ。しっかりしてくれと、私も毒づきたくなった。

老人が私に囁きかけてきた。「こういう事態に対処できる人を呼んでくれと言ってやってください」

私は忠実に伝えた。「犯人は、こういう事態に対処できる人を呼ぶように要求しています。バスのなかでは既に発砲がありました。幸い、まだ怪我人はありませんが」

私が話している途中で、老人が携帯を遠ざけ、通話を切った。

「ありがとうございました」

言葉とは裏腹に、彼の目元の微笑の残滓《ざんし》は消えていた。

「あなたは冷静な人ですね。私はあなたをあてにできる。お仲間も人質の皆さんも、あなたをあてにできる」

「どういう意味でしょうか」

老人は携帯電話を料金箱の上に置いた。そして呟いた。「乗っ取り犯がバスの乗客で、人数は一人だということを、上手に伝えたものです。とっさに頭が回ったんですか」

そんなことまで、私は考えていなかった。

「意図的に伝えたわけじゃない――」

「発砲があったことを告げたのは余計でしたが、怪我人は出ていないと言ってくれたので、差し引きゼロになりました。日本の警察は、こういう事件への対処が慎重過ぎるほど慎重で、マスコミに弱腰だと責められることもしばしばありますが、怪我人がいるとなると頭に血がのぼって、途端に強硬措置をとる。彼らにはゆっくり考えて行動してもらいたいので、私はそれでは困るのです」

「パトカー、行っちゃいます」

バスのリアウインドウに張りついたまま、前野嬢が声を上げた。

「バックしていきます。あ、また停まった」

「気にしなくていいですよ。前野さん、こっちに戻ってきてください」

「見張ってなくっていいんですか」

どっちの側なのかわからなくなるようなことを、どっちの側なのかはっきりしないような口調で、彼女は言った。本人はその発言のおかしさに気づいていないようだ。

老人は笑った。「あなたは人質ですよ」

「バックしやがったって？　ったく、何やってんだ税金泥棒め！」

田中氏は激怒する。前野嬢が、前方に戻ってくる途中で彼の脇を通るとき、そのうずくまった大柄な身体に触れないように、おっかなびっくり足を運んだ。

「そうイライラしないことです」

老人が宥《なだ》める。田中氏は怒りを露《あら》わに顔を歪め、勢いよくステップをずり降りた。

「じいさん、あんた何をのんびり構えてるんだよ。本気なのか？」

大声と同時に、彼の尻がごん！　とバスの床にぶつかる音がした。前野嬢が目を瞠った。

「本気ですよ。杉村さんのおかげで警察も本気になったでしょうから、まあ、少し様子を見ようじゃありませんか。ちょうどいい、田中さん、こっちへいらっしゃい。私がそのステップに座らせてもらいます」

携帯電話を幼稚園掛けしたバッグに入れ、尻でずって移動する田中氏をちょっと介添えして、老人はさっきまで田中氏が陣取っていた場所に腰をおろした。そのわずかな間、銃口が我々から逸れたけれど、いかんせん距離があり、ぐるぐる巻きのテープのせいで、私も坂本君も素早い行動を起こせなかった。田中氏なら老人に体当たりするチャンスがあったが、今の彼には期待するだけ空《むな》しいようだ。

「本気だっていうんなら、さっきの話もウソじゃないんだな？」

金のことで頭がいっぱいだ。

「何だか知らんが、あんたがこの騒ぎで目的を遂げたなら、俺に一億円、確かにくれるんだな?」

「差し上げます」と、老人は答えた。

「やめなさいよ」

園田編集長だ。テープでつながれた両腕の輪のなかに膝小僧を入れて、ちんまりと座っている。女性としては小柄な人ではないが、そんな格好のせいか、縮んで見えた。

「お金の話なんかやめてください」

声も少し縮んでいる。驚いたことに、べそをかいていた。

十年以上、私はこの人の下で働いてきた。辛いことや意地悪なことをさらりと言い、人を褒めることは少なく、それでいて人の評価をほとんど間違うこともない園田瑛子を、私なりに理解しているつもりだった。だが、ここにきて自信が薄れてきた。さっきから、拳銃を前にして平気で辛辣《しんらつ》なことを言うかと思えば、急に縮こまったり、むっつりと無反応になったり、めまぐるしい。この場で泣き出されたら、私の方が取り乱してしまいそうだ。

「ちょっと」と、坂本君が顔を上げた。「聞こえませんか? にぎやかになってきた」

腕時計を見ていなかったので、正確にどれぐらい時間がかかったのかわからない。体感では、せいぜい三十分ぐらいのものだったろう。気がついたら、我々のバスは警察の装甲車に囲まれていた。

乗降口のある側はもともとコンクリート塀に寄せられているので、三方を固められた形だ。正面の装甲車は我々が座り込んでいる目の高さからも見えたが、横と後方は見えない。そちらの方は、また前野嬢が老人の指示で外を見て教えてくれたのだ。

ついでに彼女はとんちんかんなことを言って、老人を笑わせた。

「こんなにいっぱい護送車が来て、どうするんでしょうね？　わたしたちを乗せるの？」

楽しそうにクックツ笑う老人に代わって、坂本君が教えてやった。「護送車じゃないよ。装甲車だよ」

「だってあれ、囚人を乗せる車でしょう？　窓に凄《すご》い鉄条網みたいなのがついてる」

「装甲車もそうなってるんだよ。中に乗ってる警官を守るために、ごっつい造りになってるんだよ」

パトカーも数え切れないほど駆けつけてきた。回転灯の光がうるさい。光も〈騒音〉になり得るのだと初めて知った。

周囲の家々にも変化があった。これまでは暗かった窓に煌々《こうこう》と明かりがつき、人声が騒がしくなってきた。遠くで拡声器を通して何か呼びかけているのも聞こえる。警察の広報車だろう。

その三十分ぐらいのあいだに、柴野運転手の携帯電話が何度も鳴った。老人はほったらかしにしていた。周囲が静まるのを待っているらしかった。

装甲車の移動が済んで、パトカーの動きも落ち着いたころ、また携帯電話が鳴り出した。老人は前野嬢に言った。

「前野さん、杉村さんに運転席に座ってもらいます。手を貸してあげてください」

前野嬢は目をパチパチさせて、空っぽの運転席を見た。「杉村さんにバスを運転させるんですか？」

「あなたは気だてのいい娘さんだが、あわてんぼうでいけない」

老人に優しく咎《とが》められて、前野嬢は首をすくめた。「ごめんなさい」

立ち上がるのはさほど難しくなかったが、運転席に上がる狭いステップは難物だった。両足跳びなど、運動会の父母対抗レースの種目にもない。よろけて運転席の後ろの仕切りにしたたか額をぶつけ、目から火が出た。

「ご苦労でした。杉村さん」

老人は中央のステップにいるので、少し声を張り上げている。

「運転席の操作盤に、照明のスイッチがあるでしょう。ヘッドライトを点けてください。それからクラクションを二度鳴らして、ヘッドライトを消してください」

「じいさん、何の合図だ？　外に仲間がいるのかよ」

ひたすら一億円の空想に浸っていたらしい田中氏が、久しぶりに現実に戻ってきた。私もとっさに同じことを考えたから、老人の指示に従わないようにする——せめて先延ばしするにはどうしたらいいか、あわただしく考えていた。

だが老人はこう言った。「仲間なんぞいませんよ。これは、そうだな、交渉開始の合図とでもいいましょうか」

「交渉開始?」

「そうです。警察にやってもらいたいことがありますのでね」

また携帯電話が鳴り始めた。

「杉村さん、私の言うとおりにしてください」

私は老人からいちばん遠い位置にいるし、いざとなれば運転席の仕切りに身を隠すこともできる。だが、他の人質たちには何もない。

警察が車内に突入しようとするなら、あの非常ドアを使うしかないだろう。老人も、当然そう思っているはずだ。だが平気な顔でステップに座り、当の非常ドアには背中を向けたままでいる。

私は年寄りだと、老人は言った。皆さんが本気を出せば、取り押さえることなど容易《たやす》いだろうと。しかし誰か一人、運の悪い者は撃たれる――かもしれない。相手が警察でも同じことだ。突入という事態になれば、老人は誰かを撃つ。少なくとも、そのつもりだと示している。

可能性としてはさして高くない〈撃たれるかもしれない〉という不安と、慰謝料だという金の話と、どこから見てもこんな事件にはそぐわない弱々しい外見と、穏和で優しい言葉のやりとりで、我々は何となく老人に丸め込まれてきた。こんな経験は初めてだからほかと比べようがないが、フィクションのなかの事件と引き比べてみても、人質というものは、普通はもっと恐怖と緊張に支配されるものなのではないか。乗っ取り犯の方も、もう少し興奮したり威嚇したりするものなのではないか。〈丸め込む〉というのは、今の我々にとって、けっして不適切な表現ではない。この小一時間ほどの展開には、異様なものがあると思わざるを得ない。

この際、事態を動かすには——

私は大型の免許を持っていないが、バスの動かし方ぐらいわかる。前方を塞ぐ装甲車なら、急発進して衝突しても大丈夫だろう。

「杉村さん」

老人が私に呼びかけてきた。運転席から身を乗り出してバスの内部を振り返ると、老人の顔にはいつもの微笑が浮かんでいた。彼の足元には、濁った黄色い光のなかに、坂本君と前野嬢と田中氏と編集長の白い顔。

「早く、あの人の言うとおりにして」

編集長が小声で言って、下を向いた。

私はバスのヘッドライトを点け、テープでくくられた手首でハンドルの真ん中を二度叩いた。唐突なクラクションには劇的な効果があって、バスの周囲がざわりと沸き立った。それがさざ波のように広がって、広報車が走り回っている遠くの家々の方まで届くのが目に見えるようだった。

私はヘッドライトを消した。

「ありがとう。あなたはやはり冷静な方です。常に正しい判断を下すことができる」

私の考えを、老人は見抜いていた。

携帯電話の呼び出し音が切れて、またすぐに鳴り始めた。

「杉村さん、運転席から降りられますか」

老人の言葉に、前野嬢が立って私に近づいてきた。私は彼女を目で制して、言った。

「ここにいてはいけませんか。外がどんな様子か、あなたに教えてあげられますよ」

装甲車やパトカーの後ろで、制服に身を包んだ警察官たちが動き回っている。我々が日常見慣れた巡査の制服ではなく、それこそ映画やドラマのなかだけでお馴染みの、特殊部隊の隊員用の黒か濃紺一色の制服だ。分厚いブーツの底が、空き地全体にまだらに敷き詰められている砂利を踏みしめて行き交う音が聞こえるというのは、私の空耳だろうか。

「あれは機動隊かな。それとも、こういう場合に出てくるのは、SAT《サット》とかいう部隊ですかね。大勢出張ってきています」

運転席から外を眺めながら、私はみんなに聞こえるように言った。すると老人もまた、他の人質たちにも見えるように、ことさら楽しげに大きな笑顔をつくった。

「直接、訊いてみましょうか」

そして、ようやく携帯電話に出た。

「もしもし」

ひと言応じて、相手の声を聞く。時折、「はい」と返事をする。その間も銃口を持ち上げ、目も上げて、人質たちを見ている。

電話をするとき、人は自然に、視線も身体の向きも電話の方につられるものだ。そちらに気を取られてしまうからである。だから駅のホームで携帯電話をかけていて電車に接触するなどという信じがたい事故も起こるのだが、老人はまったくそんなふうではなかった。

自分に注目している複数の人間の前で電話をかけたり受けたりして、少しも臆することがない。集中も切れない。私はそんな人間を、ほかには一人しか知らなかった。私の義父、今多コンツェルンを率いる今多嘉親である。

「わかりました。それでは一旦電話を切らせてもらいます。皆さんと相談してみますから、そうですね……十分経ったらまたかけ直してくださいますか」

丁寧に言って、老人は通話を終えると、携帯電話を膝の上に置いた。

「県警の特務課というところに所属している、山藤《やまふじ》さんという方です。警部さんだとか」

これ以上老人のペースにはまってはいけないと、何とか抗《あらが》おうとしている私なのに、その邪気のない口調――我々を落ち着かせ、励まそうとでもいうような言葉の優しさ・温かさに、また本末転倒した錯覚に襲われた。

我々全員、老人も含めた六人で、我々のうちの誰のせいでもなく、厄介な事態に巻き込まれている。だからみんなで励まし合って、ここから抜け出そう。やっと外から救助の手も差し伸べられた。みんな、あとひと息だ。頑張ろう。老人はリーダーとして、我々を元気づけている——

「山藤さんのような役目の人は、交渉人とかいうんですかね。ああ、公証役場の公証人じゃなくて」

「ネゴシエイターの方の〈交渉〉ですよね」と、坂本君が言った。「それくらい、僕にもわかります」

「ほう、わかりますか」

「映画で観たから。僕は、おじいさんが今言った〈コウショウヤクバ〉の方がわかりません」

「そうか、君にはまだ縁がないんだろうね」

「ごちゃごちゃうるせえ」と、田中氏が声を荒らげた。「小僧、余計なことをしゃべってんじゃねえよ。じいさん、警察は何て言ってるんだ？」

「乗っ取り犯は私かと尋ねるので、はいそうですと答えましたが」

田中氏が焦れて体温と血圧が上がるのが、運転席にいても感じ取れるようだった。

「じいさん、ふざけてンじゃねえよ。あんた、やっぱり頭がどうかしてるんだな」

老人はにこにこしている。「私が正気かというお尋ねなら、正気ですよ」

「あんた、目的があるんだろ？　早いとこ警察に言って、何とかさせろよ。俺はもう付き合い切れん」

「ちゃんと付き合ってくださらないと、一億円は払えませんが」

慰謝料ですからねと、ケロリと言った。

「慰謝に値するような辛抱を、それ相応の時間、堪《こら》えてくださらないと」

杉村さん、と編集長が私を呼んだ。たまりかねたような大声だった。

「そんなとこに座ってたら、あなたが犯人だと思われるわよ。狙撃されたらどうするつもり？　早く降りて！」

私は驚いた。坂本君も前野嬢も驚いたのだろう、編集長の方に身を寄せて、そんな心配はないと口々に言った。

「日本の警察は、そんな乱暴なことしませんよ」

「おじいさんが交渉人と話してるんですから、杉村さんが誤解されるなんてことは」

「うるさい！」

編集長は叫び、いっそう固く身を丸めた。

「あんたたち、みんなどうかしてる！　あたしたち人質なのよ？　わかってんの？」

悲鳴のような声の残響が消えるまで、誰も何も言わなかった。

「——私は少し喉が渇いたので、飲み物を差し入れてもらおうと思うのですが」

老人がゆっくりと言い出した。

「こういう場合、睡眠薬などを混ぜられる危険がありますのでね。栓をしてある瓶やペットボトルの飲み物しか要求できませんが、皆さん、お好みのものはありますか」

若い二人は、うっかり「コーラ」とか言ったらまた叱られるかもしれないという顔で、編集長の様子を窺っている。今この瞬間には、二人が恐れているのは拳銃を持った老人ではなく、ヒステリックに激昂《げっこう》した編集長の方だった。

私の喉元まで笑いがこみあげてきた。とっくにバスを降りて今は安全な場所にいるはずの迫田さんが、事態の重大さを認識しないまま、髪にくっついた天井のパネルの破片を無造作に払い落としたのを見たときと同じように、出し抜けで強烈で、理不尽な笑いだった。それが顔に出ないように、全力で抑えなければならなかった。

抑えて正解だったということは、後になってわかった。運転席に座り、バスの車内からただ一人顔を覗かせている私の姿は、可能な限りの方向から撮影されていたからだ。そこで笑ったりしようものなら、想像以上に面倒なことになったろう。

我々は滑稽だ。私は思った。老人も一緒になって滑稽だ。可笑しくないのは、ただ彼の手のなかにある拳銃だけだ。

「お水を飲むと、トイレに行きたくなっちゃうかも……」

蚊の啼《な》くような声で、前野嬢が呟いた。

「そうですね、そちらの心配もある。トイレに行きたい方はいませんか」

「今はだいじょぶ？」

坂本君が前野嬢に顔を寄せて小さく訊いた。彼女が恥ずかしそうにこっくりすると、彼は続けて編集長にも声をかけた。

「あの、気分はどうですか。具合が悪いんじゃありませんか」

「あたしにかまわないで」鋭く言い捨てて、編集長は横を向いた。「ほっといてちょうだい」

「おじいさんは大丈夫ですか」

坂本君の質問に、私も驚いたし田中氏は露骨にうんざり顔をしたが、当の老人は予測していたらしい。

「ありがとう。君は優しいね」

「僕がおじいさんだったら、こんなことやってるだけで心臓がバクバクしちゃってどうしようもないと思うから」

「私は年寄りだけど、身体が弱くはないんだよ。だから平気だ」

携帯電話が鳴り出した。

「このバスには使い捨てトイレの紙パックが常備してあるはずだから、差し迫ったらそれを使っていただくということで、とりあえずはいいですかな」

「使い捨てトイレなんてあるんですか？」

「運転席の下の非常備品袋のなかにあるはずなんだ。前野さん、調べてみてくれますか」

前野嬢が運転席にやって来て、私の足元にしゃがんで探し始めた。それを横目に、拳銃を持ち直して老人は電話に出た。

非常備品袋は、メタリックな銀色の大きな巾着だった。ごそごそと中を開けて、あ、ホントだと前野嬢が声を出した。

「はい、皆さん、今のところは大丈夫だそうですよ。ただ飲み物が欲しいんですが……」

老人は山藤警部と話している。と、運転席にいる私の視界の端に、何か新しいものが映った。

いわゆる〈カンペ〉だ。制服姿の警官が一人、バスの斜め前にうずくまり、B4サイズぐらいの紙――たぶんスケッチブックだろう――を私の方に掲げている。

〈YESなら右　NOなら左を向け〉

私はさりげなく右を向いて、そちらの方向に目をやるふりをした。

〈乗っ取り犯は一人か〉

私は横目でカンペを盗み見て、そのまま右を向いていた。

〈拳銃は一丁か〉

「まだ新手のパトカーが来るなあ」

呟いて、私は右を向いていた。老人は携帯電話のやりとりを続けている。

〈人質は何人か〉

すぐにカンペがめくられた。

〈運転手からの情報では5人　5人で正しいか〉

私は右を向いたまま、何となく頭を掻いてみせた。

〈人質はバスの後部にいるか〉

私は左を向き、ついで下を向いて、まだ巾着のなかを漁《あさ》っている前野嬢に言った。

「それ、薬だね」

彼女が調べているのは、口を密封できるようになっている小さなビニール袋だった。

「そうですね。救急絆創膏に、湿布に包帯に傷薬に……こっちは下痢止めです。運転手さんのでしょうか」

「いや、会社から支給された備品でしょう。路線バスにしては用意がいいね」

目を上げると、カンペも警察官も消えていた。老人の電話も終わった。

「お客さんがキモチ悪くなったときに使う紙袋もありました。出しておきましょうか」

「そうですね。ありがとう。料金箱の上に置いておいてください」

老人は携帯電話を上着のポケットに入れ、拳銃をいったん左手に持ち替えた。

「けっこう重たいものなんですよ」

右手をぶらぶらさせてから、また持ち替えて構え直した。

「ペットボトルの水を差し入れてもらうことになりました。それでですな、皆さん」

問題が発生しました、という顔だ。

「警察は、差し入れと引き替えに誰か一人解放しろと要求しています。どうしたもんでしょうね？」

　誰がすぐに答えられるだろう。

「まあ、こういう場合の標準的な段取りなんでしょうから、私も予想はしていたけれど」

　呟いて、老人は我々を見回した。

「おかしな年寄りだと、皆さんが思うのは当たり前です。でも、慰謝料の話もしたことですし、もう少し立ち入ったことを聞いていただいてよろしいですか」

　誰が嫌だと言えるだろうか。

「私もね、本当ならこんなことをしたくはなかった。自分がやっていることは立派な犯罪だと認識しています。ただ、こうしないと警察が動いてくれないものだから」

おじいさん、と坂本君が言った。「いったい、警察を動かして何をさせたいんですか」

　老人は真顔で、真っ直ぐに若者を見た。

「行方のわからない人を捜してほしいんですよ」

　気を揃えたように同じタイミングで、坂本君と前野嬢がぽかんと口を開いた。

「それは、あの、い、い、い」

「家出人？」

　二人とも目が輝いている。理解できて嬉しいのだ。

「家出人を捜してほしいんですか？　おじいさんの家族？　奥さんとか子供さんとか」

「いえいえ、私の身内じゃありません。家出じゃないんです」

「じゃあ何だってんだよ」田中氏は苦り切っている。「逃げた女房を捜して連れて来させて撃ち殺そうとかいうんじゃねえなら、何なんだ？」

「妙に具体的ですな」老人は目を丸くして彼を見た。「まさか身近な経験がおありですか」

「バカなこと言うなよ。何年か前に、そんな理由で人質とって立てこもった男がいて、大騒ぎになったことがあるだろ？」

「名古屋の方でしたっけ？　僕も覚えてますよ。いつだったかな」

「そんなのどうでもいいってば」

前野嬢は老人ににじり寄った。両手をしっかり握りしめ、前のめりになっている。

「誰にしろ、おじいさん一人じゃ捜し出せない人なんですね？　でも大事な人？」

「大事……」

呟いて、老人はつと口元を引き締めた。

「私にとって大事というより、世の中にとって大事な人かもしれません」

途端に、熱が冷めたというか〈ケツが割れた〉という顔で、田中氏が吐き捨てた。

「何だじいさん、宗教がらみかよ！」

「ほう、なぜそう思います？」

「だって、もったいぶってさ」

「世の中にとって大事な人というと、田中さんはすぐそちらの方を連想するんですね」

「何かよくわかんねえが、ああいう変な宗教の信者とか、そんなことばっかり言うじゃねえか。私どもの教祖は世界の救世主です、とかさ」

びっくりするほど朗らかに、老人は笑い出した。「そうですねえ。私もああいう手合いは苦手ですよ」

「じゃ、おじいさんは違うんですか」

前野嬢の問いかけに、老人は少し考えた。彼の言うとおり、前のめりにあわてんぼうの気味がある彼女に言って聞かせる言葉を選んでいるようだった。

「訂正しましょう。世の中にとって大事なのではなく、〈世の中の一部の人にとって大事〉な人——いえ、人たちです」

「一人じゃないの？」

「ええ、三人」

「その人たち、どんな人なんですか」

老人はまた少し間を置いた。今度は、自分の返答が前野嬢にショックを与えることが予見できるので、ワンクッション挟んだという印象を、私は覚えた。

「悪人です」と、老人は言った。「だからこそ大事な人たちなんですよ」

ここで初めて、私と田中氏の目が合った。

誰かが誰かを指して〈悪人〉などという言葉を口にのぼらせるときは、たとえその誰かが拳銃を持っていなくても用心するべきだというのが、大人の分別だ。もちろん、とっくに用心も警戒もしなくてはならない状況にハマっている我々ではあるけれど、ようやく開陳された老人の動機の一端に、これまでになく歪《いびつ》なものを、私は感じた。

きっと田中氏もそうなのだろう。何だこれはと、きょときょと動く彼の目が言っていた。このじいさん、やっぱり相当ヤバいんじゃねえのか。

「じいさん」

呼びかける口調も、これまでより慎重だ。

「そういうことなら、わかった。とっとと警察に頼むといい」

「ちょっと待って」前野嬢が遮った。「おじいさんの話はまだ」

「ねえちゃん、黙ってな」

前野嬢は傷ついたような顔をした。老人の目にも、落胆の色がありありと見えた。

「田中さん、私は正気だと申し上げたのに、信じていただけないようですね」

「ンなことはない。あんたはまともだ。俺にはわかる」

「わかっておられない。一億円差し上げるという約束も、ホラだと思い始めていますか？」

「そんなの、最初から信じちゃいないよ」

「いいえ、あなたは信じていました。あなたも世間を知っているだろうが、私も知っている。人を見る目はあります。あなたは、私のようなわけのわからん老人の言うことでも、さっきは真に受けていた。裏返すなら、それほど金が欲しいということだ」

こんな場合でなければ面白い眺めだった。今度は田中氏のプライドが傷ついている。

携帯電話が鳴った。老人はすぐに出て、「はい、はい」と二度応じただけで切った。

「飲み物の用意ができたそうです。運転席の右側の窓を開けて、受け取ります」

「一人解放するという話は？　そっちが先でなくていいんですか」私が問うと、

「これは信義の問題ですが」と、老人は言った。「どちらかが先に賭けなくてはね」

私は運転席から周囲の様子を見た。ここから見渡す限りでは、目立った動きはない。

「重たいから申し訳ないが、前野さん、よろしくお願いします。杉村さん、あなたは運転席から降りてください」

前野嬢に肘をとってもらって、私は慎重にステップを降りた。もしもカンペが見えたらあわてずに対応するよう伝えたかったが、うかつに囁きかけたりしたら、今の彼女はビックリして、それを顔に表してしまいそうだ。

「この窓、開くんですね」

前野嬢は、取っ手と鍵がついた窓に、あらためて驚いている。

「しょっちゅう乗ってるのに、わたし、気づきませんでした。田中さんもよく知ってましたね」

前野嬢が窓を開けると、また携帯電話が鳴った。老人は通話ボタンを押して耳にあて、前野嬢にうなずきかけた。

「受け取ったら、窓を閉めてください。粛々と手順よく片付けていきましょう。私には皆さんの協力が必要なんです」

窓から少し身を乗り出した前野嬢が、透明なビニール袋に入った半ダースほどのペットボトルを引っ張り上げる。バスの床に座ってしまうと、見えるのはそれだけだった。ペットボトルを運んできた警察官が、彼女に何か声をかけたらしい。怪我をしていませんか、というような言葉の断片が聞き取れた。前野嬢はひとつうなずいて、荷物を運転席におろすと、律儀にすぐ窓を閉めてしまった。

「受け取りました。ありがとう」

老人は携帯電話に言って、

「それはまた皆さんと相談して決めます。私は約束を守る人間ですからご安心を」

警察が先に賭けてくれた以上、信義にもとる行いはしないということか。

通話を終え、前野嬢に微笑みかけた。「キャップを開けて、皆さんに配ってあげてね」

編集長はペットボトルを受け取らなかったので、前野嬢は彼女の分を床に置いた。そして坂本君の隣の定位置に戻ると、おそるおそるという感じでボトルの水をひと口飲んだ。

「冷たい」と呟いて、うつむいた。「外、凄い騒ぎになってます」

彼女の手が震えているので、ペットボトルのなかの水が揺れている。怖がりの前野嬢が戻ってきたようだった。

「大変……。これ、大変な事件なんですよ。わたし何か現実味がなかったけど、だけど」

「そうです。大変なことです」老人はうなずいて、優しく言った。「でもあなたはよく対処しておられます。ありがとう。感謝のしるしに、あなたをバスから降ろしてあげましょうか」

前野嬢が何か応じる前に、老人は坂本君に訊いた。「君も異存ありませんよね？」

坂本君が何か言う前に、前野嬢が震えながらかぶりを振った。「いいえ、わたし降りません。残ります」

たちまち、大きな目に涙が溢《あふ》れる。

「わたし一人だけ降りるわけ、いきません」

泣きながら自分に寄り添ってくる彼女に、坂本君が強く肩をくっつけて応えた。

「わたしだけ降りたら、きっと後悔するから」

老人は訊いた。「だけどあなたは、田中さんほどお金が要るわけじゃないでしょう？」

意地悪な言い方ではなかった。前野嬢も素直に答えた。「お金の問題じゃありません。あの、お金のこと、本気にしてるとかそういう問題でもないって意味です」

「わかります。あなたは誠実な人ですね」

前野嬢はボロボロ泣き、ペットボトルを傍らに置いて、ブラウスの袖で顔を拭いた。

「じゃ、田中さん。あなた降りてください」

このときの田中氏の顔は、その後も長く私の記憶に残った。常識と非常識がせめぎ合い、現実と幻想が闘う。このじいさんが一億円くれるなんて、そんなバカな話があるわけない。まともじゃねえ。でももし本当だったら？　百分の一、百万分の一でも本当だったら？

「俺も残るよ」と、彼は言った。「あの迫田とかいうばあさんのときに、ミソをつけて男を下げたばっかりだからな」

忙《せわ》しなくまばたきし、うっすらと鼻筋に汗を浮かべて、彼は苦笑いした。

「じいさん、俺はあんたを信じてるわけじゃない。あんたのやってることも言ってることも変だよ。でも、俺はそこそこ世間を知ってる。ここで俺だけ先に降りたら、後が怖いよ」

老人の目元と頰に、あの微笑みが戻った。「マスコミに叩かれますか？」

「そんなもんは知らん。俺のまわりの世間が怖いってことだ。ついでに言うなら倅《せがれ》も怖いな。人質に女が二人もいるのに、親父、真っ先に逃げてきやがったのかってよ」

「息子さんがおられるんですね」

田中氏は老人から目を背けた。そして深くため息をついた。「俺には五千万円の生命保険がかかってるんだがな」

事故や事件で死ぬと倍額保障になるんだ、と言った。

「一億円だ。面白いだろう」

「死なずに一億円もらう方が、もっと面白いはずですよ」

老人の言葉の後に、沈黙が来た。私はうなだれて膝を抱えている編集長を見た。

「この人を降ろしてやるといい。だいぶ辛そうだから」

園田瑛子に顎をしゃくってみせて、私が言おうとしたことを、田中氏が先に言ってくれた。

「なあ、あんた。遠慮しないでいいから降りなよ」

編集長は反応しない。私も老人に言った。「そうしてください。警察に連絡を」

「では、そうしましょう」

老人が電話をかける。「これから女性が一人降ります。どうぞよろしくお願いします」

またぞろ、老人も乗っ取り犯ではなく人質の一人で、救助を待つ身であるかのようだ。

電話の向こうも了解したらしい。それでも編集長は動かない。じっと固まったままだ。

「先に降りてください」と、坂本君も言った。「顔色が悪いです。編集長さんは残っちゃいけません」

「前野さん、編集長さんのテープをとってあげてください」

前野嬢が進み出て、爪をたててテープを剝《は》がした。すみません、痛いですかと声をかけても、やっぱり編集長は無言だ。

「後ろの非常ドアから出てください。ドアの開け方は、表示を見ればわかるでしょう」

老人に促され、園田瑛子はやっと顔を上げた。その目に宿った敵意に、私は驚いた。

「あたし、あなたのような人を知ってますよ」

老人を見据え、恫喝《どうかつ》するような低い声で、編集長は言った。私がこれまで耳にしたことのない、彼女の身体の奥深くに秘匿されていた声だ。

「嫌いだから、すぐわかるんです。あなたの同類」

老人は微笑するだけで、応じない。

「あなたこそ教祖みたいなもんじゃないの。何を企《たくら》んでるんだか知らないけど、いい加減にしなさいよ！」

編集長はきつく睨めつけ、老人はその視線を受け止める。いや、吸い込んで無力化してしまっている。

園田瑛子の肩から力が抜けた。頭を下げ、よろけながら立ち上がった。足を引きずり、一歩ずつ老人に近づいてゆく。彼の脇を通り抜けてステップをのぼらなければ、非常ドアまでたどり着けない。

「私も、最初からお察ししていました」

編集長が傍らをすり抜けたとき、老人は前を向いたまま言った。

「さぞかし嫌な思い出があるんでしょう。私はああいう連中の同類ではないが、連中のやり方はよく知っている。お詫《わ》びいたします」

謎のようなやりとりに、若いカップルと田中氏が目顔で問いかけてきた。私は素早くかぶりを振った。何の話だかさっぱりわからない。

しゃがんで開けるレバーを操作して、それだけで力が尽きてしまったというように、編集長はシートの背もたれに手をついた。そのとき、置き去りにしていたバッグの存在を思い出したようだ。後戻りすると、それをいっぺんしっかり抱きしめてから、肩にかけた。

非常ドアを開けた。風向きのせいだろうか。運転席の窓が開いたときとは違い、一気に外気が流れ込んできた。その外気には、周囲を囲んでいる警察官たちの緊張と、野次馬やマスコミの喧噪《けんそう》が含まれていた。目には見えないが質量はある。私はそれを感じることができた。ほとんど味わえるほどだった。

回転灯の光が、編集長の額や頰に映る。こちらを向いて、今にも泣き出しそうに顔を歪め、そして彼女はバスから飛び降りた。

3

編集長が去ると、老人が自ら非常ドアを閉めた。しばらくしてまた電話が鳴った。老人は彼女が無事保護されたことを確かめると、

「こちらから連絡するまで、しばらくかけてこないでください」

携帯電話を切って、少しずつ啜《すす》るようにしてペットボトルの水を飲んだ。その仕草に、ちらりと疲労の色が見えた。

坂本君と前野嬢は、不安そうに老人を見守っている。この二人を、昨今の若者にしてはあまりに初心《うぶ》すぎると感じるのは、私が現代社会の若者を誤解しているからだろうか。あのつるつると人渡りの巧いうちの野本君も、この場にいたら、やっぱり坂本君と同じように老人に転がされてしまい、同情して案じるのだろうか。

そういえば、うちには間野さんという女性部員がいる。〈まの〉と〈まえの〉は一字違いの名字だ——などと、ぼんやり考えながら私も水を飲んだ。他所《よそ》では見かけたこと

のないラベルの天然水だった。

「警察は編集長さんから、いろいろ聞き出すことでしょう」

ペットボトルを脇に置き、老人は顔を上げた。「何をしゃべられても、私は困るわけではありませんが、皆さんにとっては拙《まず》いことがある。慰謝料の件です」

田中氏のまばたきが止まった。

「ですから、ここはひとつ口裏を合わせましょう。私は皆さんにそんな話をしなかった。皆さんも、私からそんな話は聞いていない。そうでないと、最悪の場合は皆さんも共犯にされてしまいますからね」

若い二人が顔を見合わせた。坂本君が言った。「共犯って、おじいさん」

「バスジャックの共犯という意味ですよ」

「そういう意味じゃなくて、あなたはやっぱり、警察にその三人の人を連れてこさせて、撃ち殺すつもりなんじゃありませんか」

老人はゆっくりと二度かぶりを振った。「撃ち殺したりなんぞするもんですか」

「でも！」

「私はただ、その三人にまた会いたいだけなんです」

だから安心して協力してください、と言う。

「慰謝料も必ずお支払いします。ついては、その受け渡し方法なのですがね」

「どうするつもりなんだよ？」

田中氏が飛びつくように訊いた。唾《つば》が飛んだ。前野嬢が顔を歪めた。

「証拠が残るようなことは、一切できません。しかも、この場で私が皆さんの住所を聞いたところで、無意味です」

「ほら、どうしようもねえじゃねえか」

「田中さん、あなたちょっと意地汚いですよ」初めて、坂本君が声を高め、怒気を露わにした。「僕は、おじいさんにこれ以上罪を重ねてほしくない。そのための協力なんかできません。あなたもいい歳の大人なんだから、金のことばっかりじゃなくて、少しは」

田中氏が怒鳴り返した。「少しは何だよ？　金にこだわって何が悪い？　おまえみたいな小僧に、いい歳の大人がどれほど金に苦労するかわかるってか！」

「なぜ無意味なんです？」

私も声を張り上げて割り込んだ。皆が私を見た。私は真っ直ぐ老人を見ていた。

「我々が今ここであなたと後日の約束をすることが、どうして無意味なんです」

老人はいつもの微笑を浮かべた。「杉村さん、つまらないことを訊いて私をがっかりさせないでくださいよ。わかっているはずだ」

おじいさん――と、前野嬢がまだ涙のにじんだ目をしばたたかせて呟いた。

「捕《つか》まるつもりなんですね？」

「そうですよ。こんな事件を起こして捕まらないわけがない」

「だってそんな」

「それだけの代償を支払っても、私は目的を遂げたいのです」

だから協力してくださいと、また繰り返して我々に頭を下げた。深々と頭《こうべ》を垂れる老人の、手も一緒に下がっている。銃口は完全に下を向いていた。

誰も何もしなかった。私も動けなかった。

「私は皆さんとの約束を守ります」頭を上げて老人は言った。「皆さんに、悪いようにはいたしません」

誰も何も言わなかった。

「昨今は便利なものでね」

にわかに口調を明るくして、老人は我々を見回した。若いカップルがきょとんとする。

「いや、便利という表現は語弊があるが、ネットの情報網というのは凄いでしょう」

いきなり何を言い出すのか。

「だからこそ皆さんには多大なご迷惑をおかけすることになりますが、まあ人の噂も七十五日といいますからね、その迷惑の分も慰謝料の内と考えて、堪えてください」

私にはまだ話の筋が見えない。田中氏は苛立ってまばたきを始め、坂本君も当惑している。しかし前野嬢は察しがよかった。自由な両手で口元を押さえ、両目をいっぱいに見開いた。

「え？　そういうこと？」

老人は、孫娘の賢さを喜ぶように目を細めた。「そういうことです」

「何だよ」と、田中氏がまた嚙みつく。

「おじいさんは、わたしたちが解放されて事件が終わったら、わたしたちが人質だったってことが、ネットで広く知られるようになるって言ってるんですよね？」

そこまで聞いて、私もやっと理解した。そうか。

「一般のマスコミも――新聞やテレビや週刊誌の記者たちもね、もちろん皆さんのところに殺到するでしょう。でも彼らは、皆さんの個人名までは出しませんよ。しかし」

しかし、ネット上では話が別だ。

「こういう事件報道に興味を持つ人たちが集まる場所、サイトというんですか？　そこでは皆さんの個人情報がだだ漏れになるでしょう。別段、皆さんが悪いことをしたからじゃない。ただ人質にとられたというだけなのにね。でも、人質がどこの誰だったのか知りたい、どうしても知りたいという人の好奇心を満たすために、調べる人がいる。あるいは書き込む人がいるからです」

「あんた、それを」

田中氏の目も大きく広がった。

「そうです。私には仲間はいませんが、後始末を頼んである者がいますのでね。その者が、ネットで皆さんの個人情報をつかみます」

そして皆さんのもとに、確実に慰謝料をお届けします――と言った。

「宅配便を使います。差出人は、このバス会社にしましょう。それなら、第三者に送り状を見られても支障ないでしょうから」

「後始末を頼んである者？」

私の問いに、老人は苦笑した。「杉村さん、そんな顔をするもんじゃない。けっして悪い人間じゃありません。私に頼まれて、簡単な仕事をするだけの者です」

見ている方が落ち着かなくなるほど激しくまばたきしながら、田中氏はしきりとうなずいている。

「なるほど、単純だが巧い手かもしれないな」

「単純な手段ほど確実なものです」

「だけどわたし」

まだ両手で口を押さえたまま、前野嬢はうろたえている。

「わたしのことをネットに書き込むような知り合いなんていません。そんな余計なことをする人なんて」

「いますよ」

きっぱりと、諭すように老人は言った。

「必ず現れます。誰がやったのか、あなたにはまったくわからないかもしれない。本人も知らん顔をしているでしょうからね」

悪意じゃないんだと、慰めるような口調になった。「ただ野次馬なだけです。人間とはそういうものなんです。そういう場があれば、手を出す人が出てくるものなんですよ」

「僕にも心当たりがないけど」

呟いて、坂本君は決まり悪そうに前野嬢の顔を見た。「でも、おじいさんの言うことはあたってるような気がするよ」

老人は言った。「もし、誰もあなた方の個人情報を流してくれないんじゃないかと心配なら、解放された後、少し積極的に騒いでごらん。自分は人質の一人だった、怖かった辛かった、とんでもない体験だったとね。そういう話はすぐ広がるから、必ずどこかで誰かが、あなたが人質だったと書き込んでくれるよ」

「運転手さんも？」

前野嬢の目はまた新しい涙でいっぱいだ。

「人質の個人情報がさらされるくらいなら、運転手さんなんて真っ先ですよね？」

「きっとそうだろうね」老人はうなずいた。「柴野さんは、心ない人から非難されるかもしれない。だからあの人にも慰謝料を送りますよ」

警察の考える〈しばらく〉の時間が過ぎたのだろう。携帯電話が鳴った。

老人は通話ボタンを押し、諌《いさ》めるように強い声を出した。「そうあわてなさんな。今、私の要求と引き替えに、人質を解放する順番を相談しているところです。話がまとまったらこっちから知らせるから、静かにしていてくださいよ」

　電話を切ると、老人は小首をかしげて私を見た。「そういえば、杉村さんには、まだご希望の金額を聞いていませんでしたね」

　言って、前野嬢に目を向けると、「あなたは坂本君と同じ金額にするからね。あなたに必要な学費が、私にはちょっとわからないから」

　若いカップルは、にこやかな笑顔につられるようにうなずいてしまった。すっかり老人のペースにはまって、抜け出せない。

「あんた、どうなんだ」

　田中氏が険悪な目つきで私を睨んだ。「一人だけきれい事じゃ済まねえぞ」

「いいスーツを着ておられる」と、老人は私に言った。「趣味もいい。それ、オーダーでしょう」

　我らが〈金庫番〉森信宏氏を訪ねる際は、私も服装に気を使っていた。義父が紹介してくれた――というより、私が利用することを許してくれたテーラー「キングス」で仕立てたスーツを、必ず着ることにしていた。

「杉村さんは裕福な方のようだ。お勤めの会社で相当なポジションにおられるのではありませんか」

　私はかぶりを振った。自然に、情けなく口元が緩んだ。微笑しようとしたのか、苦笑いしようとしたのか、自分でもわからない。

「私は社内報の副編で、平社員です。ただ、家内が資産家の娘なんですよ」

「ああ、そういうことか。それで納得がいきました」

老人の目にも、つい先ほど若い二人の目を輝かせた光があった。理解の光だ。

「失礼ですが、あなたは金持ちのボンボンのようには見えない。だが身につけているものは高級品だし、それを品よく着こなしておられる。不思議に思っていたんですよ」

田中氏の剣呑《けんのん》な表情に、私に対する強い侮蔑が上書きされたような気がするのは、私の被害妄想だろう。

「いいご身分なんだな」と、彼は吐き捨てた。「じゃ、慰謝料なんか要らんだろう。この人の分は俺に回してくれよ、じいさん」

老人は彼を無視した。「この騒ぎであなたの個人情報がさらされると、奥さんに迷惑がかかることになりますか」

「それは田中さんだって同じでしょう。家族がいれば――」

「いや、私はそういう意味で訊いたのではありません。おわかりでしょう？」

老人がどこまで察して訊いているのか、私には計りかねた。

「家内は資産家の娘ですが、本人は平凡な主婦です。騒がれて困るような立場ではありません」

答えてしまってから、これは部分的には嘘だと思った。菜穂子は迷惑しなくとも、今多コンツェルンには多少の厄介をかけることになるだろう。二年前の一連の騒動の時と同じように、今多会長の秘書の長、〝氷の女王〟の異名をとる遠山《とおやま》女史と、彼女の腹心で本物の対外的広報担当の橋本《はしもと》氏が、また火消しに奔走してくれることになるのだろう。

私は今多家の厄介者だ。おとなしくしていられることだけが取り柄で婿に取り立ててもらった男なのに、どうしてこう次から次へと事件に巻き込まれるのだろう。

「ついでにもうひとつ、私が不思議に思っていることをお尋ねしてもよろしいか」

杉村さんはどうしてそんなに落ち着いていられるのですかと、老人は訊いた。

「あなたはずっと冷静沈着だ」

「そんなことはありませんよ。ほら、冷汗だらだらです」

私は両手を持ち上げて顔を拭《ぬぐ》う仕草をしてみせた。老人は取り合ってくれない。

「どうしても、ただのサラリーマンのように見えなくってね」

「いえいえ、ただのサラリーマンです」

「最初は、ひょっとしたら警察関係のお仕事じゃないかと思いました」

「とんでもない！」

「そのようですね。だったらもうひとつの可能性は、あなたが事件慣れしているということだ。以前にも、こういうトラブルに巻き込まれた経験をお持ちなんじゃないですか」

若いカップルと田中氏が、私が突然裸になり始めでもしたかのような顔をして、てんでに目を瞠っている。

「それほど不運な人間でもありません」

私は嘘をついた。今度は全面的な嘘だ。

「皆さんと同じようにビビっているし、当惑しています。私が冷静に見えるのは、そういう性格だからでしょう。それと佐藤さん、あなたのやり方が変わっているからですよ。犯人の行動が突飛だから、人質の対応も非常識的になってしまうんです」

「私は変わっていますか」

「大いに変です」

老人は一気に破顔した。手放しで嬉しそうだった。「そうですか、変わってますか。他人と違うことをするのは大好きです。突飛なことも大好きですよ」

怖がりで泣き虫の前野嬢の涙が、何とかおさまったようだ。老人はそれを待っていたのかもしれない。彼女に向き直ると、親しげに言った。「携帯メールは打てますね？」

「は、はい」

「それじゃ、これから警察にメールを打ってもらいます。ちょっと待っていてくださいね」

老人は交渉人の山藤警部に電話をかけた。お待たせしましたが――と前置きし、

「これから私の要求を申し上げます。三人の人物の名前と住所を伝えますから、その人たちをここに連れてきてください。一人連れてきたら、人質を一人解放します。そうです、私が指名する三人の人物を連れてきて、このバスに乗せるんです。そうでないと人質は解放できません」

山藤警部が何か言っているが、老人は途中で遮った。「口頭だと聞き間違いがありますから、メールを打ちます。そちらのアドレスを教えてください」

書く物はないかなあ？　と、老人が前野嬢に訊いた。「警部さんのメールアドレスを書き留めたいんだけどねえ」

「それなら大丈夫です。言ってくれれば、わたし覚えられます」

「本当かい？」

「はい。そういうの得意なんです」

半信半疑の様子ながら、老人は山藤警部が告げるメールアドレスを、声に出して言った。前野嬢はいちいちうなずきながら聞いていて、老人が一旦通話を切ると携帯電話を受け取り、すぐ登録し始めた。

「先方はパソコンですね。これで間違いないと思います」

画面を見せると、老人はつと顔を遠ざけて、「私には字が小さくて見えないよ。いっぺん、〈テスト〉って打ってみてくれる？」

前野嬢が言われたとおりに送信すると、老人はすぐ電話をかけ直した。

「テストのメールが着きましたか？　着いた？」

着いたってと、嬉しそうに前野嬢にうなずきかける。まるで、おじいちゃんが孫娘に携帯メールの使い方を習っている景色だ。

「それじゃあ、これから送ります」

前野嬢が携帯電話を手にスタンバイする。老人は、ひと言ずつ区切るように、三人の人物の名前と住所を告げていった。完全にそらで覚えているらしい。一人は男性の名前、二人は女性の名前。最初に告げられた男性は埼玉県の住所で、あとの女性二人は都区内だ。

そんな必要があるかどうかわからないが、私も記憶しておこうと試みた。が、老人が三人の個人情報を告げ終え、前野嬢が入力を終えて送信ボタンを押すと、たった今聞いたばかりの三人の情報が私の頭のなかで入り混じり、あやふやになってきた。最初の男性は確か〈クズハラ　アキラ〉だ。次の女性が〈ソウトウ〉――いや、そんな名字はないか。〈コウトウ〉だったかな。三人目は？　〈ナカフジ〉？　いや〈フジナカ〉だったか。

私の記憶力が悪いのか。普通はこんなものなのだろうか。田中氏と坂本君の表情を覗ってみても、答えは見つからなかった。二人とも前野嬢の指先に釘付けだ。

着信音がして、ランプが点滅した。勢いとは怖ろしいもので、前野嬢はそのまま電話に出てしまいそうになり、ハッと気づいてあわてて老人に携帯電話を差し出した。

老人は笑って受け取り、「もしもし？」と明るい声を出した。「そうですよ、その三人です。ぜひとも連れてきてください。制限時間は一時間です。一時間以内に、一人でも連れてこられなかったら」

言葉を切り、老人は相手の話に聞き入る。

「大丈夫ですよ。少なくとも一人はすぐ見つかります。警察の威信を見せてください」

この言葉のはらんでいる些細《ささい》な違和感は、あとあと意味を持つ小さな種だった。こんな要求をしながら、なぜ老人は「警察の威信」などという表現を使うのか。警察が威信を見せて対峙《たいじ》すべき相手は、バスを乗っ取り人質をとって立てこもっている老人その人なのに。

「さて、あとは待つだけです」

老人はステップに尻を載せ直した。

「お尻が痛いね。腰も辛いけれど、窓から顔を見られるわけにいかないのでね。皆さん、辛抱してください」

田中氏は頰をふくらませ、ややあって、ぶしゅうという音をたてて息を吐いた。前野嬢が嫌そうに顔を背けた。

「じいさん、そいつら三人、何をやった？」

「何をやったといいますと」

「惚《とぼ》けるなよ。あんた、そいつらに恨みがあるんだろう。だから仕返ししたいんだろ？」

ロクな連中じゃないんだろう、と続けた。

「だからって、警察に引っ張ってこさせて、どうするんだ。撃ち殺すつもりがないんなら、ほかの手は限られてるよなあ。マスコミが集まってるところで、あんたに謝らせるか」

　不本意ながら、私は田中氏を少し見直した。妥当な推測だったからだ。

「あの三人は善良な市民ですよ」

　老人はまったく動じない。声の調子も変わらない。

「私はただ、また会いたいだけなんです」

「ンなことがあるもんか」

「住所がわかってるなら、どうして捜すんですか」坂本君が訊いた。「さっさと会いに行けば済むことじゃないのかな」

「あのね坂本君、ちょっと工夫したり、役場の窓口の人に小さな嘘をついたりすれば、ある人がどこに住民登録しているか調べることは易しいんですよ。でもね、その住民登録の場所に、必ずその人が住んでいるとは限らないでしょう」

　坂本君は、尻をずって老人に近づいた。「田中さんが言ったこと、あたってるんですね？　おじいさんはその三人に恨みがあるんですね？　だからその人たちも、おじいさんから逃げてるんじゃありませんか」

　そのとき、前野嬢がびくりと身を強張《こわば》らせた。両の掌《てのひら》を床にくっつけている。

「どうしました？」と、老人が訊いた。

「今、揺れませんでした？」

　前野嬢は怖がっている。

「地震かな。わたし、地震大嫌いなんです」

「ねえちゃん、小学生並みだな」

田中氏が冷やかし、彼もまた尻を移動させて、シートの肘掛けに寄りかかると、唸るようなため息をついた。「しかし、疲れるなあ」

私は老人を見ていた。ちょっと頭を傾け、耳を澄ますような顔をしている。

「佐藤さん」

私が呼びかけると、老人はまばたきした。そして今さらのように私の顔に銃口を向けた。拳銃は、今やたいした脅威ではなくなりかけている——というのは私の錯覚で、まともに向き合うと背中の芯《しん》がひやりとした。ただの銃口ではなく、その上にぽっかりと浮かぶ老人の双眸《そうぼう》と、眼力とセットになると、だ。

この人は何者なのだろうと、私は思った。この変梃《へんてこ》なバスジャックでは、犯人が何をしようとしているのかではなく、犯人が何者なのかということの方が、より重要なのではないか。

「皆さん、困った知りたがり屋ですね」

老人は、彼が我々の上司か教師で、我々が彼の機嫌を損じた部下か生徒であるかのように嘆息してみせた。

「人間、一度知ってしまったことを忘れることはできません。だから、皆さんは余計なことは知らない方がいいんです」

「余計なことじゃねえぞ！」

思い出したように田中氏がいきまいた。

「こっちは命がかかってるんだ」

「命じゃなくて、金でしょ」すかさず坂本君が混ぜっ返した。「田中さんは、命より一億円の方が大事なんでしょう」

茶化すような言い方だったが、そのとき前野嬢に軽く肘で小突かれて、彼は口をへの字に曲げた。

「何だよ」

前野嬢は決まり悪そうに、坂本君ではなく田中氏から目をそらすと呟いた。

「ホントに……お金が要るのかもしれないから」

田中氏は上目遣いになって前野嬢を睨めつけている。

「小学校のとき、同級生のお父さんが自殺しちゃったことがあって」と、前野嬢は囁き声で続けた。

「ずっと忘れてたんだけど、思い出しちゃった。そのお父さん、借金で悩んでて、自分が死んだら生命保険のお金で借金を返してくれって、遺書を残してたんです」

「そうか……。さっき、田中さんがご自分の生命保険金のことを話したから、そんなことを思い出したのだね」

老人は穏やかに言い、前野嬢は彼にうなずきを返した。

「その同級生には、本当に辛いことだったろうね」

「転校しちゃいました」

「元気でいるといいが。あなたと仲良しの子だったんですか」

前野嬢はかぶりを振った。何か言うかと思ったら、ただそれだけだった。

田中氏が低く笑って、テープで縛られた手を持ち上げ、親指の付け根を使って器用に顔を拭った。

「まったく、こんな小娘に同情されるようじゃなあ」

「あなたは今日、なぜ〈クラステ海風〉におられたんですか」

老人の問いに、田中氏はまばたきした。

「ああ、俺もじいさんと同類だよ。クリニックの方さ」

「診察を受けていたんですか」

「検査だよ検査。ああいうところは、何であんなに時間がかかるんだかね」

「どこがよくないんです？」

「どこって……」田中氏はふふんと笑った。「あっちもこっちもさ。肝臓が悪い、尿酸値もコレステロールも高い、糖尿病の気もある」

「おやまあ」

老人が素直に目を丸くして、その表情に前野嬢が微笑んだ。

「尿酸値が高いって、それって痛風ってことですか」と、坂本君が訊いた。

「俺の持病だよ。痛いのなんのって」

「痛風って、美食してるとかかる病気でしょう」

またぞろ坂本君が田中氏の気に障りそうなことを言ったので、私はやんわり窘《たしな》めた。

「そんな単純なものじゃない。ほとんどは体質で、食生活に気をつけていたって発症する場合がある」

そういえば森氏も痛風持ちだった。親父譲りの持病だと話していた。それでも親父はビール党でね。医者に止められても、薬を飲みながら、酒はビール一本槍だった。私はワインの方が好きだけれど。

そんな話を聞いたのはいつだったろう。遥か昔の遠い出来事のような気がする。今閉じこめられているこの空間が異様だからというのではなく、不自然な黄色い闇のせいだろう。

沈黙が落ちた。老人が期限と決めた一時間、和やかな雰囲気を保つために、しゃべりっぱなしにしゃべっていなくてはならない理由はない。沈黙に、私は少しほっとした。

「じいさん」と、田中氏が呼んだ。もう少し静かにしていてくれればいいのに。

「一時間経っても、警察が、あんたが指名した奴を連れてこなかったら、誰かを撃つのか」

老人は心持ち首をかしげ、銃口を田中氏の方に向けただけで黙っている。

田中氏は、いくらか顔がむくんでいた。

「撃つわけねえよな。下手なことをやって突入されたら、元も子もねえんだから。だったらこう、もうちっと巧く警察を転がして、とっとと事を進める方策はないもんかね」

そんなことを自発的に言い出すあんたがいちばん転がされている。

「何か良い考えがありますか」

老人に問い返されて、田中氏はまた親指の付け根を使い、今度は頭を掻いた。

「俺に訊くかよ」

「申し訳ありません」

何を拗《す》ねたのか、ずっと口をへの字にしたままの坂本君が言った。「おじいさんが指名した三人が本当に善良な市民なら、警察は絶対に連れてきませんよ」

「駄目でしょうかね」

「僕らと引き替えになんかしませんよ。同じ善良な市民なんだから」

「でも、見つけてはくれるでしょう」

坂本君は目を見開き、ちょっとくちびるを嚙んだ。「やっぱり」

見つけてもらうことが目的なんだ——と、一語一語に力を込めて言った。

「坂本君、知りたがり屋は良くないと申し上げたばかりですよ」

何気なく彼に銃口を向け直して、老人は言う。その目尻の皺が深い。

「その人たちも、人質の僕らと同じように、ネットでさらし者になりますよ。おじいさんはそれを狙ってるんでしょ？」

意外なことに、老人はあっさりうなずいた。これには私だけでなく、田中氏も前野嬢も驚いた。

「何だ、それだけのことなのかよ」

「それだけのこととおっしゃいますが、一人でやろうと思ったら難しいことですよ」

「じいさんが自分でそいつらをさらしてやりゃあ済むことじゃねえか」

「それじゃ誰も注目してくれません」

「じゃ、あの三人に会いたいっていうのは嘘なのね」

前野嬢に、老人はかぶりを振ってみせた。

「会いたいのです。会って直接、彼らに言いたい。これからあんた方は大変だよ、とね」

前野嬢が気が抜けたように息を吐き、両手で身体を抱いた。「――怖い」

「そうです。私は怖いことをやろうとしているのですよ」

「けど、世間の噂なんて七十五日だって」

「それは君たちの場合だけですよ、坂本君。彼らは違う」

彼らには罪があるからです――と、老人は言った。

私はそのとき、ちょっと気が散っていた。さっきの前野嬢は、けっして怖がりで錯覚をしたのではない。今、車体が揺れた。かすかだが確かに揺れたのを、私は感じた。

吊革が揺れるほどの振動ではない。周りに目をやっても、揺れを確認することはできなかった。その代わり、あらためて車内を見回しているうちに、私はあることに気がついた。

バスの床に、四角く区切られた部分がある。老人が腰掛けている中央のステップと、我々人質が座り込んでいるバスの前部の、ちょうど真ん中あたりだ。やや老人の方に近いか。

点検口だろう。上げ蓋式になっていて、ここから車体下部の機械部分を覗くことができるようになっているのだろう。

床にこんなものがあることを、普段は気づかない。気づいても気にしない。私自身、今の今まで目に見えていたはずなのに、そこから先は何も考えなかった。

だが、今は違う。

これが点検口なら、どうやって開ける？

四角い枠に、ネジ山が見あたらない。私は黄色い薄闇のなかで目を細める。見えないのではない。確かにネジ山はない。

どうやって開けるんだという問いは間違っていた。どちら側から開けるんだという問いが正しい。

また車体が揺れたような気がした。

「杉村さん」

老人に呼ばれた。私はすぐには目を上げなかった。私が何を見ているか老人に悟られてしまう。疲れて、うなだれているようなふりをしなくては。

「杉村さん、お休みですか」

私はかったるそうに頭を持ち上げた。「ホントにしんどいですね。さすがにトイレに行きたくなってきたし」

「使い捨てトイレを使いますか」

「いや、それはちょっと。よほど我慢できなくなるまでとっておきます。警察に連絡してから、どれぐらい経ちましたか」

老人は即答した。「三十五分ですよ」

「やっと半分ですか。やれやれだ」

前野嬢がそわそわした。「あの、わたし、もしよかったら、後ろの方へ行きますけど」

トイレのことを言っているのだ。恥ずかしそうだった。

「平気平気、まだ我慢できるから」

「身体によくないですよ」

田中氏が吹き出した。「このネエちゃんは愉快だな。こういうのを〈天然ボケ〉っていうんだろう」

坂本君がキッとなった。「前野さんをからかわないでくださいよ！」

「おまえも面白いなあ。うちの倅も、俺の知らないところじゃ、こんなふうに面白いもんなのかねえ」

後段の言葉には、寂しさが滲《にじ》んでいた。

「倅は、うちじゃ俺には口もきいてくれないんだよ。じいさん、あんた子供は？」

言ってから、田中氏はひゅっと口をすぼめた。「まさか後始末を頼んだってのは、あんたの子供じゃねえだろうな」

「とんでもない」老人は笑った。「あなただってもしも私と同じ立場で、私と同じことをやろうとしたら、家族は巻き込まないでしょう？」

「そりゃ……まあ。だけど、どっちにしたって、あんたが捕まったら家族も巻き込まれることになるんだぞ」

「その心配はないんです」

田中氏の目が翳《かげ》った。黄色い薄闇のなかでさえ、翳りが見えた。

「あんた、天涯孤独か」

「そうです。ええ」

うなずいて、老人の目は明るい。

「テンガイコドクという表現を、久々に聞きました。田中さんの年代までですかね。こういう言葉を普通に使うのは」

「独りぼっちっていう意味でしょう？」と、前野嬢が言った。「わたしも知ってます」

「はいはい、わかったよ」

「わたし、天然ボケじゃないです。今までそんなふうに言われたことないし」

「はいはい、はいはい」

「愉快だなんて言われたこともないです」

わたし、つまんない人間だもんと、前野嬢は言った。今度は彼女の口がへの字だ。

「前野さんは、今日は何の用事で〈クラステ海風〉にいたんですか」

初めて、私は積極的に彼女に話しかけた。この微妙な車体の揺れについて、もう彼女に騒がれたくない。できるだけ会話を続けて、彼女の注意をそらしておきたい。

前野嬢の答えはシンプルだった。「わたし、あそこでバイトしてるんです」

「働いていたんですか」と、老人が言った。「職員なんだね？」

「ううん、ただのバイトです。厨房で洗い物をしたり、配膳をしたりしてるんです」

「毎日？」

「週に五日です」

「その給料も学費のために貯めているの？」

「ほんのちょっとずつですけどね。お小遣いに使っちゃうから」

老人は微笑ましそうに目元で笑い、次に私がしようと思っていたことをやってくれた。

「坂本君にも、なぜこのバスに乗っていたのか訊いてもいいかな」

「僕は、あそこに面接を受けにいった帰りで」

やっぱりバイトと、前野嬢に向かって言った。あらと、彼女は驚いた。やっと二人ともへの字の口をやめた。

「厨房じゃないでしょ。介護補助？」

「ううん、清掃員」

「わあ、キツい仕事だよ」

「介護の方がもっとキツそうだもん」

「そうかもしれないけど……」

「クリニックじゃ、いつも看護師と介護士を募集してるぞ」と、田中氏が割り込んだ。

「キツい仕事で給料が安いから、人が居着かないんだ。あんな豪勢な施設なのによ」

「ハコにかけるお金と、人件費じゃ違うんでしょう」

「入居者から大枚をとってるのに」

「田中さん、知ってるんですか」

「俺の主治医が言ってたんだ。医者の給料も安いんだってよ。〈クラステ海風〉はたいていの病院と逆で、外来患者の診療は午後だけなんだよ。だから先生、ほかの病院とかけ持ちできるんだそうだ」

「じゃ、まだ若い先生なんでしょうね」

坂本君の言葉に、前野嬢が大きくうなずいた。「若い先生ばっかりよ。先生もバイトって感じ。だって、本格的な治療とか手術とかが要る患者さんは、〈クラステ海風〉には入れないもの。骨折だって、手術のレベルになるとあそこじゃ診《み》ないんだよ。市内の病院と提携してるの」

「だったら何を診てるの？」

「それこそ高血圧とかの、年配者に多い持病のお薬を出して、あと人工透析はやってる。リュウマチや関節炎の人も多いから、理学療法をしてる。酸素ボンベを引っ張って歩いてる入居者もよく見かけるけど、いちばん多いのはやっぱり……認知症と、寝たきりのお年寄りね」

「だからこそ、高い金ふんだくってもやってられるんだよ」と、田中氏が言った。「払える金なら払うから、うちの年寄りをどうにかしてくれっていう家族がいるから」

話がはずんでいるあいだに、今一度、私は車体の揺れを感じた。

「認知症のお年寄りって、時間の感覚が失《な》くなってきて、ちょっと前のことでもすぐ忘れちゃうのね。だからホント、自分がご飯食べたことも忘れちゃうの。わたし、あそこでバイトするまでは、そんな話をニュースとかで見ても、信じられなかったけど」

「厨房にいても、そういうお年寄りに会ったりするんだね」

「一人いるの。いつもきれいな格好をしてるおばあちゃんだけど、自分の担当の介護士さんがご飯を盗んで食べちゃうんで、いつもお腹《なか》が減って飢え死にしそうだって、厨房まで押しかけてくるんだよね」

「え！　怒鳴り込んでくるのかよ」

前野嬢はしょんぼりと首を振った。「怒ったりしない。いつも泣いてる。何でもいいから食べるものをくださいって。もちろん厨房じゃ一切そういうことはできないし、そのおばあちゃん糖尿病だから、もともと食事制限がかかってるし……」

話に引き込まれているふりをしていた私は、老人が私を見ていることに気づいた。私の表情を観察している。

何人かのグループが談笑している場で、発言している者ではなく、黙って聞いている者に注目するのは、どういう立場の人間だろう。どういう〈職種〉といってもいい。

再び思う。この老人は何者か。

「何分経ちましたか」と、私は老人に訊いた。

老人は微笑した。「時間が気になりますか」

「実はその……やっぱりトイレが」

あわてんぼうの前野嬢の反応は予想以上だった。パッと膝立ちになり、

「わ、わたし後ろに」

老人の声が飛んだ。「座りなさい！」

前野嬢は、まだ完全に立ち上がってさえいない。中腰の姿勢から、ぎくしゃくと腰をおろした。

「ありがとう。本当にあなたはそそっかしいね。そこが可愛らしいけれど」

おだてられても、彼女の頬の強張りは消えなかった。ついでに言うなら、坂本君の方がもっと強張っている。縮こまって膝を抱えた彼女に寄り添い、非難の眼差しで老人を見た。

「そんな大きな声を出さなくたって」

「おや、大きな声でしたか？　それは申し訳ない。私もビックリしたもので」

坂本君が老人にストレートな怒りをぶつけるのと、それを老人がいなす場面は、これが初めてだ。

老人が指定した時間制限が利いているのだ。一時間経ったら何が起こるのか、みんな頭の隅で想像している。ただ、とりあえずこの場は和やかだから、それをかき乱したくなくて――かき乱したらどうなるかまったく想像がつかないので、みんな黙っている。

「前野さん、そこにいてください。私が動きます」

できるだけ決まり悪そうな顔をして、私は一同に笑いかけ、老人を見た。

「また運転席のステップを上がって、仕切りの陰で用を足しますよ。それならいいでしょう。ついでにちょっとだけ窓を開けさせてもらえれば、その、臭いも、ねえ」

老人はすぐ言った。「運転席に上がるのはいいですが、窓はいけません」

「わかりました」

素直に承知して、私は身を起こした。

　ステップを上がるまでは、また前野嬢が手を貸してくれた。さらに、使い捨てトイレの紙パックを袋から取り出してくれた。

「今だけでも、手首のテープを解《ほど》いたら駄目ですか？」

彼女が遠慮がちに老人に問いかけた。老人は黙っている。銃口は田中氏に向いている。

「このままで平気だよ、前野さん」

使い捨てトイレは、水分を吸収して固まる青色のジェルが入った紙袋だ。使用後は、袋の口元の紐を引っ張って閉じて、そのまま〈燃えるゴミ〉として処分できると書いてある。商品名は「スキットイレ」。

森信宏氏を訪問する際は、取材者の身で中座する失礼がないように、事前には水分を控え、インタビュー中は茶菓をとらないように心がけていた。おかげで、今も切迫した要求はない。精神が緊張状態に置かれているせいもあるのだろう。

最初から芝居するつもりだったが、いざその場になって〈両手を縛られた状態で苦労して用を足す〉ふりをするのは難しかった。本当に用を足してしまう方が、ずっと楽だったろう。私はごそごそ動き、身を捩り、しゃがみこみ、紙袋を握ってかさかさと音をたててみせた。仕切りの向こうから、田中氏が話しているのが聞こえてくる。

「――クリニックでいきなり尿検査するって言われて、困ったことがあるんだよ。こっちだって先に聞いてりゃ、そのつもりでいるのにさ。抜き打ちじゃあな。出ねえもんは出ねえって看護師に文句垂れたら、出るまで頑張れって言いやがった。何をどう頑張れっていうんだよ」

田中氏が私の意図を察知して援護射撃してくれているのかどうかはわからない。若い女性の前で堂々とシモの話ができることを楽しんでいる、セクハラ親父の語りにしか聞こえなかった。

今度は運転席に座れるわけではないので、そこに上がったときに一度、周囲の様子を素早く盗み見ただけだ。その限りでは、バスを囲む状況に変化はなかった。戻る際に、しゃがんでいる姿勢から立ち上がり、運転席のステップから降りるときはどうだろう。口を縛った紙袋を運転席の隅に隠して、

「よいしょっと」

声をかけて、私は起き上がった。

「わあ、腰が痛いな。身体がガチガチだ」

そんな声を発しつつ、頭は動かさずに、横目を働かせて窓の外を見た。変化はない。装甲車に取り囲まれ、あちこちでライトがついているだけ。

「おっと」

よろけたふりをして、私はハンドルにもたれかかった。クラクションを鳴らしたかったのだが、巧くそこに肘をぶつけることができなかった。

わずかな時間稼ぎのあいだにも、動きはなかった。私は、自分が運転席に上がりさえすればまたカンペが現れるという無根拠な自信を抱いていたので、その瞬間、ひどく裏切られたような気分になった。

猿芝居は無用だったか。あるいは、もうカンペが不要になったのか。

「杉村さん、そっちへ行っていいですか」

前野嬢の声に、私は済まなさそうな声を出してみせた。「いいよ、一人で大丈夫。手

を洗ってないから、悪いからね」

田中氏が、下卑たセクハラ親父の笑い声をたてた。「ご清潔なこった」

一人でステップを下りようとしてもたつき、私は運転席の上で粘った。カンペは現れない。人の動きも見えない。そろそろ一時間を過ぎるのではないか。警察から電話がかかってくる頃合ではないか。

カンペは現れない。

三十代も後半になったら、両足首をくくられた状態で、幅の狭いステップを飛び降りる行為は推奨できない。よほど鍛えている人でない限り、バランスを崩す。私は前のめりになって、左側の座席の前にある出っ張りに激突した。かろうじて正面からではなく、右肩から倒れ込んだけれど、ごつんと大きな音がして、肩が外れそうなほどの衝撃がきた。

「危ない！」

前野嬢が飛びついてきて、そのまま床に転がってしまいそうになる私を支えてくれた。体格が違うので、彼女も危うく私の道連れになるところだった。

「大丈夫ですか？　どっか痛くしてない？」

せっかちに案じられても、すぐ答えられないほど痛かった。

「大丈夫、大丈夫」

痛いだけでなく、肩から肘にかけて痺れている。冷汗が出た。

「あんた、この分の治療費だけでももらった方がいいな。俺の取り分から分けてやるよ」

田中氏が、金に汚い中年男に戻って言った。と、その声が急に頓狂に跳ね上がった。

「おい、じいさん！」

「何ですか」

老人の声は抑揚を欠き、低く聞こえた。田中氏の方は、今にも目が飛び出しそうだ。老人に食いつきそうだ。

「金額はどうするんだよ？　俺たちとここで相談したって、あんたの後始末をする奴に伝えようがねえだろ？」

「またそんなことばっかり」

坂本君が呆れたように呟くのに、田中氏はムキになって言い返した。「そんなこともこんなこともあるか！　危ねえったらありゃしねえ。じいさんに騙《だま》されるところだった！」

「私は皆さんを騙したりしませんよ」

「白々しいな！　あんたは捕まるんだから、ここで俺たちの住所や連絡先を聞いたって意味がねえって言ったろ？　だったら金額のことだって一緒じゃねえか！」

「それぐらいの短い情報なら、接見に来た弁護士を通して外に伝えることができますよ」

「弁護士ぃ？　あんた弁護士なんか雇えるのかよ」

「雇えなくても、お上が付けてくれます。そうでないと公判が開けませんからね」

私は転んだ場所にそのまましゃがみこみ、前野嬢は私にぴったり寄り添って、右肩をさすってくれている。老人は口先で田中氏に応答しながら、そんな私を凝視している。

今まででいちばん、その目が厭《いと》わしかった。さっき運転席でやろうとしたこと、私がカンペを期待していたことまで、すっかり見抜かれているような気がした。

「舌先三寸だ」と、田中氏が吐き捨てた。「じいさんの言うことなんざ、これっぱかしも信用できねえ」

「それなら、あなたとは取引できない。一億円は差し上げません」

あっという間に勢いが消し飛んで、田中氏はみるみる狼狽《ろうばい》した。

「佐藤さん」私は呼びかけた。声に力が入らない。本当に怪我をしたらしい。「そんな意地悪なことを言わないで、田中さんと取引してあげてください。私の分は田中さんの一億円に上乗せするということで結構です。何だか肩を脱臼したような感じがしますが、その治療費も要りません」

前野嬢が私の肩をさする手を止めた。「脱臼なら、下手に触らない方がいいかも」

「うん。ありがとう」

私の右肩と右腕はまだ痺れていた。今、テープを解いてもらっても、右腕は上がらないかもしれない。

前野嬢はしゃがんだままそろそろと坂本君の隣に戻った。彼女の定位置だ。

「その代わり、佐藤さん、私には情報をくれませんか」と、私は言った。「あなたにとって害になる情報じゃない。あなたが逮捕されるなら、いずれはオープンになる情報です。でも、職場の人間関係に関わることなので、私は早く知りたいんですよ」

「どういう情報でしょうか」

老人の視線だけでなく、銃口も私の顔の上にぴたりと据わった。

「あなたの素性、具体的には職業です。年齢的に、今は引退しておられるだろうから、かつての職業というべきかな。あなたは何をして生計を立てておられたんですか」

老人は、ゆっくりとひとつまばたきをした。田中氏も坂本君も前野嬢も、そのまばたきを見ている。

「うちの編集長がバスを降りるとき、あなたとおかしなやりとりをしたでしょう。編集長は、〈あなたのような人を知ってる〉と言いました。〈あなたの同類が嫌いだ〉というようなことも言っていた」

若い二人は忙しなくうなずいた。「うん、言ってた」

「実は僕もちょっと気になってました」

「うちの編集長はもともと物言いのキツい人ですが、あのときは本当に嫌そうだった」

だけど――と、私は苦笑いした。肩が痛くて、自然に歪んだ笑いになった。

「私には、あの編集長がそんなに嫌う〈あなたのような人〉というのが、まるっきり見当つかないんですよ。皆さんお察しでしょうが、園田編集長は勝ち気ですからね。嫌な人や物事に遭遇しても、そうやすやすと、顔や言葉に出しません。負けたような気がするからでしょう」

「でしょうね」と、老人が応じた。視線も表情も、銃口も動かない。「園田編集長のような方を、私は大勢見てきました。だがああいうタイプの人は、一度折れると根元から折れてしまう。強いが脆《もろ》い。そういう気質です」

目ばかりぐりぐりさせている田中氏が老人に何か言いかけ、やめた。若い二人も緊張して見守っている。

「そうです。ご明察です」私はうなずいた。「あなたはうちの編集長の性格をよく見抜いている。彼女にも〈最初から察していた〉〈さぞかし嫌な思い出があるんでしょう〉と言っていましたよね。あれはどういう意味です？」

「お詫びいたします、とも言ってた」

前野嬢が囁き声で、老人の機嫌を覗うように、下からそうっと問いかけた。

「何をお詫びしたんですか、おじいさん」

老人は彼女に目をやらなかったが、目元が和らいだ。

「知らない人には、なかなか説明が難しいんですよ」

そのとき、携帯電話が鳴った。

老人は左手で携帯電話を取り上げた。着信でディスプレイが明るくなる。そんな小さな光でも、濁った黄色の薄闇のなかでは新鮮だった。その光が老人の顔を照らし、老人が携帯電話を耳にあてると、彼の痩せた顎の線を照らし、耳元の白髪を照らした。

「はい。約束の一時間になりま――」

それが、我々人質が耳にした、老人の最後の肉声になった。

下から突き上げるような力に、車体が大きく揺れた。バウンドするような揺れだった。次の瞬間、破裂音が響いて、バスの床のあの四角い上げ蓋が真上に吹っ飛んだ。そこから何かが車内に投げ込まれた。

突然、視界が真っ白な光で溢れた。鼓膜が千切れてしまいそうな大音響が轟《とどろ》いた。

私はかつてはプロの編集者で、今でもそこそこ本を読む。文章上では、「目がくらむような眩しさ」「耳を聾《ろう》するような轟音《ごうおん》」という表現に出くわしても、珍しいと思わない。むしろ決まり文句で、表現としては陳腐だとさえ思う。

だが現実に、瞬間的に目がくらんでしまうほどの強い光と、衝撃で耳が機能を止めてしまうほどの大音響を体験したのは、このときが初めてだった。

あとになって、交渉役を務めていた山藤警部が教えてくれた。あのとき床の点検口から車内に投げ込まれたのは〈音響閃光手榴弾《スタングレネード》〉というもので、強烈な閃光と音響で瞬時にその場にいる人間の視覚と聴覚をマヒさせる。立てこもり事件などで警察が建物や車両の内部に突入する際、それが可能な状況ならば、しばしば使用するものだという。形状は手榴弾に似ている。

目がくらみ、耳がわんわんして何も聞き取れなくなり、本能的に頭を下げて縮こまっているうちに、あちこちから人の手や足がぶつかってきて、やがて頭を押さえられた。

「じっとして、じっとして！」

外部からの風圧で、頭の奥へ押しやられていた鼓膜が、ゆっくりと定位置まで戻ってくる。そんな感じで聴覚が戻ってきた。

「もう大丈夫です！　皆さん落ち着いて！」

バスの後方から、カクホ、カクホという声も聞こえてきた。カクホが〈確保〉という意味だと悟って、私は頭を上げようとした。するとまた誰かの手で優しく、しかし断固として押さえられた。

「まだ動かないでください。じっとして」

バスの床すれすれのところにある私の目に、突入隊員の制服のズボンの裾と、頑丈そうなブーツが見えた。女性が手放しでわあっと泣き出す声が聞こえた。前野嬢だ。

「皆さん、怪我はありませんか。ゆっくり起き上がって顔を見せてください」

我々は起き上がり、互いの顔を確認した。田中氏の目は飛び出しそうなだけではなく、真っ赤に充血していた。

「何だこりゃ！」

短く吼《ほ》えるように言って、田中氏は顔を歪めて低く呻いた。どこか痛めたらしい。泣きじゃくる前野嬢を、坂本君が両腕の輪のなかに抱え込んだ。彼も声を呑んで泣いている。

さっきまで老人が座っていたステップに、今、見えるのは彼の二本の脚だけだった。付け加えるなら靴底も見えた。

老人は長々と仰向《あおむ》けに伸びていた。車内には数人の突入隊員がいたが、誰も老人を拘束してはいない。

だが老人は動かなかった。

「死んじゃった！」

涙で顔をびしょびしょに、しゃくりあげながら前野嬢が叫んだ。

「死んじゃった！　おじいさん、死んじゃった！」

うっすらと漂う薬臭い煙の向こうに、バスの後部座席が見える。その一角に、返り血が跳ね散っていることに、私は気づいた。

老人の拳銃は見あたらなかった。

私の頭を押さえていたらしい隊員は、ものものしい装備をとけば、ごく普通の体格だろう。声音は落ち着いていて、ヘルメットのバイザーからのぞく鼻筋がすうっと通っていた。予想外に若い感じがした。

「皆さんには前の乗降口から降りていただきます。バスを動かしますので、申し訳ないですがあと少しこのまま待っていてください」

別の隊員が、田中氏の手足のテープを剝がしていた。前野嬢は泣き叫ぶのをやめて、坂本君にしがみついて目をつぶっていた。

後部の非常ドアが開いていた。隊員たちはそこから出入りしているのだ。見事に吹っ飛んだ床の点検口は、わずかに右にずれただけで、元の場所に着地していた。

非常ドアからブルーシートが持ち込まれ、隊員が二人がかりで、倒れている老人の身体を隠した。それが我々に対する思いやりからとられた措置なのか、現場保存のためなのか、私にはわからない。いずれにしろ、彼らが老人の死体をとっとと運び出すことも、我々に老人の死体を跨《また》がせて、非常口から降りろと促すこともなかった。

その後の私の記憶は切れ切れで、一貫性がない。鮮やかに目に残っているのは、どれも些末なことばかりだ。たとえばシートの返り血。たとえば点検口の縁が割れていたこと。

鮮やかに耳に残っているのは、たとえば前野嬢が泣き叫ぶ声。たとえば田中氏の呻き声。

バスを降りると、外の世界は喧噪に満ちていた。まるでお祭り騒ぎだと、私は感じた。

我々四人の人質は、奇矯なバスジャック犯と奇妙な数時間を過ごした。だから、我々の体験から生まれる感情が、この種の事件のすべてに普遍性を持つものだとは思わない。

私は寂寥《せきりょう》感を覚えていた。外の世界のすべてが自分とは無縁な気がした。我々の無事を喜んでくれているはずの人びとも、そこには大勢いるはずなのに、雑草がしょぼしょぼと生えた駐車場の地面に降り立ち、最初に感じたのは疎外感だった。

立ちすくんだまま動かない私に、突入隊員の一人と、救急隊員が近寄ってきた。

「歩けますか？　目眩《めまい》がしませんか」

救急隊員が私に酸素マスクを差し出した。私が手でそれを押し返そうとすると、

「これを付けて深呼吸してください。爆発のせいで、瞬間的に酸素が薄くなったんです」

突入隊員が言った。別の救急隊員がストレッチャーを押してきて、私は促され、そこに腰かけた。

酸素は美味だった。全身に沁《し》みた。救急隊員が私の脈拍と血圧を測った。

前部の乗降口に近いところにいた私が最初に降りたので、ストレッチャーに座ったまま、あとの三人が降りてくるのを待った。私の次は田中氏で、見るからに足元が危なっかしい。救急隊員に両側から支えられ、別のストレッチャーに苦労して横たわった。

「腰だ、腰だよ」

言い訳するように、彼は私に言った。

「どかん！　で、ギックリきやがった」

泣き腫らした目をして、前野嬢が降りてきた。突入隊員につかまっていても、立っていられない。駆け寄ってきた救急隊員が毛布で包みこんで、突入隊員が毛布ごと彼女を抱き上げた。彼女は毛布のなかに埋もれて私の脇を通り過ぎた。

坂本君はしっかりしていた。まだ目が赤いが、涙は止まっていた。私と同じように酸

素マスクを付け、立ったまま数回深呼吸すると、自分でそのマスクをはずして救急隊員に返した。額が汗で濡れていた。

「前野さんが心配なんですけど……」

「人質の女性ですね。本部にお連れしました」

「じゃ、僕もすぐ行きたい」

足早にバスを離れようとして、彼は振り返った。「杉村さん、肩を診てもらった方がいいですよ」

私は忘れていた。坂本君は手早く、救急隊員にも説明した。「運転席から降りるとき、車内の出っ張ってる部分にぶつけたんです。機械が格納されてる四角いところがあるでしょう？　脱臼したんじゃないかって」

救急隊員が、驚くふうもなく私の肩を診てくれた。触られると激痛が走った。

車内で会った、鼻筋の通った突入隊員がバスから降りて、私に近づいてきた。

「運転席に座っていた方ですね」

「はい。杉村三郎です」

「ご協力ありがとうございました」

カンペの件だ。救急隊員に肩を動かされて、私は大きく顔をしかめてしまった。

「大胆なことをするんだなあと驚きました」

「柴野運転手の証言で、犯人が小柄な年配者であることはわかっていましたし、犯人と皆さんが車内のどのあたりに位置しているのか、あの時点でつかめていました」

私は痛くてしかめっ面をしているというのに、その目に浮かんだ疑問に、彼は気づいて答えてくれた。

「サーモグラフィーを使いました」

映画で観たことがある。熱源を感知してその位置や大きさや動きを表示する機器だ。エンジンを切ったバスのなかの人間とか。

「ひとつ教えていただけますか」

この外の世界で、バイザーの向こうにある彼の眼差しは、唯一、人間くさい。そんな気がして、私は問うた。今ここで、彼の口から教えて欲しかったから。

「あなた方があの老人を撃ったんですか」

隊員の口元が、一瞬だけ引き攣った。

「いいえ。自死でした」

4

元人質の我々四人は、まず対策本部に集められ、それから救急車で市内の病院に運ばれた。坂本君は前野嬢の車に同乗したがったが、かなわなかった。四人はバラバラに移動して、バラバラに健康状態のチェックを受けた。

私の右肩は骨折でも脱臼でもなく、打ち身だった。いちばんの重症者は田中氏だろう。椎間板ヘルニアなのだという彼の言に嘘はなく、治療のために数日間は入院するという。

病院にいるうちに、それぞれの家族が駆けつけてきた。個々の病室で、巡査の立ち会いのもとで面会できることになった。

私の妻、杉村菜穂子は、予想通り広報課の橋本氏に付き添われてやってきた。ただ、病室に入るときは一人きりだった。

菜穂子は心臓肥大の気味があり、病弱だ。子供のころには二十歳まで生きられないのではないかと危ぶまれていた。妻が妊娠・出産という難事を乗り越え、我々が桃子という一人娘に恵まれたのは、先進医療と幸運のおかげだった。

掛け替えのない妻と娘だ。その二人に、これで何度、私は心配をかけるのだろう。

妻は泣いていなかった。青ざめて、さっきの前野嬢のように震えていた。突入直後の前野嬢が坂本君にそうしていたように、私にきつくしがみついてきた。よかった、よかったと繰り返して、涙声になった。しばらくのあいだ、我々夫婦のやりとりに、無表情の巡査は居心地が悪そうだった。

「桃子は？」

「うちに、お父様と一緒にいます。ニュースは見せてないけど、お父様がちゃんと言い聞かせてくれているから」

義父に任せておけば安心だ。よくできた家政婦さんもついている。

「今はあまり時間がとれないのよね」

「これから事情聴取があるだろうからね」

「あなたも一緒にいた皆さんも、ゆっくり休んで栄養をとらなくちゃいけないからよ」

「ひと晩も人質にとられていたわけじゃないんだから、大丈夫だ」

「でも肩を怪我したって」

「バスのなかで転ぶなんて、自分でも予想外だったよ。歳かなあ」

妻は私を責めなかった。あなたったら、どうしてこんなふうに事件にばっかり巻き込まれるのと責めなかった。むしろ、彼女自身を責めているように見えた。私は妻の微表情を観察することにかけては手練《てだ》れなのだ。

「そんな顔をしないで」

私が笑顔をつくると、妻も微笑もうとした。その拍子に涙がこぼれた。

「今度はわたし、一緒にいられなかった」

二年ほど前、広報室でアルバイトしていた女性が、解雇を巡って我々とトラブルになり、それがこじれた挙げ句、我が家に乗り込んできて、桃子を人質に台所に立てこもるという事件を起こしたことがある。その際には、まず妻が彼女に遭遇し、連絡を受けた私が駆けつける形だったが、桃子の救出と事件の解決の瞬間には、二人で一緒にいた。

「もしも君も乗り合わせていたらなんて、想像するだけで心臓に悪いよ」

「どうせなら、お父様の方が心強かった？」

妻がこんな冗談を言うとは思わなかった。

「いや、いちばん心強いのは――」

「遠山さんよね」

今多会長の懐刀《ふところがたな》、〝氷の女王〟だ。私も妻も、同時に笑い出した。笑いながら、私は頭の片隅で現実的に考えていた。そうだ、あの老人の話術に対抗できるのは遠山女史ぐらいかもしれない、と。ちょうど、義父の個人的な意向に（その必要があるというぎりぎりの判断の下で）異議を唱えることができるのが、彼女だけであることと似ている。

私は、妙にあの老人と義父を重ね合わせて考えている。二人の、どこに共通するものがあるというのか。

「園田さんがご一緒だったんでしょう？」

「編集長に会った？」

「わたしは会ってないけど、橋本さんが秘書室の人を付き添いに遣《や》ってくれたわ」

園田編集長の実家は、確か北九州だ。老母と兄夫婦がいると聞いている。飛行機に飛び乗っても、すぐには着くまい。

「わたし、いったん帰って着替えを取ってくる。ひと晩入院することになるでしょうから」

「それより家で待っててくれた方がいいな。帰るときに電話するから」

そう言って、遅まきながら私は気づいた。「今までどこにいたんだい？」

「県警の会議室で待たせてもらっていたの。ほかの皆さんは救出まで身元がわからなかったけど、あなたのことは園田さんが解放されてすぐわかったから、うちに連絡が来たの」

私の心臓は止まりかけた。

「その連絡、君が受けたの？」

妻は私を宥めるように、包帯に包まれた肩を撫《な》でてくれた。「最初に連絡を受けたのは会社の方よ。園田さんがそうしろって言ってくれたの」

優しい方ね、と言った。

「お父様は、私が警察に行くことに反対だったの。いつものことだけどね」

「僕がその立場でも反対する」

「でも遠山さんが橋本さんを寄越してくれて、家にいるより現場の近くにいる方がわたしのためだって説得してくれたのよ」

「優しい方だからね」

妻の笑顔がいっそう明るくなり、私は安堵した。「待っているあいだに、警察から何か説明はあった？」

「必ず無事に救出しますって」

言って、妻は声をひそめた。「先に解放された運転手さんが、自分が犯人を説得するからバスに戻してくれって、とても取り乱していたみたい」

私は胸が痛んだ。「女性の運転手さんでね、責任感の強い人だった。立派なふるまいだったよ。小さい娘さんがいるらしいけど」

妻は軽く目を瞠った。「それでも、バスに戻ろうとしたのね」

病室のドアにノックの音がした。立ち会いの巡査が開けると、橋本氏の顔が覗いた。

「失礼いたします」

ドアの外で一礼し、警察官にも黙礼して、その場に留まったまま言った。「広報課の橋本です。杉村さん、ご無事で何よりでした」

「またぞろ申し訳ありません」

私の謝罪には特に応じず、「菜穂子さん、そろそろ……」

妻はうなずくと、「どうぞよろしくお願いいたします」と、巡査に頭を下げた。橋本氏が恭《うやうや》しく下がって道を開けた。

常に礼儀正しく沈着冷静だが冷酷には見えず、弁舌爽《さわ》やかで如才ないが嫌味ではない。我らが今多グループの本物の広報課の精鋭である橋本氏を、あの老人ならどのように評価し、どんな弁舌で立ち向かうだろう。そんなことを考える私は、心に余裕が生まれてきたのか、それともまだ事件に興奮しているのか。

「杉村さん、森さんから連絡がありました」

さすがの橋本氏も、今多グループを離れた森信宏氏を、ただの〈森さん〉と呼ぶことにはまだ慣れていないらしい。そこだけ、声が硬くなった。

「ニュース速報で事件を知って、ずっと案じておられたそうです。すぐ会いに来たいのだが、この時間に家を空けるわけにはいかないからと、謝罪しておいででした」

夫人を置いては出られまい。

「もったいない。森さんが謝る必要などないことです」

「先方としては、そうは思えないのでしょう」

〈先方〉の方が、まだ発声が滑らかだった。

「家内をよろしく頼みます」

「承知いたしました。お任せください」

また一礼して、言い足した。「申し上げるまでもありませんが、会長もお喜びです」

「お叱りを覚悟していますよ」

「わたしが家を出てくるときには、お父様、桃子を膝に入れて座っていらしたの。あんなこと、何年ぶりかしら」

妻が笑って、私に手を振った。私も手を振り返した。大きな安堵感に、夫婦でティーンエイジャーに戻ったようだった。

二人が去ると、私は巡査に会釈した。「ありがとうございました。まさか、こんなに早く家族に会えるとは思っていなかった」

巡査は中年で、防刃ベストの腹が出っぱっていた。まるでダガーナイフのようだったあの突入隊員と比べると、こちらは菜切り包丁ぐらいの感じだ。無言で私に会釈を返した。

「実は私は、以前にも事件に巻き込まれた経験がありまして、だいたい察しがつきますが、事情聴取はここでするんですか。我々の記憶が新しいうちでないとまずいでしょう」

巡査は、そんな質問に答える資格は自分にはないのだというふうに、当惑顔になった。

「事情聴取が終わるまでは、ほかの人たちに会うことはできないんですよね」

当惑顔の巡査は、防刃ベストの腹にちょっと手を触れて私の顔から視線をそらすと、ぼそぼそと答えた。

「皆さん、医師の診察を受けていますから、今はまだ会えません」

「先にバスを降りた会社の同僚がどうしているか心配なんですが……。園田という女性です。彼女と会うのもいけませんか」

巡査の当惑顔が深まった。私の要求ではなく、妙に落ち着いた要求ぶりに困惑しているのだろう。

「ともかく今は、ゆっくり休んでいてください。間もなく、交渉役を務めた山藤警部が杉村さんにお話を聞きに来るはずです」

わかりましたと、私はおとなしく引き下がった。横になるほど疲れてはいなかったけれど、今はそうしておいた方が、私も制服巡査も居心地がよさそうだ。枕に頭をつけて、目を閉じた。

と、五分もしないうちにドアにノックの音がした。巡査がドアを開け、敬礼した。

「失礼します」

背広姿の男性が二人、前後して病室に入ってきた。二人とも四十代で、一人は四十代の坂を登り切るところ、もう一人は同じ坂を登り始めたばかりのように見えた。入れ替わりに巡査が出て行き、ドアが閉まった。

県警の特務課所属だという山藤警部の声を、私は一度も聞いていない。姿も目にしていない。だが、四十代の坂の終わりに近そうな、年下の相方よりも小柄な男性の顔を一瞥しただけで、私にはそれが件の交渉役だとわかった。

その顔に、この数時間で見慣れた表情の片鱗が浮かんでいたからだ。煙《けむ》にまかれたような、狐《きつね》につままれたような——佐藤一郎と名乗った老人と共に過ごした、我々人質たち全員が顔に浮かべていた表情の片鱗。私自身の顔にも浮かんでいたに違いない表情の片鱗。それがあくまで片鱗にとどまっているのは、山藤警部だけは、あの老人の目を見ていないからだ。少なくとも、命の灯がともっていたときのあの目を。

私はベッドに起き上がり、三人で挨拶を交わした。間近に提示された県警の警察手帳は、当然だろうが警視庁のそれとは少しデザインが違っているように思えた。そんな些末なことが頭に引っかかるのは、性分だろうか。

山藤警部の相方は、やはり県警特務課の今内《いまうち》警部補という人だった。手にした手帳を開きながら、この人が先に口を切った。

「気分はいかがですか」

「大丈夫です」

「まず、お手間ですがもう一度お名前を伺います。杉村三郎さんですね」

「はい」

「ご住所と勤務先を教えてください」

私が述べる言葉を、手帳を参照しながら、警部補は確認した。

「杉村さんの鞄は、こちらで保管しています。社員証や運転免許証もお預かりしています」

「わかりました。ありがとうございます」

「申し訳ないんですが、皆さんの鞄の中身を調べさせていただきました。乗っ取り犯が、皆さんの手荷物に何かを隠した可能性も考えられましたので」

あの老人に、そんな機会がなかったことはわかっているが、私はうなずいた。

「それと、携帯電話も回収済みです。一緒にお返しできます」

バスの乗降口から蹴り落とされたぐらいでは、今日日の携帯電話は壊れたりしないだろう。

「さっき妻に会いました。事件のあいだ、県警で待たせていただいたそうで、お世話をおかけしました」

二人の刑事はちらりと視線を交わした。その様子に、もしかすると杉村菜穂子は、すんなりと警察で〈待たせていただいた〉わけではないのかもしれないと、私は察した。意外とゴネたり泣いたりしたのかもしれない。県警に対して、財界の大物である父親の影響力をちらつかせたかもしれない。どちらも彼女らしくないふるまいだが、絶対にそんなことがないとは言い切れない。なにしろ非常事態だった。

今多コンツェルンは千葉県内に物流センターを持っているし、大きな支社もある。県警に通じる人脈があっても不思議はない。

相方の視線を受けて、山藤警部は私に目を返し、言った。「乗っ取り犯と、電話で交渉していたのは私です」

「はい、お名前を知っていました。あの老人が教えてくれたので」

二人とも動じなかった。人質仲間の誰かから、既に聞いているのか。

「カンペも、私が指示して出しました。驚かせて申し訳ありませんでした」

わざと軽く、私は笑った。「映画やドラマでは見たことがないやり方でしたから、ちょっと面くらいました」

病室の壁際に、スタッキングタイプの椅子が二つ重ねてある。三角巾で固定された右腕を浮かせて、私はそれを示した。

「お掛けになりませんか。座っていただいた方が、私も話しやすいのですが」

補佐役らしく、今内警部補が椅子を並べた。山藤警部は進んで腰をおろした。それで場が落ち着いた。もしも警部が座りながら、「よっこらしょ」とか「やれやれ」とか呟いても、私は気を悪くしなかったろう。

「確かにこの方が楽です」

微笑して、山藤警部は言った。薄い笑みが、彼の顔に浮かんでいたあの表情の片鱗を消し去った。

「皆さんには大変な経験でしたから、本来はご無理を申せません。正式な事情聴取は、医師の許可を得た上で、明日、皆さんに県警に移っていただいてから行う予定です。少しでも早く帰宅されたいお気持ちでしょうに、申し訳ありません」

「大丈夫です。それより、早々に妻の顔を見ることができてほっとしました。ご配慮に感謝しています」

ほかの人質仲間もう家族と対面できているのかどうか、ちょっと怪しくなってきた。杉村菜穂子を守護する今多コンツェルンの傘の端っこで、私は厚遇されている可能性がある――のかもしれない。

「ただ、早急に伺っておきたいことがいくつかあります。よろしいですか」

どうぞと、私はいずまいを正した。

「乗っ取り犯の老人は、名乗りましたか」

「佐藤一郎と名乗っていました」

私は我々人質と老人が名乗り合うことになった経緯をざっと語った。

「するとその後、被疑者と皆さんは名前を呼び合ってやりとりしていたわけですね」

私の目を覗き込む山藤警部の右眉の端に、小さいが目立つ黒子《ほくろ》がひとつあった。

「では、ここでは私も佐藤と呼ぶことにしましょう。杉村さんは、佐藤と面識がありましたか」

「まったくありません」

「どこかで顔を見かけたことがあるという程度でも？」

「ありません」

「一緒に人質になっていた方のなかに、佐藤と面識がありそうな人はいましたか。杉村さんはそう感じた、という程度で結構なのですが」

「最後まで一緒にいたメンバーのなかにはいません」

私の返答が思わせぶりだったのか、二人の刑事の瞳が動いた。私は急いで続けた。

「ただ運転手の柴野さんは、あの老人の顔に見覚えがあると、本人に言っていました。何度かバスに乗せたことがある、と。それとあの老人は、柴野さんに小さな娘さんがいることと、ヨシミちゃんという名前まで知っていました。事前に下調べをしたとかで、
それを聞いて柴野さんは大変動揺していました」

山藤警部は軽くうなずいた。「その際、佐藤は柴野運転手に対して脅迫的な言葉を発しましたか」

慎重に答えるべき質問だと思ったので、私は少し考えた。

「柴野さんが先にバスを降りることを拒否したので、あの老人が、早く帰らないとヨシミちゃんが可哀相だと言ったんです。あの場で、小さな子供のいる母親が、自分の子供の名前を持ち出されるのは非常に怖ろしかったろうと思いますが、老人の口調や態度が特に脅迫的なものだったとは思いません」

刑事が敢えて「佐藤と呼びます」と言っているのに、私の方は逆に「あの老人」と呼んでいる。躊躇《ためら》いがあるからだ。私は思いきって質問した。「すみません、あの老人は本当に佐藤一郎という名前だったんですか」

警部も警部補も、私の質問が聞こえなかったかのように無視した。

「佐藤は車内で、柴野運転手の携帯電話を使っていたそうですね」

「そうです。柴野さんに携帯を置いていかせて、ずっと使っていました」

「自分の携帯電話を持っていましたか」

「わかりません。ショルダーバッグを持っていましたが、彼がそこから取り出したのは拳銃と、ビニールテープのロールだけでした」

「佐藤が、我々警察関係者以外の誰かと連絡をとることはありましたか」

「ありません」

「確信がありますか」

「ありますよ」

思わず、ちょっと苦笑してしまった。「我々は、ずっと彼と顔をつき合わせていたんです。あの老人がやることは、すべて見ていました」

警部も警部補も、私の苦笑につられない。

「佐藤が皆さんに、外部に協力者がいると話したことはありませんか」

私の耳の奥に、田中一郎氏の声が響いてきた。しゃべるなよ。しゃべらないでくれ。しゃべらないでおこう。そうでないと俺の一億円が——

「杉村さん？」

薄い眉毛の端に、ピリオドを打ったように目立つ黒子。私はそこに視線をあてて、答えた。「事件の後始末を頼んである者がいると言っていました。自分の頼みをきいてくれる者だけれど、仲間ではないとも」

「どういう後始末でしょうか」

私の耳の奥の田中氏の声が一段と高まり、悲痛にかすれて消えていった。俺の一億円。

「あの老人は人質の我々に、迷惑をかけて済まないから、後で慰謝料を払うと言ったんです。後始末とはそのことです」

具体的な金額と、それが誰の発言であったかということだけを伏せて、老人と我々の金をめぐるやりとりを説明するのは難しかった。私は考え考えしゃべった。それが刑事たちの目には疑わしく映ったとしても、仕方がない。

「あなたはその慰謝料の話を信じましたか」

山藤警部の声が少し、ほんの少しだが柔らかくなった気がして、私は彼の眉の端のピリオドから、彼の双眸に視線を移した。我々一般市民に、容易にその内側を見透かされるはずがないだろう警部の目は、こうして観察するとちょっと充血していた。

「本気で信じてはいませんでした。今も、あれは我々を宥めるための作り話だったろうと思っています」

「何故でしょう」

間髪を入れず問い返されて、私は笑った。しゃっくりのような声が出た。

「あまりに途方もない話だからです。それに辻褄《つじつま》も合いません。あの老人がそれほどの資産家なら、その金を使って、いくらでも彼の目的を達することができたはずだと思います。何もわざわざバスジャックなんかやらかさなくたって、ほかに手があったでしょう」

「佐藤の目的とは何ですか」

「警部さんに要求していたでしょう？　特定の人を現場に連れてくることです。三人、名前をあげていましたね。老人はその人たちに何かしら恨みを抱いていて、制裁を加えたいと思っているようでした」

「制裁ですか。単に恨みを晴らすのではなく」

「私はそう感じました」

私は老人がネットの事件サイトについて語ったことを説明した。

「あの年代の人にしては、ネットに詳しいようだという印象も受けました。でも、携帯メールを打つことには慣れていなかったようで、人質の女性が代わりに打ちました」

そこまでしゃべって、私はひとつ息をついた。二人の刑事は、私が呼吸するのを見つめている。まるで私の呼気《こき》に色がついていて、そのスペクトルを解析することで、証言の真偽が確かめられるかのように。

「私の身元を照会していただければ、すぐわかることだと思いますが」

二年ほど前にも事件に巻き込まれたことがありますと、私は言った。

「私の勤めている今多コンツェルンのグループ広報室で、アルバイト社員の解雇をめぐってトラブルがありました。新聞で報道されたこともあるので、あるいはご存じでしょうか」

「グループ広報室の皆さんが、アルバイトの女性に睡眠薬をもられたという傷害事件ですね」

　山藤警部はよどみなく言った。

「その後、その女性はあなたのご自宅に押しかけて、刃物で奥さんを脅し、娘さんを人質にとって立てこもった」

「やっぱりご存じでしたか」

「バスジャックの最中に、署で奥様から得た情報です。大変でしたね」

　私は黙ってうなずいた。

「奥様は、だから、あなたはこういう事態に落ち着いて対処できるはずだと言っておられました」

「家内がそんなことを申しましたか」

「子供が人質にとられるという、親にとっては最悪の事態を経験したことがある人だから、夫はたぶん今、このバスにいるのが自分でよかった、娘じゃなくてよかったと考えているだろう、だからけっして慌てたりしないとおっしゃいましたよ」

　山藤警部が私に笑いかけてきた。「実際、杉村さんは冷静に行動してくれました」

「家内が申したようなことを考えていたわけではありません。私はそんな胆力のある人間ではありませんよ。でも、今こうして聞くと、あの場の自分がそうであったように思えてくるから不思議ですね」

今内警部補も微笑した。私はやっと、この二人組が守っている閂《かんぬき》に触れることができたようだ。触れただけで、動かすことはとうてい無理だろうけれど。

「何度、どんな経験をしようと、私はただのサラリーマンですから、事件に慣れることはできません。でも、事件後のこうした事情聴取には、少しだけ慣れた気がします。錯覚かもしれませんが、慣れたと言わせてください」

私はまたひとつ深呼吸をした。

「というのは、私は過去の経験で学んだからです。こういうときは、たとえ脈絡がなかろうが、記憶違いがあろうが、自分が経験したことをありのままに話すのがいちばんだと」

山藤警部がゆっくりとうなずいた。

「でも、今はその自信が揺らいでいます。我々四人があの老人と一緒にバスのなかで過ごした数時間は、異様な時間だったからです」

どれほど率直に話そうと、あの場にいなかった第三者に、我々のあいだで起こったことを信じてもらえるだろうか。

「あの老人は確かに二度発砲しましたし、我々は彼に銃口を向けられていました。でも私は、彼が我々を本気で撃つとは思っていませんでした。少なくとも、バスがあの空き地に落ち着いて以降は、そんなことは起こらないだろうと感じていました。それくらい、老人が我々をしっかり掌握していたからです。それが——その掌握の仕方が異様でした」

「慰謝料という名目の大金を、皆さんの前にちらつかせたからですか」

今内警部補が私に訊いた。上司である相方が、つっと横目で彼を見た。

「それも大きな要素でしたが、金だけの問題ではありません。何というか」

私が言葉に詰まってくちびるを嚙むと、二人の刑事は石のように静かになった。

「ある種の連帯感のようなものが、あの老人と我々のあいだに生じてしまいました。特に、老人が名指しで連れてこさせようとした三人の人たちを、〈彼らには罪がある〉と説明してから後は、その雰囲気が濃くなったような気がします」

今内警部補が何か言いかけたので、私は急いで先を続けた。「今の段階で、ほかの三人がどんな話をしているか、私にはわかりません。わかりませんが、たぶん相当混乱しているでしょうし、率直にお話しできずに、何か隠そうとしているかもしれません。しかしそれは、我々のなかの誰かがあの老人の共犯者だからではありません。そんなことはけっしてありません。この事件が起こるまで、我々は赤の他人同士でした。誰もあの老人を知りませんでした」

私はうっすらと汗をかいていた。

「誰も共犯者ではありません。さっき、連帯感という言葉を使いましたが、それも我々があの老人に協力したという意味ではありません。ただ逆らわなかった――積極的に反撃したり、制止しなかった。成り行きを見守って、あの老人が本当に何をやろうとしているのか見届けようという空気があったという意味なんです。わかっていただけるでしょうか」

二人の刑事は、わかったともわからないとも言わなかった。

「そういう空気が生じたのは、皆さんが佐藤に拳銃で脅されていたからではないと、杉村さんは考えているんですね。だから、掌握の仕方が異様だったとおっしゃる」

山藤警部の言葉に、私は勢い込んでうなずいた。「そうです、そうです」

「では拳銃ではなく、他の何を使って、佐藤は皆さんを掌握していたんでしょう。お考えはありますか」

私には答えの用意があった。だが、すぐには口に出せなかった。自信がなかった。

「――弁舌です」

信じてもらえないかもしれない。警察に通用する供述ではないかもしれないが、私にはそう思えた。

「ただ弁舌だけです。あの老人は、言葉で我々を支配し、コントロールしていました。私は自分がそういう状態に置かれていることには気づいていましたが、それでも抗えなかった。それぐらい巧みな掌握でした」

「ほかの人質の皆さんも、コントロールされていることに気づいていたでしょうか」

「何かうまく言いくるめられていると感じていたとは思います。特に田中さんは――あの、腰を痛めている男性ですが」

「はい、わかります」

「何度か、老人の言葉が信じられないと抗議していました。でも、ちょっと説得されると、それ以上は突っ込めないんですよ」

今内警部補が身動《みじろ》ぎして、背広の胸ポケットに手を入れて立ち上がった。

「失礼します」

携帯電話に着信があったのだろう。さっと病室を出ていった。

私と二人になると、山藤警部は軽く身を乗り出してきた。

「若い二人の方はどうでしたか。坂本さんと前野さんです」

「前野さんは老人の命令に従って、細かい作業をしていました。それはもちろん、目の前に拳銃があったからです」

「わかっています。彼女を疑って訊いているのではありません」

私を宥めるように、山藤警部は軽く右手をあげてみせた。

「あの老人は小柄でしたし、見るからにひ弱そうでした。運転手の柴野さんの言うとおりなら、あるいは〈クラステ海風〉のクリニックの患者だったのかもしれません。前野さんはあそこの厨房で働いているそうですし、相手が年配者で病人かもしれないということで、真っ先に老人のペースにはまってしまって、うまく利用された感じがしました。だからって責める気はありません。とても気の優しい女の子なんだと思いました。それは悪いことじゃないでしょう？」

山藤警部の右眉の端のピリオドが、位置を変えた。彼が目を細め、ちょっと笑ったからである。

「いや、すみません。笑い事じゃないんですがね。前野さんは今も佐藤に同情的です。先ほど私は、〈被疑者〉と言ってから〈佐藤〉と言い直しましたよね」

「はい……」

「あれは前野さんに叱られたからなんですよ。私が〈被疑者〉と言ったら、おじいさんをそんなふうに呼ばないでくれ、ちゃんと名前があるんだと泣かれてしまいました」

私は呆れもせず、笑いもしなかった。前野嬢の心境を思うと、胸が痛んだ。

「もしかすると前野さんは、その、あの、老人が自分自身を撃つところを見てしまったんじゃないでしょうか」

そのことはずっと心配だった。

「それはまだわかりません。とりあえず、今の前野さんには安静にしていてもらうのが得策のようです」

わかっていたとしても、私には言えないか。

「杉村さんは、二年前の事件の後、犯罪者の心理に興味がわいて、何か読んだり調べたりなさいましたか」

何故そんなことを訊くのだろう。

「そういう興味は持ちませんでしたが、もともと家内がミステリー好きなので……。ああでも、家内もあの事件の後は、あまりミステリーを読まなくなってしまいましたが」

「そうですか。では、〈ストックホルム症候群〉という言葉をご存じですか」

知らなかった。

「ストックホルムって、スウェーデンの首都の」

「ええ」私の素朴な反応がおかしかったのか、山藤警部はまた微笑した。「でもこれは、誘拐事件や立てこもり事件などで、犯人と人質とのあいだに、まさに先ほど杉村さんが
おっしゃったような、一種の連帯感が生じてしまう現象をさす言葉なんです」

「我々もそういう状態にあると？」

「さあ、そういう診断は私の専門外ですからね。ただ、ストックホルム症候群が生じる
には、普通はもっと時間がかかるようです。たかだか三時間程度では難しいらしい」

山藤警部はまた目を細め、一段と私に近づいて、声をひそめた。

「ここだけの話でお願いします。私の個人的な好奇心から伺いたいことなので。よろし
いですか」

私は少し息を詰めてうなずいた。

「杉村さんは、佐藤という老人を何者だと思いましたか」

「何者といいますと……」

「職業や立場です。どういう人間だと思いましたか。感じで、印象でかまいません」

私はまじまじと警部の顔を見つめた。個人的な好奇心というこことわりは建前かもしれ

ないが、彼が本気でそれを知りたがっていることは確かだと思えた。

「私も気になって、本人に訊いてみました」

「佐藤は答えましたか？」

「はぐらかされてしまいました。何とか聞きだそうとしているうちに、突入になって」

そうかと、警部は眉根を寄せた。

「今はどう思います？　彼は何者でしょうね」

「本当に印象だけでいいんですか。あてずっぽうですよ」

「かまいません。聞かせてください」

教師だと、私は答えた。すると山藤警部の目が晴れた。彼はつと身を起こした。

「実は私もそうなんです。やりとりしていて、これは教員だな、と思いました」

「だとすれば、言葉を操って人心を掌握するスキルを持っていても、不思議はありませんよね」

「何を教える、どういう教員だったかという問題は残りますが」

私は大事なことを思い出した。「私の会社の、園田瑛子とはもう話をされましたか」

「あなたの上司の編集長ですね」

「彼女は……お話ししているでしょうか。園田は何か、あの老人の正体というか、生業《なりわい》というんですか、そこに思い当たるところがあったらしいんです」

山藤警部の顔のピリオドが、最初の位置に戻った。「どういうことでしょう。どうぞお聞かせください」

　では、編集長は警察に話していないのか。

　私の表情を読んだのか、警部は言った。「園田さんもこの病院にいます。だいぶ取り乱していたので、事情聴取は見送って、鎮静剤で休んでもらっています」

　あの園田瑛子が取り乱している。扱いにくいバイト社員にテープカッターを投げつけられて怪我をしても、睡眠薬をもられても、しぶとく立ち直ってきた園田瑛子が。

「あんな状況でしたから、正確に覚えているかどうか怪しいですが」

　私はあの老人と編集長とのやりとりを説明した。あなたのような人を知ってる、私も最初からお察ししていました、さぞかし嫌な思い出があるんでしょう、お詫びいたします――

　山藤警部は懐から取り出した手帳にメモを取った。眉間に皺が寄る。

「なるほど」と言って、手帳を閉じると皺も消えた。

「ご理解いただきたいのですが、今夜こうして、事件に巻き込まれた皆さんをバラバラに隔離したような形をとっているのは、けっして我々が皆さんに疑いを抱いているからではありません。早い段階で皆さんが顔を合わせて、バスのなかの出来事について話し合うと、皆さんの記憶が摺《す》り合わされてしまう危険があるからなのです」

　記憶の摺り合わせとは、つまり、個々の記憶が自立性を失い、ひとまとまりの〈筋書き〉になってしまうということだろう。

「そうなると、事件の流れははっきりしますが、半面、些細だが具体的な事実が消えてしまうことがあるんですよ」

警察としては、私と田中氏、坂本君や前野嬢の記憶の細部に食い違いがあっても――あって当然だろうと思うが――それを統一せずに、できるだけ生のままの情報が欲しいわけだ。私が見ていて坂本君が気づかなかったこと、田中氏が気づいて前野嬢が知らなかったこと。あるいはみんなで同じものを見ていて、解釈が違っていること。

「明日、署で皆さんに集まっていただきます。柴野運転手にも、先に降りた迫田さんにも来ていただきます」

「お二人とも無事ですか。迫田さんは非常口から降りるとき、だいぶ苦労していた」

「幸い、怪我はありません。柴野運転手も元気ですよ」

「妻から聞いたのですが、柴野さんは、バスに戻りたいと言っていたそうですね」

山藤警部はうなずいた。「非常に責任感の強い人のようです」

「我々を残してバスを降りたことで、まさか会社から処分を受けるようなことはありませんよね？」

「それは――ないと思いますが」

「柴野さんは、自分が残るから女性の乗客を先に解放してくれと、老人に訴えていたんです。それを押し切られて」

そこで、私はふと思い至った。

「どうしました?」

山藤警部は敏感だ。どんな小さな事柄でも、私の頭をよぎる思考を知りたがっている。

「私の思い過ごしかもしれません」

「どうぞ、言ってください」

「柴野さんは、言ってみればあの場の責任者ですよね。それにふさわしい言動もとっていました。それと迫田さんは……ちょっと申し訳ない言い方になりますが、お歳のせいでしょうか、いくらか現実認識が甘いというか、老人が我々を威嚇するために発砲した後でも、何となくのんびりしていたんです。事の重大性がわかっていない感じがしました」

だからこそ、老人は真っ先にあの二人をバスから降ろしたのではないか。

「二人とも、老人のコントロールが利きにくい人でした。だから最初に排除された。そういうことだったのかもしれない」

山藤警部はまばたきをした。「では、ペットボトルの水と引き替えに解放された園田さんはどうです?」

「園田の場合は、むしろ我々が勧めてバスから降ろしたんです。だいぶ疲れているようだったし、私が知っているいつもの園田らしくなくて――」

私は目を細め、あの場でのやりとりを思い出してみた。

「あのとき、老人は田中さんに降りるように言ったんです。いや、その前に前野さんだ。

彼女が老人の指示に従っていくつかの作業をこなしたので、御礼にバスから降ろしてあげると言ったんです」

「前野さんはどうしました？」

「断りました。自分だけ降りたら後悔すると言って、泣き出して」

「次が田中さんと」

「彼も断りました。こんな場合に、女性を二人も残して男の自分が先に降りたら、後になって世間の目が怖いと」

いや、ちょっと待て。

「彼はそれ以前に、老人に脅されていたんですよ。最初は、柴野さんが自分が人質として残るから乗客を降ろしてくれと言ったとき、彼がその提案に飛びついたんで、老人が怒ったんです。いや、怒ったように見せただけかもしれないですが、わざと田中さんに拳銃を突きつけて」

私は左手で自分の顎の下に触れた。

「ここに銃口をくっつけて、柴野さんに、後ろの非常ドアを開けるように命じたんです」

しゃべりながら、私は目の前の病室の備品や山藤警部の姿ではなく、自分の記憶を見ていた。あのとき、田中氏の肉の厚い顎にくいこんでいた老人の銃口。田中氏の目玉が飛び出しそうだったこと。そして老人の冷たい目。

「それで……柴野さんと迫田さんを降ろした後、開けっ放しの非常ドアを、田中さんが閉めました。あの老人が彼に閉めさせたんですが、そのときも脅したんです。あんたも飛び降りて逃げようとすれば逃げられるが、そんなやり方は男気がないとか何とか」

そして田中氏はふてくされ、逃げやしないと言い返したのだった。

「そのあと、人質が五人になったところで慰謝料の話が出てきて、田中さんは、そんな甘い話は信じられないと言いながらもつり込まれてしまって、だからあのときはもう、降りろと言われても田中さんが降りるわけはなかったんですよ。そういう雰囲気だった」

「飴《あめ》と鞭《むち》ですね」

ぴしりと短い山藤警部の発言に、私は記憶から離れて現実に戻った。

「コントロールですよ」と、彼は続けた。「前野さんのようにナイーブではなく、現実的で何かとうるさい田中さんを、そうやってまんまと手中に収めた。金の話は耳に甘いし、男気とか世間体という言葉は、あの年代の社会人には効果的です」

今さらのように唖然として、私はうなずいた。「老人が最初に発砲したのは、拳銃がモデルガンではないことを見せつけるためでした。でも二度目の発砲は、田中さんが老人を侮って、莫迦《ばか》なことをするなとか何とか言ったときでした」

「つまり田中さんは扱いにくかった。だがコントロールが利いた。園田瑛子さんはコントロールが利かなかったし、佐藤について、ほかの人質の皆さんにはわからないことを察しているらしい節があった。だから彼女も早めに解放した」

老人が排除したのだ。

「――我々が園田を選んでバスから降ろしたとばかり思っていました」

「それもコントロールです」

「坂本君はどうなのかな。彼は若いし、その気になればあの老人を殴って拳銃を奪い取ることぐらいできそうでした。老人から見れば、いちばん危険だ。どうして彼を残しておいたんだろう」

「考えてみてください。わかるでしょう」

私は山藤警部の顔を見た。「坂本君は前野さんを心配していたから……」

「実際に心配だったのでしょうし、そういう心の動きが強まるように、彼もまたコントロールされていたと思えませんか」

こうなると、すべてがそう思えてくる。

「じゃ、私はどうです？　私もコントロールしやすかったんでしょうか」

思わず口をついて飛び出した問いだった。

「さて」山藤警部は気さくな感じで腕組みをすると、私に微笑みかけた。「もしも佐藤にそう思われていたら、杉村さんは心外ですか」

「心外も何も……。ずっと、うまく言いくるめられているなあと感じていましたから」

「これはまた私の個人的感想ですが、杉村さんは調整役として残されたのだと思います」

「調整役？」

「乗っ取り犯一人と、人質が四人。一対四で、しかも佐藤は老齢者です。体格も小柄でした。暴力による支配に慣れたチンピラの類いとは違いますから、拳銃を見せつけるだけでは皆さんを抑えきれないかもしれないし、言葉によるコントロールには微妙な力関係のバランスが必要です。ちょっと誰かが興奮したり、前後を忘れたりすれば、呆気なくバランスが崩れて、何がどうなるかわからない。そういう危険を最小限にするために、佐藤は、いざというとき進んで場を収めてくれるキャラクターを、人質の側にも一人用意しておきたかったんでしょう。それが杉村さんですよ」

私には何とも答えようがなかった。

「そもそも佐藤は、最初から短期決戦のつもりだったはずです。皆さんを自分のコントロール下において、長時間自由に操れるとは思っていなかったはずだ。せいぜいが五時間から十時間。それで目的を達する計画だったろうと、私は睨んでいます」

「でも、その程度の時間内に、彼が名指しした三人をあの場に連れてこられたとは思えません。警察が乗っ取り犯の要求に応えて、無関係の市民を巻き込むはずがないし」

「おっしゃるとおりです」

腕組みしたまま、山藤警部は顎をうなずかせた。その目に光が宿り、すぐに消えた。一瞬、天井の蛍光灯が瞳に映っただけであるかのように。だがその光は、極細の氷の針にも似て、私の心に鋭く、冷たく刺さった。

「今さらですが、私とこんなことを話していいんですか」

「ですから、個人的な好奇心ですよ」

我々元人質は、今度はこの元交渉役にコントロールされる成り行きなのかもしれない。

「杉村さんは、ずっと〈あの老人〉ですね」

山藤警部は言って、腕組みを解いた。

「田中さんは〈じいさん〉、坂本さんと前野さんは〈おじいさん〉です。誰も彼を佐藤と呼ばないし、〈犯人〉とも呼ぼうとしない」

不思議です、と言った。

「佐藤が本名だとは思えませんし、〈犯人〉と呼ぶのは何だか忍びない気がするんです」

忍びない——と言葉にしてみて、気がついた。「あの人が死んでしまったからかもしれません。生きて逮捕されたなら、何のこだわりもなく犯人と呼べたかな」

「佐藤が自殺したことは、誰に聞きました？」

「遺体を見ましたので……」

「突入隊員が射殺したとは思いませんでしたか」

「ですから訊いたんです。あなた方が撃ったのかと。そしたら自死だと」

言ってしまってから、私は慌てた。「ひょっとして、隊員の方がそんな質問に答えるのはまずかったんですか。だったら今の話はなかったことにしてください。私が動揺して訊いたから、教えてくれたんです。私を落ち着かせるために教えてくれたんだと思いますから」

ピリオドのような黒子を動かし、山藤警部はやわらかく笑った。「ご安心ください。現場の者に、お気遣いをありがとうございます」

お邪魔しました――と立ち上がり、手際よくスタッキング椅子を元に戻した。

「だいぶ遅くなりましたが、これから食事が出るはずです。あとはひと晩、ゆっくり眠ってください。寝付きが悪いようなら、看護師に言えば薬を出してくれますよ」

今内警部補は結局戻らず、山藤警部は一人で病室を出ていった。制服巡査も戻ってこないので、私は完全に一人になった。

急に、現実感が遠のいていった。

疲れているはずなのに、眠気はなかった。身体が重いのは、心の重さの反映だろう。

――おじいさん、死んじゃった！

そうだ、佐藤一郎は死んでしまった。以前の彼が何者であったにしろ、今は死者だ。

そして私は、その死者を悼んでいた。ほかには何もできることがなかったから。

翌朝九時ちょうどに、私と田中氏、坂本君と前野嬢の四人は、警察差し回しのヴァンに乗って、千葉県警海風警察署内に移動した。我々がひと晩泊まった病院からは車で五分ほど、幹線道路沿いにある赤煉瓦《れんが》ふうの古い建物で、バスジャック事件の捜査本部もここにある。

四階の会議室に通されると、そこには既に山藤警部を含めて数人の刑事たち、女性警官が一人と、柴野運転手と迫田さんが待っていた。制服姿の柴野運転手には、背広を着込んだ上司らしい中年男性が並んで立っている。

会議室中央の大テーブルの上には、大判の模造紙を二枚貼り合わせたものが広げてあった。そこにはバスの車内の見取り図が描いてあり、柴野運転手と我々乗客の名前を書いた葉書大のカードが脇に置いてあった。

山藤警部が我々に座るよう勧めてくれたが、その間もなく、制服を着た警察官が二人入ってきて、厳《いか》めしい顔をして挨拶した。顎まわりも体格もでっぷりしている年長の方が署長で、彼より十歳くらい若そうなスマートな方が管理官だった。

「皆さん、おはようございます」

挨拶の区切りがついたところで、山藤警部が前に出た。

「今日はこれから、昨日の車内での出来事を皆さんに再現していただく作業を行います。お疲れのところ恐縮ですが、約二時間の予定ですので、よろしくご協力をお願いいたします」

署長と管理官は立ち会い役らしく、大テーブルから離れたところに腰を落ち着ける。

と、柴野運転手に付き添っている中年男性が、そわそわと山藤警部に目配せした。

「ですが、その前に」

と、山藤警部はその視線を受けて、一歩退いた。背広姿の中年男性は、彼一人だけ未だに人質にとられているかのような強張った顔をして前に出た。

「乗客の皆様、〈しおかぜライン〉を運行しております株式会社シーライン・エクスプレスでございます」

　気をつけの姿勢で、きっちりと最敬礼する。柴野運転手もそれに倣《なら》った。

「このたびは大変なご災難でございました。乗客の皆様の生命安全をお預かりする重大な責任を負う我々シーライン・エクスプレスとしても、このたびの事態はまことに遺憾であり、深くお詫び申し上げる次第でございます。本来でしたら、何をおいても社長の藤原厚志《ふじわらあつし》がこの場にお伺いし、皆様にお詫びするべきところでございますが、藤原は迅速な事後対応を行うため、現在は会社を離れることがかないません」

　表情が硬い割には、口調は滑らかだった。

「そこで私、運行局長の岸川学《きしかわまなぶ》が取り急ぎ、こうしてまかりこしました次第でございます。皆様、この度はまことに申し訳ございませんでした」

　また、柴野運転手と共に一礼する。我々元人質も、気まずい感じで礼を返した。

「今後は全社を挙げて警察の捜査に協力し、また皆様の被《こうむ》られた心身の損害を一日も早く回復するべく、誠意を持って努めて参る所存でございます」

　ここで柴野運転手が半歩前に出た。制帽の下の顔は青白く、くちびるに色がない。

「運転手の柴野でございます。あらためまして、皆様に深くお詫び申し上げます」

額が膝頭にくっつきそうなほど深く頭を下げて、そのまま動かない。その脇で、岸川運行局長が続けた。「今日の再現実験には、この岸川も立ち会わせていただきます」

「いや、いいよ、そんなの」

発言したのは田中氏だ。こざっぱりしたシャツと折り目のきいたズボンに着替えているが、足は靴下にサンダル履きだ。一緒にヴァンに乗り込んだときから動きがぎくしゃくしていたが、今は露骨に不快そうな顔をしている。腰が痛いのだろう。

「柴野さんが悪いわけじゃなかったんだし、ここに上司のおたくさんがいたんじゃ、正確な再現をしにくいでしょう」

ねえ？ と、田中氏は山藤警部の顔を見た。小柄な交渉人役は、つい面白がってしまった——という目の動きを素早く消して、真顔でうなずいた。

「そうですね。この再現作業は、現場におられた方達だけで行いたいと思います」

女性警官の先導で、岸川運行局長が名残惜しそうに会議室から出て行くと、田中氏は回転椅子をひとつ引き寄せて、どっかりと腰をおろした。

「すみませんが、もう限界だ。腰が辛くって」

それで場がほぐれた。山藤警部に促され、我々は大テーブルを囲んで座った。私は田中氏の隣で、我々と向き合う位置に若い二人。柴野運転手は迫田さんの肩を抱くようにして、彼らの並びに座った。

戻ってきた女性警官が、足音をしのばせて迫田さんのすぐ後ろに立ち、身を折って老婦人の耳元に、何か優しく囁きかけた。どうやら介添え役らしい。迫田さんにはそういうサポートが必要なのだ。私の勘違いではなかった。

「わたし、うちに帰りたいんですけど」

口調はのんびりと、しかし迫田さんはそわそわと目を動かしている。今日は薄手のサマーセーターを着ているが、その丸首の襟元を、しきりに手で引っ張っている。

「すぐお帰りになれますからね。少しのあいだご一緒させてください」

柴野運転手も口添えする。老婦人は不安そうにその顔を見つめ、身を捩ってまじまじと女性警官を仰ぐと、セーターの襟を引っ張りながら、不満そうに口をつぐんだ。

「それじゃ最初に、もう一度皆さんのお名前を確認します」

山藤警部の指示で、刑事が我々に名前の書かれたカードを配って回った。

「運転手　柴野和子《かずこ》」

「乗客　迫田とよ子《こ》」

「乗客　田中雄一郎《ゆういちろう》」

「乗客　杉村三郎」

「乗客　坂本　啓《けい》」

「乗客　前野メイ」

坂本君と前野嬢は、真新しいジャージの上下を着ている。色違いのお揃いのように見えるが、微妙にデザインとロゴが違う。二人とも顔色がよく、前野嬢はすっかり落ち着きを取り戻しているが、迫田さんという新たな〈病人〉を発見したのか、さっきから気にしているようだ。

「乗客　園田瑛子」のカードは、配付役の刑事がそのまま手にして、テーブルの脇に立つ。

「すみません、うちの園田は——」

私の問いかけに、「被疑者　佐藤一郎」のカードを手に、山藤警部は軽くうなずいた。

「再現作業には参加したくないと、強いご希望でした」

「まだ病院にいるんでしょうか」

「担当医から許可が出ましたので、帰宅されました。自宅に戻れば落ち着くと思いますよ」

「そうですか。ご迷惑をおかけして申し訳ありません」

まったく園田瑛子らしくない。この事件の、あの老人の何が、そんなにも彼女を痛めつけ、混乱させているのか。

「田中さん、ホントに田中さんだったんですね」

場違いなほどほがらかな声で、坂本君が言った。前野嬢も笑っている。

「わたしも、偽名だと思ってました」

「あんなとき、とっさに偽名なんか思いつくもんかよ」右手を腰にあてて、田中氏は呻くように答えた。

「でもイチロウじゃなくてユウイチロウだ」

「そりゃまあ、勢いでな。じいさんがイチロウって名乗ったから」

〈じいさん〉という言葉に、前野嬢の笑みが消えて目元が翳った。翳っただけだ。涙はない。もう、激情もない。

　月並みな表現だが、みんな憑《つ》き物が落ちたようだった。私がいちばん案じていたのは、実はナイーブな前野嬢ではなく、一億円の夢に踊らされていた田中氏の心情だったが、こうして眺める彼は、どこから見ても立派な社会人で、家庭人だった。自称どおりの、中小企業の親父さんだった。

　夢は消えた。良い夢も悪夢も、〈じいさん〉の命と彼の弁舌と共に消えた。ただ彼が我々を、どんな形であれ結びつけたことは確かで、憑き物が落ちても、我々のあいだのほのかな親しみは残っていた。

　何か感じ取ったのか、田中氏が私の顔を見た。視線を返すと、彼はちょっと恥じるように目を伏せて、口元をへの字にした。

　怒りはなかった。私にも、田中氏にも。

　事件の再現作業は、柴野運転手のバスが車庫を出たところから始まった。我々はそれぞれ自分が乗ったバス停と、どこに座ったのかを説明した。

〈シースター房総　メインゲート前〉のバス停で降りたのは管理事務所出入りの業者で、既に身元の確認もとれているという。再現がそこまで来たとき、前野嬢が遠慮がちに手をあげて発言を求めた。

「はい、どうぞ」

「あの、昨日の交通事故って、何だったんですか。02系統のバスが止まってたでしょう。道路が通行止めになっちゃって」

私も思い出した。それで迫田さんは03系統に乗ったのだ。

「ああ、あれはね」山藤警部がにっこりした。「トラックの横転事故です。幸い、死傷者はなかったんですが、厄介なものを積んでいた」

〈クラステ海風〉に納品予定の、業務用の洗濯洗剤だそうだ。

「洗浄と復旧作業のために、二時間ほど道路を封鎖しました。風に乗って洗剤の臭いが広がりましたし、泡がたつのでえらい騒ぎだったようです」

今となってはのどかな事故に思える。

「それで迫田さんは、いつもと違うバスに乗ったんですよね?」

前野嬢の問いかけに、迫田さんは目をきょときょとさせるだけで答えない。関節炎だという膝が痛むのか、ときどき思い出したようにさすっている。ズボンの上から、古びたサポーターを付けていた。

「わたくし共もすぐに事故発生と通行止めの連絡をいただきましたが、来訪者と外来患者のために、〈クラステ海風〉からマイクロバスを出して対応するとのことでしたので、01と03系統の臨時増発は行いませんでした」と、柴野運転手が言った。彼女にはまだ笑みもなく、表情が硬い。

「迫田さんも、そのマイクロバスに乗れればよかったですよね」

今度はちょっと身を乗り出し、声も大きくして、前野嬢が迫田さんに話しかけた。迫田さんはサマーセーターの襟を引っ張りながら、目を泳がせて我々を見回した。

「〈イースト街区〉っていうバス停に行きなさいって、係の人に言われたんですよ」

子供のように口を尖らせ、訴えかける。うんうんと、前野嬢と柴野運転手がうなずいた。

山藤警部が続けた。「洗濯洗剤ですから、吸い込んでも人体に害になるものではありませんが、なにしろ大量にぶちまけたので、かなり強く臭ったそうです。それで一時は有毒ガスじゃないかという噂がたって、〈クラステ海風〉では対応に追われたそうです」

混乱のなかで、迫田さんのようにアクシデントに対応できない来訪者は、マイクロバスの情報などからはじかれてしまったのかもしれない。

すると、田中氏が言った。「私も、いつもは02系統を使ってますよ。でも昨日は事故で止まってるって聞いたんで、〈イースト街区〉まで行ったんだ」

「マイクロバスの件は耳に入りませんでしたか？」

「ちょうど出たばっかりで、ピストン輸送だからだいぶ待つっていうのでね。ロビーの時刻表を見て、ちょっと歩いても03系統の方が早いと思ったんですよ」

「実は、僕もそうです」坂本君が遠慮がちに手を上げた。「僕は〈イースト街区〉じゃなくて、もうひとつ手前のバス停からですけど。僕がいた建物からは、02系統の〈クラステ海風事務棟前〉のバス停が近かった。あそこへ行ったのは初めてだから、よくわからないけど」

そういえば、彼は仕事の面接を受けにいったのだった。

「そうよ、わたしもいつもあのバス停だもの。総務部のある事務棟やわたしがバイトしてるレストランからは、あっちの方が近いの」

〈クラステ海風〉の敷地は広く、内部の建物同士も離れているので、

「職員の人たちは、なかで自転車を使ってますよ。わたしも、バスに乗れないようだったら、厨房長さんの自転車を借りて帰ろうかと思っていたんです」

「自転車で通勤しないの？」

「早番のときは自転車だよ。でも、遅番のときは危ないから駄目だって」

前野嬢に「駄目だよ」と言っているのは、彼女の家族だろう。確かにあのだだっ広い一帯は、夜になると人気《ひとけ》がなくなる。施設を彩る人工の自然ばかりではなく、本物の藪や雑木林も残っている。女性が一人で通行するのは不用心だろう。

「そうしますと、洗濯洗剤のせいでいつもと違うバスに乗ったのは、田中さんと迫田さんと前野さん、お三方ということになりますね」

山藤警部の言葉に、私はふと思った。件の事故は、〈佐藤一郎〉にとっても計算外の事態だったのではないか。

あの時間帯の03系統のバスは、いつも空いていた。〈サンセット街区〉から終点の駅前まで、私と編集長の貸し切りだったことさえある。つまり、バスジャックを企む者の目から見れば、掌握するべき人質の数が、運転手も含めてせいぜい三、四人程度という計算が成り立つのだ。

それが昨日は、最初は八人。一人降りて七人になって、柴野運転手と迫田さんを降ろして五人になった。それでもまだ、あの老人の腹づもりよりは多かったのではないか。

――いや、でも。

02系統のバスが事故で止まっていることも、そのせいで03系統の車内がいつもよりにぎやかであることも、老人は知っていた。知っていても決行に及んだ。

彼が警察に要求したのは、特定の人物を現場に連れてくることだ。人質の命と引き替えに、たとえば何かのイベントを中止しろとか、何時までにどこどこへ行けと要求したわけではない。時間的な制約はなく、決行のタイミングはいつでもよかったはずである。トラック横転事故が起こった段階で、今日は見送ろうと決めることもできたはずだ。

それでも〈佐藤一郎〉はバスジャックを決行した。彼にとっては、人質になる乗客の人数など些細な変数に過ぎなかったということだ。相手が何人いようと、掌握してコントロールする絶対の自信があった――

下手の考え休むに似たり、だ。山藤警部は、部下に持ってこさせた〈クラステ海風〉と〈シースター房総〉の施設見取り図を広げている。私はそこに注意を戻した。

「ここと、ここと、ここです」

前野嬢が赤ペンで、バス停に印を付ける。

「佐藤は、〈シーライン・エクスプレス操車場前〉から乗ってきたんですね」

山藤警部の質問に、柴野運転手が立ち上がって見取り図の一点を指で示した。

「そうです。02系統も03系統も、〈クラステ海風〉から駅前に向かう場合は、ここが最初のバス停になります」

「普段、この操車場前から乗る客はいますか」

「ほとんどいません。まわりに施設がありませんし、このあたりにお住まいの方は農家の方ばかりですが、皆さん自家用車をお使いですから」

「そうすると、このバス停はあんまり意味がありませんよね」

「当社がこのラインの営業権を買い上げる際に、もともとあったバス停はそのまま残すという条件があったと聞いております」

そのへんは、運行局長の方が詳しいだろう。

「じいさん、どうして操車場前まで行ったのかなあ」

田中氏がぼそりと呟き、まわりの視線を受けてちょっとあわてた。

「いや、〈クラステ海風〉までバスで行って、そこからバス停ひとつ分歩きゃいいんだろうけど、何でわざわざそんなことをしたのかと思ってね」

「始発のバスに乗って、あとから乗ってくる僕らを観察するためじゃありませんか」

「観察って？」

「だから、手強《てごわ》そうなのがいないかどうか」

田中氏と坂本君は気づいていないようだが、二人のそのやりとりを、今は山藤警部と刑事たちが観察している。

「そうすると私らは、あのじいさんに、手強そうじゃないと判断されたわけですな」

田中氏は山藤警部に言って、ちょっと気まずそうな顔で口を閉じた。昨日のバスのなかでは〈俺〉だった彼だが、この場では〈私〉になり、口調も場合によってラフになったりあらたまったりしている。何だかんだ言って、警察組織という〈お上〉をいちばん意識しているのは田中氏で、そんなところにも彼の社会人らしさが覗いていた。

再現作業はてきぱきと進んだ。老人が慰謝料の件を持ち出したあたりから雰囲気が変わるかと思ったが、それは杞憂《きゆう》だった。みんなサバサバと語っている。ただ、老人の言葉については、みんな記憶をたどって具体的に語るが、自分たちがそれにどうリアクションしたかということになると、発言がやや曖昧になった。坂本君と前野嬢には何の憚るところもなかろうし、もちろん私もそうだけれど、田中氏のことを気にしているのだ。

当の本人は、あんなじいさんのバカ話なんか、千分の一秒だって真に受けたことはありませんでしたという顔と態度で通している。それはそれで、私は安堵した。

「柴野さんがバスから降ろされてしまったとき、皆さんは不安になりませんでしたか」

〈佐藤一郎〉のカードをバスの図面の中央に置いて、山藤警部が我々を見回した。

「不安……ですか？」

前野嬢には意外な質問だったのか、目がくりりと大きくなった。

「佐藤の目的がわからなくて、不安にならなかったかという意味です。普通、こうした乗り物の占拠事件で、運転手が真っ先に解放されてしまうことはありません。犯人の立場からすれば、それでは動きがとれなくなりますからね」

「ああ、ハイジャックなんか、そうですよね」坂本君がうなずき、柴野運転手に目をやった。女性運転手は色のないくちびるを真一文字に閉じている。

「乗り物を乗っ取るのは、それでどこかへ行くためだっていうのが、普通ですよね」

「どこかへ行くという目的がなくても、事態によっては人質ごとどこかへ移動できるというのは、乗っ取り犯にとっては重要なことだろうから」と、私は言った。「だけど、あの——おじいさんは」

老人と言いかけて、私は敢《あ》えて〈おじいさん〉と言い換えた。

「最初からそんなことをするつもりはないように見えた。装甲車に囲まれても、まったくあわててなかったし」

出し抜けに、田中氏が私に言った。「あんた、いっぺんバスを動かそうとしたろう」

迫田さんと警察関係者を除く、全員が驚いた。私を見る田中氏の目が笑っている。

「運転席に移ったときに、バスを動かそうと思ったろ。俺はひやひやしてたんだ。下手なことやらんでくれって思ってたよ」

「……そうでしたか」

「そんな派手なことしなくたって、あんなじいさんくらい、いつでも取り押さえられると思ってたからですよ」

　すると山藤警部が、「我々は、杉村さんが運転席に座ってくれたので、少しですがやりとりができて助かりました」

「え？　どうやって？」

　カンペの件を聞いて、今度は迫田さんと警察関係者と私を除く全員が驚いた。

「そんなことがあったんだ！」

　前野嬢は素直に目を丸くして、思わずというふうに坂本君の腕をつかんだ。つかまれた方も気にしていない。

「杉村さん、怖かったでしょう」

「いや、怖いってことはなかったけど」

「怖くはねえだろう。外と連絡がとれてるってことなんだから」田中氏は言って、ふんと鼻を鳴らした。「俺が運転席にいたって、別にあわてなかったと思うよ」

　とうとう〈俺〉が戻ってきた。私は笑いを嚙み殺したが、坂本君は笑った。その笑いのまま、言った。「でも、田中さんの言うとおりです。僕も、いざとなったら何とでもして、あのおじいさんを止められると思っていました。腕なんか、枯れ木みたいに細い人だったから」

「拳銃があっても、ですか」

山藤警部に念を押されて、坂本君の笑みが消えた。だが、拳銃の恐怖を思い出したわけではなさそうだった。彼はバツが悪そうに頭をかいた。

「何か……あるときから、あのおじいさんに撃たれるなんて、ありっこないって気がしてました」

わたしも――と、前野嬢が小声で囁いた。

「みんなで話してるうちに、何とかなりそうな感じがしたんです」

だからねと、言い訳するように上目遣いになって、山藤警部を見る。「バスの外を見て、大騒ぎになってるってわかったら、足が震えちゃいました。だけどそれも、わたしたちが大変な目に遭ってるっていう気持ちじゃなくて、おじいさんが大変なことをやっちゃってる、ホントはこんなつもりじゃなかったんだろうにっていうような……。うまく言えないんですけど」

囁きが先細りになり、最後の方はほとんど聞き取れないほどだった。

「佐藤が、本当はどんなつもりだったと思いますか」

「それは……」

「今、振り返ってみてどう思われます？」

前野嬢はうなだれた。坂本君も目を伏せている。田中氏はそっぽを向いており、柴野運転手はバスの図面を、自分が守るべきだった場所、運転席を食い入るように見つめていた。

「あの人、死んだんですか」

唐突に、迫田さんが言った。サマーセーターの襟を引っ張るのも、膝をさするのもやめていた。しょぼついた涙目、焦点のぼやけているような眼差しなのに、鋭い。

「あなた方があの人を死なせたの？」

女性警官が彼女の肩に手を置いて、耳元に囁いた。今はそのお話ではありませんよ、と。

「わたし、帰ります」

腹立たしそうに言い捨てて、迫田さんは椅子から強引に立ち上がろうとした。

山藤警部は引き留めなかった。女性警官にうなずきかけ、部下の刑事を一人付けて、迫田さんを送り出した。柴野運転手が、その後ろ姿を目で追いかけている。

「いくらかボケてるんですかね」

田中氏が顔をしかめる。事件の影響でしょうと、山藤警部は軽く受け流した。

「一人暮らしだそうなので、近所の方によくお願いしてあります」

「お母さんが〈クラステ海風〉に入ってるって聞きましたけど……」

前野嬢の小声に、警部は答えなかった。そのやんわりとした黙殺に、私は小さな違和感を覚えたけれど、それはこの場で追及するべきことではなさそうだった。

迫田さんが欠けても、再現作業に支障はなかった。どのみち彼女の分は柴野運転手が代わって証言していたのだ。

ひととおりの作業が終わると、山藤警部が突入の際の警察の動きを簡単に説明してくれた。突入の少し前からバスが揺れていたのは、やはり突入準備のために、隊員が必要な機材と共に車体の下に潜っていたからだった。

「あの床の穴は点検口ですか。車内からは開けられないようになっていましたよね」

私の問いには、意外な答えが待っていた。

「実は、何の用途もない穴でした」

株式会社シーライン・エクスプレスは、〈しおかぜライン〉の営業に乗り出したとき、運行に使用するバスの全車両を車椅子対応の仕様に改造しようと試みた。車体の下部に自動式の車椅子専用昇降機を取り付けて、運転席から操作できるように、と。

「実際に改造してテスト走行してみたら、費用はかかるわ車体は重くなるわ、しかも現実には車椅子の乗客はほとんどいないわで、まったく意味がなかったそうなんですよ」

前野嬢が呆れたようにベロを出した。「だって、〈クラステ海風〉には車椅子対応のヴァンが何台もあるもの。クリニックに通ってきてる人でも、車椅子を使ってる人は、みんな専用の車を持ってます」

「はい、そういうことでね。だからあの床の穴は、その改造の名残なんです」

「で、そのまま走らせてるわけですか」

「車体に異常はありませんからね」

田中氏は不満そうだが、あの穴のおかげで突入が容易になったのだ。

「下から留め付けてあったボルトを外しても、手で押したぐらいじゃビクともしないほどきつく塞がっていましたので、圧搾空気で吹き飛ばして開けました。事前に同型の車両で実験して、皆さんに危険がないことは確かめてありましたから」

確かに、床の穴を塞いでいた四角い蓋は、見事に真上に吹っ飛び、元の場所に着地した。警察は、サーモグラフィーを使って我々の位置を確認していたのだし、危険は最小限にとどめられていたろう。それでも怒ってみせる田中氏は、面倒な人だが真面目な市民だ。

再現作業が終わると署長と管理官、刑事たちは退席し、山藤警部と我々が残ったところに、またシーライン・エクスプレスの岸川運行局長が入室してきた。我々四人にそれぞれ名刺を配り、

「今回の事件にかかわる補償等のご相談には、私が窓口を務めます。何かございましたら、いつでもご連絡ください。もちろん、皆様方にはあらためて当社からお詫びとご相談にお伺いいたしますが、それ以前でも、どんな些細なことでもご不満やご疑念がありましたら、私にお問い合わせください」

再び直角の礼をした。柴野運転手も、気の毒なほど忠実にそれに倣う。

我々が黙っているなかで、山藤警部が口を開いた。「今後、皆さんのところにはいろいろと取材が来ると思いますが、事件はまだ捜査中でして」

今までいちばんくだけた感じで、ちょうど昨夜、部下の今内警部補が部屋を出て私と二人きりになったときと同じように軽く身を乗り出して、警部は言った。「実は被疑者の身元さえ、まだ特定できていないんです」

「じいさん、まだどこの誰だかわからんのですか」と、田中氏が目をしばたたかせた。

「ほとんど手がかりがありません」

「でも、柴野さんはおじいさんの顔を知ってましたよね？」

前野嬢が問いかけると、柴野運転手は土気色の顔を上げた。「はい。何度かバスに乗っていたと思うんですが」

ホラそう言ってますよ――と、前野嬢は無邪気な目を山藤警部に返した。警部は苦笑した。

「そうなんですがね。少なくとも〈クラステ海風〉の患者のなかには、佐藤とおぼしき人物は見あたらないんです。医者も看護師も、誰も覚えていないので」

「以前、入院してたことがあったのかも」

前野嬢がさらに突っ込んだところで、坂本君が軽く彼女を肘で突いた。「それも調べた上で該当者がいないってことだよ、きっと」

椅子の肘置きに片肘をついて、田中氏が思い出したように訊いた。「ネエちゃん、そういうあんたには覚えがないのかよ。じいさんが介護施設やクリニックにいたなら、あんただって顔を合わせてるかもしれないぞ」

「え？　わたし？」

前野嬢はすっとんきょうな声を上げ、指で自分の鼻の頭をさした。

「けど……わたし……厨房にいるから」

「柴野さんの記憶に間違いがなければ――たぶん、間違いないと思いますが」山藤警部は慎重な口ぶりになった。「佐藤が〈しおかぜライン〉に乗車したのは、犯行の下準備のためでしょう」

いやこれもここだけの話と、軽くおどけて人差し指をくちびるの前に立ててみせた。

「でも、千葉県内だけでも路線バスはいくつもあるのに、あえて〈しおかぜライン〉を選んだってことは、何か理由があるはずですよ。きっとあるはずだ」

力を込めて断言する坂本君を、田中氏が笑った。「刑事ドラマの台詞みたいだな」

苦笑にしろ失笑にしろ、笑わなかったのは岸川運行局長と柴野運転手だけだった。見れば、柴野運転手は涙ぐんでいた。

「わたしの力が足らず、皆様を危険にさらした上にお役に立てなくて、本当に申し訳ありません」

あらためて深々と頭を垂れ、そのまま泣き伏してしまった。

「柴野さんのせいじゃありませんよ」

柴野さんは悪くありませんよと、前野嬢は続けた。早くも涙声だ。

「ありがたいお言葉でございます」

岸川運行局長は沈痛な面持ちだった。

「ホントですか？　局長さん、ホントにそう思ってますか？」

前野嬢は岸川氏に食い下がった。

「本気なら、柴野さんのこと、ちゃんとかばってあげてくださいね」

「メイちゃん、僕らがそんなこと言ってもしょうがないよ」

「しょうがなくなんかないでしょ」

柴野運転手がゆっくりと身を起こした。ハンカチを取り出して涙を押さえると、失礼しましたと言った。「心配してくださってありがとうございます」

「柴野さん、精一杯やってくれましたよ」

譫言《うわごと》のように、早口で前野嬢は続けた。

「柴野さんじゃなくっても、身体の大きな男の運転手さんだったとしても、おじいさんは拳銃を持ってたんだから、止めることなんかできなかったですよ。かえって悪い結果になったかもしれないですよ」

そして一人で目まぐるしくうなずいた。

「うん、そうだ。わたし、言います。そういうこと、ちゃんと言います。取材されて訊かれたら、ちゃんと話しますからね。そっか、ブログにも書けばいいんだね！」

メイちゃんメイちゃん――と、坂本君が宥めにかかったところで、不意に田中氏が私を呼んだ。

「怪我人同士、仲良く肩を貸してくれないか。トイレに行きたいんだ」

私は椅子から立ち上がり、田中氏に手を貸した。二人で会議室を出た。

廊下にはさっきの女性警官がいて、トイレの場所を教えてくれた。突き当たって右に曲がり、その左側だ。怪我人同士の我々は、支え合ってゆっくり歩いた。近くの執務室らしい部屋から会議室にいた刑事の一人が出てきたが、我々に会釈しただけで何も言わなかった。

田中氏はトイレに入ると、素早く視線をめぐらせて、ほかに人がいないのを確かめた。

「ちょっと話したくてさ」

私を名指しした意図を察していたから、私もうなずいた。

「名刺、くれないか」

私は上着のポケットから名刺入れを取り出した。まだそれを手渡さないうちに、彼は続けて言った。「あんた、今多コンツェルンの人なんだってな」

「山藤警部から聞いたんですか？」

「いや、今朝ここに来る前に、先にレントゲンを撮りに行ったんだ。そのとき、待合室にいたあんたの会社の人に挨拶されてね。名刺をもらったけど、名刺入れごと病室に置いてきちまった」

私はピンときた。「橋本という者じゃありませんか？　三十ちょいの」

「そうそう、ちょっといい男」

私を迎えに来たのかもしれない。ならば、今も近くで待っているのだろう。

「会長直属の広報担当者なんです。私はただの平社員ですが、ガタイが大きな会社ですから、こういう派手な事件に社員が巻き込まれた場合は、一応、広報が出てくるんですよ」

私の妻が会長の娘なのだということは黙っていた。橋本氏もそこまでは言わなかったのか、田中氏も〈ただの平社員〉という言葉に反応しなかった。

「今、書くもの持ってるかい？」

「ボールペンなら」

「じゃ、メモってくれよ。俺の連絡先を教えとく」

㈲田中金属加工。その所在地と、自身の携帯電話番号も彼はすらすらと諳《そら》んじた。私はもらったばかりの岸川運行局長の名刺の裏にそれを書き留めた。

「今後、何かで相談しなくちゃなんないときは、あんたがいちばん頼れそうだからな」

何を相談するかは脇に置いて、我々の縁がこれっきり切れてしまうことはなさそうだと、私も感じている。それに、田中氏にこう言われて悪い気はしなかった。

「怪我人同士ですしね」

「所帯持ち同士だしな」

二人でひそやかに笑った。冷たいタイルの壁に、声が響いた。

「あの山藤って刑事」

トイレの壁に手をついて身体を支え、田中氏はいっそう声をひそめた。「あんたには、どんな感じだった？」

「丁寧でしたよ」

「どんなことを訊かれた？」

「事件の経緯です」

田中氏は大柄というより、身体が太い。その身体を前屈みにして、掬《すく》うような目つきになった。

「それだけか？」

「ほかにどんな質問がありますか」

私の顔から目をそらし、古びてはいるが掃除の行き届いた床に目を落として、田中氏は言った。

「俺はのっけから突っ込まれたよ。バスのなかで、じいさんと何か取引しなかったかって」

一瞬だけ、私は絶句した。

「私も、話の流れで自然に慰謝料云々《うんぬん》のことはしゃべってしまいましたが」

「俺には、そういう感じじゃなかった。じいさんに協力したんじゃないかって、最初から疑われてる感じがしたな」

床のタイルの割れ目を見つめる田中氏の目は暗かった。そして意外なことを呟いた。

「警察の連中、俺たちから聞き出す以前に、知ってたんだよ」

「我々があの老人と金の話をしたことを？」

田中氏は深くうなずいて、今度はおかしなことを訊いた。「胃カメラ飲んだことある？」

「は？　ええ、ありますよ」

「今日日、カメラだってあんなに小さいんだよ。チューブの先にくっついててさ。集音マイクなんか、もっと小さいだろう。どんなとこにだって仕掛けられるわなぁ」

彼が言わんとすることがわかって、私は口を半開きにした。

「俺たちがバスのなかでしゃべってたことを、警察の連中、音を拾って聴いてたんだろう。かなりの部分、お見通しだったんだよ」

足を動かして体重をかけ替えると、田中氏は鼻を鳴らして短く笑った。

「そうじゃない限り、あんなに細かいことまで質問できるわけがないって、俺は思ったよ。薄気味悪いくらいだったからさ」

「――なるほど」

「あんたにはそんな感じじゃなかったわけか。じゃ、やっぱり俺がいちばん疑われてたんだな。まあ仕方ないけどさ」

ぐりぐり眼《まなこ》に、自嘲の色がよぎった。

「そんなんじゃ、こっちは太刀打ちできねえよ。気がついたらあらかた吐いてた。じいさんが一億円くれるっていうから、半分ぐらいは本気で話に乗ったって、白状しちまった」

パイプを水が流れてゆく音がする。この階の上にも、同じ場所にトイレがあるのだろう。

正直言って、老人が提示した慰謝料の件を、私や坂本君や前野嬢がしゃべっても、田中氏は認めないだろうと思っていた。一夜明けて、彼にそのこだわりが残っていないようなのは、単に状況から解放されて我に返ったからだろうと思っていたのだが、それだけではなかったのだ。

「率直に話して、よかったんですよ」と、私は言った。

うん――と、田中氏もうなずいた。

「でも田中さん、勘違いを起こしちゃいけませんよ。我々は被害者です。拳銃で脅され、言葉で籠絡《ろうらく》されて、あの老人に翻弄《ほんろう》された人質です。犯行に加担したわけじゃない」

「そりゃ、わかってるよ」

壁にもたれているのも辛くなってきたようなので、私はまた彼に肩を貸した。

「こういう話、警察からマスコミに流れるんだろうかね」

私にも確信はない。わかりませんと、正直に答えるしかなかった。

「でも、どうでしょうかね。まだあの老人の身元さえわかっていないわけだし、結果的に彼を死なせてしまったことで、あのタイミングでの突入の是非について、これから異論が出てくるかもしれません」

それが犯人でも、突入によって死者が一人出たことを問題視する向きもあるだろう。

「我々のほかに、老人に名指しされた三人のこともあるわけですし、警察も事件の情報の公開には慎重になるんじゃありませんか」

そういう意味では、我々は一蓮托生だと言うこともできる。対メディアではなく、対〈世間〉においては。

それが〈世間〉の恐ろしさなのだということを、あの老人も示唆《しさ》してはいなかったか。ネットで云々という言葉だけなら耳新しく聞こえるが、老人が件の三人に加えようと企てていたある種の制裁は――それが正しいか間違っているかはさておき――〈世間〉というものを念頭に置かねば出てこない発想だ。

私はふと気がついた。あの老人が何者なのかという謎を解く鍵は、彼に名指しされた三人が何者なのかという謎のなかにある。

「みっともねえよなあ」

田中氏は空いている方の手で白髪まじりの短い髪を掻きむしった。

「いい歳こいて、あんな爺《じじい》の口車に乗せられてさ。家に帰りにくいよ」

「そんなふうに考えちゃいけませんよ」

田中氏はまた短く笑い、足を踏み出した。「せっかくだから、バス会社の金で、椎間板ヘルニアの手術をやっちまおうかと思ってるんだ」

「いいんじゃありませんか。バスのなかであんなふうに床に座らされたのがいけなかったんだから、その権利はありますよ」

「みみっちいけどな」

田中氏の笑いは痛々しかった。

「あんたみたいな大企業のサラリーマンと違って、俺はちっぽけな個人事業主だからさ。金の問題は切実なんだ」

簡単に〈わかります〉と応じてはいけないと思ったから、私は無言でいた。

「なんでこんな目に遭うのかね」

「お互い、運が悪かったんです」

まったくだと、彼は唸った。私たちはまた怪我人同士かばい合いながら、冷たいトイレから出ていった。

田中氏は病院に逆戻り、岸川運行局長と柴野運転手にはまだ事情聴取があるという。残る我々は帰宅を許され、山藤警部に付き添われてロビーに降りた。

思ったとおり、階段を下りて正面ロビーに出ると、来訪者用の椅子のひとつから橋本氏が立ち上がり、私を出迎えてくれた。

この人のフルネームを、私はしばしば忘れてしまう。名字にしか用がないからだろう。カズヒコだったかマサヒコだったか。

如才なく挨拶を始めた彼の名刺を盗み見して、「橋本真佐彦《まさひこ》」だったと思い出した。

正式な肩書きは「今多コンツェルン本部広報課外報係会長秘書室付担当次長」だ。これが、私が彼と最初に出会ったときの肩書きでないことは覚えている。最初はただの「広報課外報係」だった。橋本氏にも平社員時代はある。

坂本君と前野嬢は一様に驚いていた。今多コンツェルンという社名と、スマートな橋本氏の物腰と、彼の肩書きの長さと、そういうポジションの人物が恭しく私を迎えに来たことに。

山藤警部とは昨夜のうちに挨拶が済んでいるらしく、名刺交換の手間はなかった。

「車を調達して来ましたので、よろしければ私が皆さんを順繰りにご自宅までお送りいたしますが」

目顔で私にうなずきかけながら、橋本氏が提案した。坂本君と前野嬢はまた吃驚《びっくり》した。

「え？　いいですよ、わたしたち地元だし」

「杉村さんに悪いですよ」

「そんなことはない。一緒に帰ろうよ」

「署の外に、記者やレポーターがうろうろしていますよ」

橋本氏の言に、途端に前野嬢の頬が強張った。怯えたようでもあり、奮い立ったようでもある。わたし、しっかり話しますから。

「メイちゃん、送ってもらおう」

坂本君が果断に言った。彼と前野嬢は、少なくとも彼の側からは、すっかり〈ちゃん付け〉の距離になったようだ。

「山藤さん、いいですか」

警部の眉毛がひょいと動いた。「皆さんがよろしければかまいませんよ」

「パトカーに乗らなくっていいんですよね？」

小柄な警部は明るく笑った。「君たちは被疑者じゃないんだから、全然かまわない。ああ、でも誰かうちの者が付いていった方が心丈夫なら、そうしますよ。家にも記者が来ているかもしれないからね」

今度は前野嬢の方が果断になった。「ううん、そこまで意気地のないことは言いません。いつまでも隠れてるわけにはいかないし、わたしたち、何も悪いことしてないもの」

「ただ、今はまだちょっと、ね」

坂本君の小声に、橋本氏が「では決まりですね」とにこやかに応じた。

駐車場は建物の裏手だという。我々が正面玄関の手前で回れ右して歩き出したとき、山藤警部が立ち止まり、まるでドラマのなかで名脇役が演じるデカ長のように、ぺしんと手で額を打って、「しまった」と声をあげた。

「皆さんの携帯電話をお返しできるんです。さっき会議室で渡そうと思っていたのに、失念していました。持ってきますから、先に駐車場に行っててください」

橋本氏が乗ってきたのは本部の社用車だが、ボディには社名もロゴも入っていない。

広報課でよく使っているものだ。あ、シーマだと前野嬢が言った。

「お好きな車ですか」

橋本氏の気さくな問いに、彼女はこっくりとうなずいた。「わたしが小っちゃいとき、うちのお父さんの会社がまだ景気よかったころに、乗ってたんです」

懐かしい、と呟いた。そこから、彼女の過去と現在の家庭状況を推察することができる発言なのに、当人は気づいていないところが前野嬢らしい。そんなことなどまったく気づかないふりをできるところが橋本氏らしい。

「これは社の車ですが、僕はシーマのシートが硬いところが好きで、隙あらば借り出してくるんですよ」

「そう！　わたしもシートがふわふわしてる車はイヤなんです。シーマは乗り心地、いいですよね」

前野嬢は〈素〉で橋本氏は〈スキル〉だが、いつどんな状況で誰とでも会話に困らない、という点では似ている二人だった。

「僕は高級車のことはわからないけど」

坂本君は言って、しげしげと私を見た。

「杉村さん、そうとう偉い人なんですね」

私は適度に正直になることにした。「ビミョーなんだけどね」

「偉いか偉くないかに微妙はないと思うけど」

「誰が偉いのかって問題でさ」

前野さんには内緒だよと、私は声をひそめた。「照れくさいから、言わないでね。実は、うちの家内が会社の偉い人の娘なんだ。僕はマスオさんなんだよ」

この一両日のあいだで、いちばん感心されたような気がするのは、私のひが目だろうか。

「そうすると杉村さんは縁故入社なんですか？　あ、逆か。入社してから上司の娘さんを射止めたんですか？」

「う〜ん、それもまたビミョー」

ダークブルーのシーマのそばで立ち話をしている橋本氏と前野嬢、そして私を見比べて、坂本君は言った。「どっちにしろ、定職に就けない僕には縁のない話だなあ」

私は彼に微笑みかけた。「うちの編集部のバイトに、野本君っていう君と感じの似た若い子がいるんだ。名字も一字違いだし、何か今後も勘違いを起こしそうだよ」

「あの広報の人も橋本さんですね」

「僕の知り合いに〈三モト〉さんが揃った」

「一字違いで大違いですよ」

ぼそっとした坂本君の呟きにタイミングを合わせたように、車のそばの二人が楽しそうに笑った。

山藤警部が小走りに戻ってきた。我々の携帯電話はひとつずつビニール袋に入れられていて、袋にはラベルが貼ってある。

「すみませんが、ここに受け取りのサインをしてください」

小脇に挟んだクリップボードを差し出し、背広の胸ポケットからはボールペン。

「山藤さん、警部さんなんだから偉いんですよね？」

携帯電話を受け取り、前野嬢が不思議そうに言った。これまたこの娘さんの〈素〉だ。

「うん、そこそこはね」

「なのに、こんな細かいことまでやるんですね。部下のお巡りさんに任せればいいのに」

人によっては（田中氏などは）ムッとしそうな質問だが、山藤警部はけろりと答えた。

「これはね、私の性格」

言って、ちょっと微笑んだ。

「それと、皆さんに親近感があるからかな。一緒に大変な事件を乗り越えた」

心なし、我々が身構えずに済む程度に姿勢を正して、山藤警部は言った。「しかし、結果として被疑者を死なせてしまった、皆さんをその現場に立ち会わせてしまったことを、交渉人として一警察官として、非常に残念に思っています。申し訳ありませんでした」

岸川運行局長のような直角の礼ではなく、目礼だったけれど、その礼は眩しかった。

「皆さんは、終始一貫、勇敢に行動してくださいました。ご協力に感謝いたします」

そうして、我々は海風警察署を後にした。

車内で、我々は携帯電話がちゃんと動くことを確かめ、互いのメールアドレスを交換した。私のケータイは赤外線通信ができなくなっており、前野嬢が私に代わって手早く打ち込んでくれた。

前野嬢が両親と暮らしているという自宅は、小ぎれいな県営住宅だった。まず彼女が降り、それから坂本君が降りた。彼は両親と祖父と四人で暮らしているそうで、生け垣のある古びた一戸建てに住んでいた。

降りるときになって、大急ぎで弁明するように、彼は言った。「僕とメイちゃん――前野さんが同じようなジャージを着てましたけど、あれ、お揃いじゃないんですよ。昨夜、面会に来た親に着替えを頼んだら、たまたま同じ店に買いに行ったらしいんです」

病院の近くに量販店があったのだそうだ。

彼が丁寧な礼の言葉を残し、犬の鳴き声がする生け垣の向こうに姿を消すと、運転席の橋本氏が言った。「照れちゃって……。若い子は可愛いですね」

事件が縁結びの神ですね、とも言った。

「杉村さん、今日はこのままご自宅にお送りします。会長もご自宅でお待ちです」

義父がさしたる用もなく平日に会長室を空けるのは、異例の事態だ。

「いいのかな」

「はい。そのようにご指示を受けました」

私の表情を、ルームミラーで見てとったのだろう。橋本氏は口調を明るくした。

「菜穂子さんは、昨夜は落ち着いてよくお寝《やす》みになったそうです。夕食に杉村さんがお好きなものを用意されると、張り切っておられました」

「そうですか。橋本さんにも、またお世話をおかけして申し訳ない」

「とんでもないことです」

それが私の仕事です、とは言わなかった。

「やっと自宅に帰れるという時に恐縮なのですが、今後のマスコミ対応について――」

「ええ、どうぞ。どうしますか」

「基本的には、杉村さんへの取材要請はこちらが窓口となって仕切ります。ご自宅にも、しばらくのあいだは遠山が毎日伺って、電話や来客の応対を務めると申しております」

〝氷の女王〟、降臨だ。

「問題は、人質になった皆さんの共同記者会見を求められた場合です。過去の類似の事件では、もちろんある程度の時間が経過してからですが、共同記者会見を行ったケースがありますので」

「それは、そのときが来たら皆さんと相談して決めましょう」

「了解しました。バス会社との補償交渉はいかがしましょうか」

「私が自分で先方と話したいと思います。今のところ、バス会社の対応は丁重ですしね。問題が生じたらすぐご相談します」

話が終わると、私はただ放心した。心のなかでは、これまでの出来事の様々な場面の映像が、未完成の映画のトレーラーのように、脈絡もなく浮かび上がってはくるくると閃《ひらめ》いていた。そんなものは、帰宅した私のもとに、桃子が小さな足で一生懸命駆けてきて、「お父さん！」と呼んでくれた瞬間に、淡雪のように消えて失くなるに違いない。

事実、そうなった。

5

秋風のなかを、私は菜穂子と連れだって、南青山の町筋を歩いている。

十月に入ると、残暑は未練を断ち切った恋人のように姿を消した。代わって登場した秋は足が速く、バスジャックの一夜から一ヵ月足らず、青空にひんやりとした空気が心地いい。

菜穂子は千鳥格子のツィードのジャケットを着て、革のブーツを履いている。妻は、自分がハンドルをとるときは、ヒールの高い靴を避ける慎重なドライバーだ。彼女の好みで買い換えたばかりのボルボは近くのコインパーキングに置いてきた。空が真っ青できれいだし、風は冷たいけど気持ちいいから少し歩きたいというリクエストにお応えして、私は妻をエスコートしているのだった。

行き先は、彼女が贔屓《ひいき》にしているブティックだ。紹介のある客しか入れず、そのかわり難しい注文にも応えてくれる。菜穂子はこのごろ、この店で桃子とペアルックを揃えることに凝っているのだが、今日の目的は、十一月中旬に予定されている桃子の小学校の文化祭で、彼女が着るワンピースを見繕うことだ。桃子はその舞台で、一年生六十三人の児童たちのなかから選ばれて、ピアノ演奏をバックに詩の朗読を行うことになっている。

桃子はこの春、一年生に上がった。妻と、妻の長兄と次兄の妻が卒業し、次兄夫婦の子供もそこの付属高校に通っている私立大学の小学部で、その実績があるおかげか、事前に様々な情報を聞かされて身構えていたほど〈お受験〉に苦労することはなかった。

むしろ大変だったのは、桃子の就学に合わせて我々の自宅を定めることの方だった。渋谷区の閑静な一角にある学校まで、徒歩通学で十分以内。管理体制とセキュリティのしっかりしたマンションで、超高層は不可。世帯数は百世帯以内。できればもっと少ない方が望ましい。時間の制約があるなかで、見事にこの条件をクリアした物件を見つけてきてくれた不動産業者は、プロの鑑《かがみ》だろう。

二年前、我々家族三人を襲った暴力沙汰の嵐が通り過ぎたあと、菜穂子は当時まだリフォームしたてだった自宅を捨てた。二度とあそこには住めないと言い切って、どんな説得にも耳を貸さなかった。

菜穂子が彼女の資産で買った家であり、それをどうするのも彼女の自由だ。それでも、君が僕のために造ってくれた書斎を、僕はとても気に入っているんだけど……と遠慮がちに口に出してみて、

「次はもっと気に入ってくれる書斎を造るから、今回はわたしのわがままを聞いて」

と返されて、私も諦めた。

我々はいったん、菜穂子の実家に身を寄せた。世田谷区の松原にある義父の屋敷である。広大な敷地内には長兄も家を構えて住んでおり、一人っ子の桃子は、しばしば遊びに来る従兄姉《いとこ》たちと親しく、楽しく過ごせるようになった。事件が菜穂子の心に残した疵《きず》も、娘時代を過ごした懐かしい家に帰ったことで急速に癒えていった。

今多家のマスオさんである私の立場は、誰が建てたどんな家に住もうと変わりがない。義父のもとに身を寄せたことで、妻が買った家に暮らしていたときよりも肩身が狭くなったという感はなかった。そんな段階はとっくに通り過ぎていた。

今多菜穂子との結婚を決意し、彼女の父親の要請を受けてそれまで勤めていた児童書の出版社を辞め、今多コンツェルン本社に現在の職を得たとき、私は様々な未来に覚悟を固めた。今多菜穂子の夫となることは、今多菜穂子の人生の一部になることだ。それさえ腹に決めておけば、細かいことにいちいちこだわらなくて済む。居候はどんなふうに生きようが居候だが、居候には居候の役目があり、居候なりの矜持《きょうじ》の持ちようもあるはずだ、と。

菜穂子は義父の外腹の娘である。義父のもとに引き取られたのは、菜穂子が十五歳のとき、母親が死んでほかに頼るところがなくなったからだった。だから義父の屋敷には、彼女の子供時代の思い出はない。それでも、多感な青春時代を過ごした屋敷内のあちこちに、彼女はきらきらする記憶を隠していた。涙で光っている記憶もあれば、喜びや幸せできらめいている記憶もある。

夫と愛娘を連れてそこに帰ると、菜穂子は今一度義父の娘に戻り、その娘の顔で、私と出会う前の彼女の記憶の一端を、折々に、日々の生活のなかで見せてくれた。それは私にとっても発見で、楽しいことだった。

ときどき、私の側からはそうやって妻に私の過去を見せてやることはできないのだと思うと寂しかったけれど、それもとうに諦めたことだった。正確に言うなら、「できない」わけではないのだし。「しない」「させない」と、私と私の両親が決めただけなのだから。

分不相応だ、釣り合わないのは不縁のもとだ、うまくいきっこないと、頭からこの結婚に反対していた私の両親は、それでも私が菜穂子を妻にすると、私と絶縁すると宣言した。私は逆らわずに絶縁された。

「みっともない。あたしはあんたを、金持ちのお嬢さんのヒモにするために育てたんじゃないよ！」

毒のある口調で吐き捨てた母にも、私は抗議しなかった。口論や説得で解決する問題ではない。

時間に任せて、結婚から十年以上が過ぎた。両親が私に宣言した絶縁は、口先だけのものではなかったが、真の断絶でもなかった。たまに超伝導現象が起きて、電流が通うことがあるのだ。これまでのところ、私はそれで満足している。何かを得れば、何かを失う。とりわけ、得たものが大きなものであれば、器の反対側の縁《へり》から出ていくものがあるのは仕方がない。最初から部分的な絶縁だった兄と姉がそのスタンスを変えず、両親の顔を潰さずに、私のことも切り捨てずにいてくれることを有り難くも思っている。

そして私のそういう心情を、いちばん深くくんでくれているのは義父である。そう感じるのは私の錯覚かもしれないが、希望的な錯覚ではないと思う。

実家に戻った菜穂子は、桃子が従兄姉たちと親しんでいることを第一の理由に、いたって壮健だがいつ何があってもおかしくはない父親の年齢を第二の理由に、ずっとそのまま暮らすつもりのようだった。義父の方も、好きなだけいていいと言っていた。

だが、桃子の通学という現実的な問題が眼前に迫ったとき、そういう機会を待っていたかのように、学校のそばに家移《やうつ》りしなさい、また家族三人で暮らしなさいと、言い出したのも義父だった。

「核家族は駄目だの不完全だの、巷《ちまた》じゃいろいろ言うがな。両親と子供、この組み合わせが家族の核だ。核をしっかり作りなさい」

桃子が健全に成長するためには、まず私と菜穂子が独立した大人になることが必要だと、義父は言った。

「困ったときに頼り合うのはいい。いつでも頼っておいで。私もあてにするよ。でも、おまえはもう大人で、桃子の親だ」

一人前になりなさい——と諭されて、菜穂子もようやく納得した。それまでは、桃子は義父の家から運転手付きの車で通学すればいいと主張していたのだが。

義父はけっして、妻の父親の家に寄食している私を哀れんで言ったのではない。今さら哀れむくらいなら、最初から結婚を許さなかったろう。義父の言葉は額面どおりに受け取るべきなのだ。嘘や衒《てら》いを言う人ではない。この十年余りで、私にもそれがわかった。

ひとつ屋根の下で暮らした一年余りのあいだで、さらにもうひとつわかったことがある。義父がなぜ、私を自分の会社に——今多コンツェルンという巨大グループ企業に呼び寄せたのかということだ。

結婚の際、それを条件として提示されたときには、少しばかりの不快感と不審を覚えた。外腹の娘の菜穂子は、今多グループのどんな地位や権力からも外されている。義父は彼女に資産を分け与えても、力は与えなかった。だから私が児童書の編集者を続けても、何の問題もないはずなのに、と。

——俺が信用できる人間かどうか、テストしたいんだな。

一兵卒として膝下《しっか》に置き、観察するつもりなんだ。そう思った。その推察をずっと引きずって暮らしてきた。

だが、義父の真意はそこにはないのだ。逆だった。義父は私を身近に置き、私の目に彼を——今多コンツェルンという巨大グループ企業を創りあげた今多嘉親という人間を見せたかったのだ。

もともと普通の父娘関係ではなかった。しかも菜穂子は義父が人生の折り返し地点を過ぎてから儲《もう》けた娘だ。我々が結婚した時点で、義父は既に七十を越えていた。

義父は菜穂子にも私にも、見せたいものが沢山あった。いつ訪れるかわからない永遠の別離の前に、見せておきたいものが。同居してみて初めて、私にもそれがわかった。能弁ではあっても無用なおしゃべりは嫌いなはずの義父が、日常生活のなかでぽつりぽつりと漏らす昔話のなかに、あるいはそれを語る義父の瞳のなかに、それを見つけた。

義父が我々に再独立を勧めたのは、そんな想いが老いた父親の手前勝手であることも、心の一方では充分承知していたからだろう。自分たちの核を作れという言葉には、義父の自制も込められていたのだ。永遠に娘のそばにいることはできないのだから。

こうして我々家族三人は、代官山のマンションに落ち着いた。妻が新しく調度を調えてくれた私の書斎は、私が諦めた書斎と似てはいなかったけれど、居心地は同じだ。資産家の妻に与えてもらう書斎ならどこでも同じだという見地からも、夫の夢をかなえようと細かく気配りする妻が調える書斎なら、どこであっても居心地がいいに決まっているという見地からも。

日曜日の午後、青山の繁華街から外れた静かな道を、私は妻とのんびり歩いた。住宅街だが、ところどころに洒落たブティックやカフェや画廊が混じる。妻の足取りは軽く、話題は桃子と学校のことばかりだった。

房総の海沿いの町で発生し、たった三時間ばかりで終息したバスジャック事件は、私と菜穂子のあいだに影を落とさなかった。それ以前の、桃子が脅威にさらされた事件の影の方が、今ではその暗い色こそ薄れたものの、妻の心のなかでは未だに大きな場所を占めているせいかもしれない。バスジャックの方では、私は純然たる〈巻き込まれた被害者〉で、犯人とも犯人の動機とも一切関わりを持っていなかったせいかもしれない。

あるいは、妻も私と同じように、いささか事件慣れしたせいかもしれない。

「あなたは笑うかもしれないけど、笑ってもいいから付き合って」

と、今多家の氏神である神社に御祓《おはら》いに連れていかれて、それで妻はきれいに吹っ切れたようだった。

ブティックに着くと、私は中年の女性店長に引き合わされた。五坪ほどの店内は、予想していたよりは親しみやすい雑然とした雰囲気に包まれており、大きな花瓶に投げ込まれた薔薇の花束から淡い芳香が漂っていた。

「早々でございますが、このたびは大変なご災難でしたね。ご無事で何よりでした」

丁重に労られて、私はちょっと慌てた。女性店長は菜穂子から事件のことを聞いて驚いた、という。新聞やニュースからの情報では、人質の男性が顧客の夫であることまではわからなかったろう。

「身近な、しかもお客様の身の上にそんな物騒な事件が起こるなんて……」

「もう一ヵ月経ちますからね。ほとんど忘れています」

「それは良うございました。嫌なことは忘れるのがいちばんですわね」

「わたしは忘れてないけど」と、妻は軽く私を睨んだ。「当分、乗り合いバスには乗らないでねって言ってあるんですよ」

「じゃ、飛行機は？　ハイジャックの方が怖いんじゃないかな」

「変なこと言わないで」

妻は女性店長と笑い合う。私も笑いながら、菜穂子は事件のことを、こんな場所で話していたんだなと思った。店長との親しげなやりとりから推して、どれほど不安だったか、どんなに怖ろしかったか、自分の気持ちも打ち明けたことだろう。私との間に、家庭のなかに事件の影を引きずらないように、彼女なりに工夫していたのだ。

ワンピースの見立ては、周到な店長の品揃えのおかげですいすいと済んだが、菜穂子の買い物にはまだ続きがある。私はここでお役御免だ。青山に来たついでに顔を出したい場所があって、事前に妻とも話してあった。

「じゃ、四時に〈カルロス〉でね」

妻が待ち合わせによく使うカフェテラスだ。私は女性店長に挨拶し、

「ごめんね」

妻にそう声をかけたのは、買い物に付き合わないからではない。あらためて、バスジャック事件の影のことを詫びたのだ。彼女に通じたかどうかはわからないけれど。

バスジャック事件については、マスコミの報道も、ネット上でのやりとりも、我々関

係者が懸念していたほどの熱は帯びなかった。その一番目の理由は、もっと世間を騒がせる物騒な事件が、息をつく暇《いとま》もなく発生したことにある。木が森のなかに隠れるように、事件は事件のなかに紛れて見えなくなる。現代では、〈森〉もほうぼうにある。

二番目の理由は、事件から三日後にやっとあの老人の身元が判明したら、そのプロフィールがいかにも地味で、メディアが競って報道したくなるような〈華〉に欠けていたということだろう。

名前は暮木《くれき》一光《かずみつ》という。一九四三年八月十五日生まれ。今年六十三歳。実年齢より老けて弱々しく見えたのは、生活環境のせいだったらしい。

無職で、足立区のアパートで一人暮らしをしていた。年金には加入しておらず、蓄えを少しずつ切り崩して暮らしていたらしい。本籍地も東京だが、戸籍上は存命しているはずの姉が名乗り出てくることはなかった。彼の身元が判明したのも、仕事がなく、一人きりでアパートに籠《こ》もり、痩せて顔色も悪く、食事さえ満足にしているかどうか怪しい彼を案じて、何度か訪問しては生活保護の受給を勧めていたその地区の民生委員が、「年格好は同じぐらいだし、この数日は不在で連絡もとれないから、もしかしたら」と届け出てくれたからだ。

アパートの住人たちも大家も、仲介した不動産業者も、テレビや新聞で報じられたバスジャック犯の人相風体に、自分たちの隣人や店子《たなこ》の顔を重ね合わせることはなかった。届け出をした民生委員さえ半信半疑だった。バスジャックなんて大それたことができる人じゃない、と。

「おとなしい人で、きれい好きでしてね。誰に頼まれたわけじゃないのに、ゴミ捨て場やアパートのまわりを毎日掃き掃除してました。部屋は二階の隅っこで、外階段の上り下りがきつそうでした」

ニュースの画面のなかで語る、自身も六十歳代だろう男性の民生委員は悲しげだった。

「ペラペラと身の上話をするようなことはなかったんで、私も詳しいことは知らないんですが、昔は何か商売をしていたと言ってたことがあります。奥さんに死に別れて、店も左前だし跡継ぎもいないからって、十年ぐらい前にたたんでしまってね、その後は時給仕事をいくつかやったけども、最近はそんな仕事も見つかりませんって……」

今日日、他人事《ひとごと》じゃありませんと、訥々《とつとつ》と言った。

「私が知ってる限りじゃ、いつもよれよれのシャツとズボンでね。外に出るときジャンパーを羽織るくらいで、スーツ姿なんか見たことがなかった。髪も、散髪代が惜しいからって自分で適当に切ってたらしくて、ですから身ぎれいな感じじゃなかったですね」

公開された似顔絵などの印象とは大きく違い、そのことも民生委員が届け出を躊躇った理由になったという。

「生活保護のことは、話してるうちに、私よりよく知ってるんじゃないかという気がしたんですよ。どっか別の場所で、いっぺん申請して駄目だった経験があるのかもしれないなと思いました」

その暮木一光の口座には、次の家賃が落ちるだけの残高は残っていなかった。六畳一間に小さな台所とトイレ、風呂は付いてないアパートの室内はきれいに片付けられていた。そこの家具や備品からとった指紋と、室内に落ちていた毛髪のDNA鑑定で、老人の身元が確定したのだ。

「テレビは旧《ふる》いブラウン管のがあったけど、壊れてた。よくラジオを聴いてると言ってました。アパートのゴミ捨て場で拾ったそうで。そういうことも、こっちが十訊いてやっとひとつ返ってくるような、無口な人でしたよ」

民生委員には、暮木一光が名指しした三人に、まったく心当たりがなかった。暮木と〈クラステ海風〉やクリニックとの繋《つな》がりも見えなかった。

暮木一光は、あの夜バスのなかで田中氏が言ったとおりの、天涯孤独の人だった。そのアパートに住み着いたのは去年の九月のことで、それ以前の彼の暮らしは、依然、わからないままである。

「せめて賃貸契約のときの保証人でもいれば手がかりになるんでしょうが、仲介の不動産会社が保証するタイプの契約で、だからそっちも何にもわからなくってね。ただ、大家さんを困らせるようなことはいっぺんもなかったそうです。それはそうだったろうと思います。ちゃんとした人でしたよ」

何がどうしてバスを乗っ取ったりしたのか――と、民生委員は肩を落としていた。

あるニュース番組の特集のなかでは、ゲストのコメンテーターが、貧困と孤独のなかで先行きを悲観した暮木は最初から自殺するつもりでいたのであって、バスジャックには何か明確な目的や意図があったのではなく、ただ騒ぎを起こしたかっただけだろうと述べたことがある。

「あるいは、乗客を何人か道連れにするつもりだったのかもしれません。自殺の延長線上の殺人、〈拡大自殺〉といって、過去にも例のあるケースです」

名指しされた三人は、暮木が一方的に怨恨を抱いていた人物で、名指しされた側には思い当たる節がないという可能性も充分ある。

「警察を攪乱《かくらん》するための煙幕だったのかも」

私はその発言を聴いてテレビを切った。あの老人の行動には目的があったと思うし、我々を道連れにする意志は感じられなかった。名指しした三人に対しては、はっきりとした悪意というか、制裁の意志を抱いていた。我々人質はそれを知っている。

孤独で貧しい一人暮らしの老人に、ネット社会も長いこと興味を抱いてはくれなかった。世間にはもっと派手な、騒ぎ甲斐のある事件がある。名指しされた三人についても、予想通り警察が情報公開を控えたことと、

〈所詮、じいさんばあさん同士の揉《も》め事じゃないの？〉

という冷めた観測があって、暮木老人が恃《たの》んでいたほど――我々が案じていたほど盛り上がることはなかった。

一方、我々人質は、暮木老人よりは少しだけ長いあいだ話題の的になった。慰謝料の

話も取り沙汰された。我々の実名が出ているサイトも、イニシャルのみのサイトもあった。

　我々人質がもっとも突っ込まれたのは、いい大人が四人もいて非力な老人一人を制することができず、なぜ唯々諾々《いいだくだく》と囚《とら》われていたのか、という点だ。そこに慰謝料の話が、金額や暮木老人がそれを我々に提示したタイミングについて不正確な情報をまじえたまま絡まって、我々は〈意地汚い〉〈強欲だ〉と非難されたり、〈無理もないよ〉〈誰だって金は欲しいし命は惜しい〉と擁護されたりした。

　面白かったのは、慰謝料の話題が発展して、

〈いくらもらえば、拳銃を突きつけられて人質にされても引き合うか?〉

という議論が沸いたことだ。ネット上の見知らぬ人びとが、我々が暮木老人と繰り広げたやりとりを再現しているようでもあり、現実味を欠いた勝手なやりとりをただ楽しんでいるようでもあった。

　実際、我々当事者にとっても、暮木老人が一文無しだったとわかった時点から、慰謝料の話は現実味の欠片《かけら》もなくなった。皮肉にもそのおかげで、我々はマスコミや、ネット上の〈正義の人びと〉から早々に解放されたとも考えられる。これで本当に暮木一光が大金持ちだったならば、もっといろいろ詮索《せんさく》され、疑われたことだろう。

　警察からは、老人の身元が判明した際に、山藤警部に連絡をもらったきりだ。その後は事情聴取に呼び出されることもなかった。

孤独な老人の自爆的な死。バスジャック事件はそう分類されて終息した。被疑者死亡で書類送検。捜査本部も解散した。

株式会社シーライン・エクスプレスとの補償交渉にも、厄介なことはなかった。一律に見舞金が出て、田中氏と私には医療費も支払われた。柴野運転手の処遇も、外から見ている限りでは大きな変化はなさそうだった。

そう、〈世間〉の動きでもうひとつ面白かったのは、事件の直後から柴野運転手を励まし、応援する声が上がったことだ。シーライン・エクスプレスの本社にもバスの営業所にも、彼女を処分するな、女性運転手の登用をやめるなという電話やファクス、メールが殺到したという。そのなかには彼女を知っている地元の利用客もいたろうが、多くは善意の一般市民だろう。

こうした動きに、前野嬢のブログの文章が一役買った――と言いたいところだが、事実は違う。海風警察署で別れたときには、柴野さんが運転手として立派に行動したことを世間に喧伝《けんでん》すると思い決めていた前野嬢だが、現実はそう甘くなかったし、彼女はそれほど強くなかった。

〈余計なことするな　おとなしくしてろって　親にもバイト先のヒトたちにも叱られちゃいました〉

事件の二日後、泣き顔の絵文字を付けて、彼女が私に送ってくれた携帯メールだ。

〈取材は断ってるし　ブログ日記は更新をやめてます　わたしが人質の一人だったって

こと他所のサイトで見たらしい人がすぐ書き込んできて変なこと書かれて　すごく怖い〉

大過なく過ぎたようなネット上の反応も、ただ一人の若い女性である前野嬢のところでは、一時は波が高かったらしい。

〈いたずら電話がかかってきて困ってます　家電《いえでん》は電話番号を変えることになりました　ケータイも変えるので　またお知らせします〉

老人の身元がわかったときや、田中氏の椎間板ヘルニアの内視鏡手術のとき、坂本君が別のところで面接を受けて職を得たとき、前野嬢が〈クラステ海風〉の厨房のバイトを辞めたとき、そうした折々の節目では、四人で、一日のうちに何度もやりとりをした。捜査本部が解散する直前に、新聞各社から共同記者会見の要請があって、「断ろう」という結論を出した際にも、ケータイとメールで相談し合った。田中氏は「もう面倒くさい」と言い、前野嬢は「まだ怖いんです」と言い、坂本君は「メイちゃんが怖がってるからやりたくない」と言った。でも、共同記者会見がお流れになっていちばんホッとしたのは私だろう。そんな事態になったら、また〝氷の女王〟や橋本氏の手を煩わせなければならなかった。

四人のなかでは、前野嬢がいちばんまめに他の三人と連絡をとっている。田中氏のメールアドレスを聞き出して教えてくれたのも彼女だ。田中氏は、警察署のトイレではあんなことを言っていたけれど、実際には私に相談してくることはなかった。今も、術後の体調など、こちらから訊かない限り音信はない。

〈暮木のおじいさんが大金持ちじゃなかったってわかって　田中さん　ホントにがっくりしてるんだと思いますよ〉

これは坂本君からのメールだ。老人の身元がわかると、〈おじいさん〉から〈暮木のおじいさん〉に変わった。

〈心のどっかでは　まだちょっと期待してたでしょうから〉

私は、〈がっかりしたというより　平常心を取り戻して　面目ないと思っているんだろうね〉と返信した。〈もう　そのことは触れないでおこう〉

田中さんは、事件のことも我々のことも忘れたいんだよ——と打ち込んで、送信する前にその一文だけ消した。

坂本君は〈武士の情けってやつですね〉と返してきた。

坂本君と前野嬢には、橋本氏の言うとおり、事件が縁結びの神になったようだ。どちらから来るメールにも、互いの名前が出てくる。もっとも温度の上がり様にはいくらか差があるようで、メイちゃん、メイちゃんを連発する坂本君を、当の前野嬢が〈ケイちゃん〉と呼び始めたのは、ごく最近のことだ。

そんな二人が、思い出したように送ってくる共通の問いかけがある。

〈園田編集長は　その後いかがですか〉

二人の優しさを有り難く思いつつ、私は代わり映えしない返信を打つ。

〈まだ会社を休んでいるけど　心配ないと思うよ　ありがとう〉

事件以来、園田瑛子は休職している。彼女の休職願を受理すると、グループ広報誌「あおぞら」の発行人である今多嘉親は、即座に編集長代理を任命した。私、杉村三郎だ。

「臨時編集長と編集長代理のどちらがいい？」

問われて、後者の肩書きを選んだのは私だ。発行人に、編集長のクビをすげ替えるつもりがなさそうであることに安堵して、自宅のパソコンとプリンターで編集長代理の名刺を作った。これをひと箱、百枚分を使い切らないうちに編集長が戻ってきてくれればいい――と思ったが、名刺は既に半分方なくなった。

そして、園田瑛子からは連絡がない。電話もメールも、葉書の一枚も。

築年数の経った都営住宅は、都心の一等地に在ることがある。これがマンションだったら販売価格はどれほどか、家賃はどれくらい取れるかと、思わず計算してしまうような場所だ。南青山第三住宅もそのひとつだった。

かつてここの一室に北見《きたみ》一郎《いちろう》という人が住んでいた。北見氏は、二十五年間警視庁に奉職し、犯罪捜査に携わり、あるとき決意してそこから退き、亡くなるまで私立探偵を営んでいた。

私は彼と、二年前の事件の折に知り合った。こちらから何か依頼したわけではなく、最初はただある人物の身元照会に訪ねたのだが、その後の成り行きで親しくなり、末期癌で死支度を調えていた彼から、未解決のファイルをひとつだけ引き継いだ。そのファイルの事件が、私が当時足を突っ込んでいた事件だったからだ。

北見氏が亡くなり、我々の付き合いも終わった。引き継いだファイルも閉じることができた。だから私は北見氏の仕事まで引き継いだわけではない。私立探偵になるなんて、私にはほとんど夢想の域の話だ。それは北見氏もわかっていた。

ただ、彼の残した足跡に、私は今でも心惹かれている。誰にも、とりわけ妻や義父にはけっして言わないけれど、胸の内で密かに。

北見氏には夫人と息子がいた。彼が警察官を辞め、私立探偵を開業するという〝暴挙〟に出た際に一度は解体した家族だったが、夫人は死の床にある彼のもとに戻って彼を看取り、それがきっかけで、家庭を捨てた父親に対する息子の怒りもゆっくりと溶けることになった。父親が私立探偵として立派に仕事を果たし、多くの人を助けたのだということが、頑《かたく》なだった息子の心を開いたのだ。

北見氏の死後、二人暮らしに戻った北見夫人と息子の司《つかさ》君は、生前の北見氏とのあいだに生まれてしまった空白を埋めるために、いろいろ話し合ったそうだ。そして、母子で「お父さんの住んでいたところ」に住みたいと思うようになった。同じ景色を見て暮らしてみたい、と。新米会社員の司君の年収で、都営住宅の入居基準にはぎりぎりセーフだったそうだ。

「僕が昇給すると危なくなります」

北見氏の一周忌に訪ねた折には、司君はそう言って笑っていた。

入居先は原則として抽選で選ばれるので、かつて家族がそこに住んでいたからと言って、母子が必ず南青山第三住宅に入れるとは限らない。結果としてそうなったのは幸運のしからしむるところだが、北見夫人は「夫が呼んでくれたんです」と言っている。

さすがに部屋は違うし棟も違う。それでも母子は亡き夫と父親が日々を過ごしていた景色のなかで、穏やかに暮らしている。ブティックに妻を残して、私はそこを訪ねてきたのだった。

バスジャック事件の新聞やテレビのニュース報道では、人質の氏名までは公表されなかったので、北見母子が私が巻き込まれていたことを知ったのは、司君がネットを見たからだった。そのとき彼が見た事件サイトでは、「杉村三郎」が「杉村次郎」になっていたが、今多コンツェルンの社員だという情報があったので、私だとわかったのだそうだ。

母子から見舞いの電話をもらい、少し話した。事件から数日後のことだった。それっきりになっていたので、今日は北見氏の仏壇に線香をあげ、すっかり片付いて私は無事だと報告したいと思った。

都営住宅の敷地内にある児童公園から電話してみると、司君は留守だったが夫人はいた。どうぞおいでくださいとの言葉に、私は途中で買い込んだ菓子折の袋を片手に、都営住宅を囲む秋色に染まった植え込みのあいだを抜けていった。

私が初めてここを訪ねたころ、都営住宅は補修工事の最中だった。今はすっかり修繕を終えて、外壁は白と淡いブルーとイエローに塗り分けられ、お洒落な外観を誇っている。エレベーターが取り付けられたので、えっちらおっちら階段をのぼってゆく手間もなくなった。

北見夫人は部屋のドアの前で私を待っていてくれた。司君がうっかりバラしてくれたことがあるので、私は彼女の年齢を知っているけれど、その歳相応の落ち着きと、その歳には見えない若々しさを併せ持っている女性である。

仏壇に手を合わせ、照れたような淡い笑みを口元に浮かべた北見氏の遺影に向き合って、今さらのように彼も〈イチロウ〉だったと思った。それが皮切りで、イチロウもサブロウも偽名くさいし嘘っぽいけれど、小説やドラマにはほとんど登場しない名前だということを、私は夫人とおしゃべりした。

「それにしても、人質の皆さんにお怪我がなくって本当によかった」

二十五年間を警察官の妻として過ごした北見夫人は、ほかの誰よりも事件慣れしているはずだ。だからこそ、我々の無事を喜んでくれる言葉にも重みがあった。北見氏が関わった事件の大半は、誰かが無事では済まなかったから警察が乗り出したという種類のものなのだから。

北見氏は言っていた。警察を辞めたのは、悲劇が起こってしまってから動き出すという仕事に、つくづく疲れたからだと。悲劇が起こる前に何かできないかと思ったから、私立探偵を始めたのだと。

「交渉人を務めた山藤という警部さんが、暮木老人を死なせてしまったことを残念がっていました」

「ああ、それはよくわかります」

現場の警官はそういうものです、と言った。

「直接、交渉にあたって犯人の声を聞いた方なら、なおさらでしょう」

「北見さんも、立てこもり事件なんかの交渉人をなさったことがあったでしょうか」

「さあ……。主人がいたころは、まだそういう役割がはっきり決まっていなかったんじゃないですかね。その場その場で、事件に対処する本部のなかで、適役の人を選ぶというか。犯人の様子を見ながらね」

北見氏なら、たいていのケースで適役だったように、私は思う。

「暮木という人は、年配の人でしょう。それも前科や前歴があるわけじゃなし、おとなしい人だったんですよねえ。主人がいたら、時代が変わったなあと申したでしょうね」

どこから拳銃を手に入れたのだろうと、夫人は首をかしげた。

「買ったからって、トースターみたいにいきなり使えるというものじゃないでしょうし」

「トースターね」と、私は笑った。「拳銃は、ネットで買えるらしいですよ。昨今は何でもネットですね」

拳銃の入手経路については、捜査本部でもずいぶん調べたらしい。だが、これという確証はつかめないままだ。ネットだろうというのも、我々人質の証言で、暮木老人がネットに馴染んでいたらしいというところからの推測だ。但し、老人の通帳にそれらしい取引をした形跡はなかった。現金の引き出しは数千円単位の慎《つつ》ましいもので、振り込みをした記録もなかったそうだ。

不思議なのは、暮木老人のアパートにパソコンがなかったことである。それは新聞などでも報じられ、私も気になったので、わざわざ山藤警部に電話して確かめた。パソコンは見つからなかった。彼を訪ねていた民生委員も、部屋にパソコンがあったかどうかの記憶は定かでない。少なくとも据え置き型の、ひと目でそれとわかるようなものはなかった。

暮木老人はノートパソコンを使っていて、犯行の前に処分した――たぶん、そういうことなのだろう。パソコン本体がなければ、履歴のたどりようもない。老人は老人なりに、拳銃の入手先に迷惑がかからないようにと考えたのかもしれない。

「つかみどころのない事件でしたね」

夫人は言って、私にコーヒーを注《つ》ぎ足してくれた。

「主人も申してました。犯人がわかって、動機とか犯行までの経緯もわかって、警察の仕事は終わっても、何だかすっきりしない事件ってのがあると」

「はあ、プロでもそういうものですか」

「主人がそういう気質だったんでしょうけどね。公判に心配がないように証拠固めが終われば、後は気にしない人は気にしないから」

山藤警部も、携帯電話のことまで自分でやるのは性格のせいだと言っていた。

不思議を通り越して解せないことを、私は口に出してみた。「私がバスのなかで話した暮木って人は、薄気味悪いくらい弁が立ったんですよ」

だが、民生委員の知っている暮木老人はおしゃべりではなく、むしろ寡黙だったようだ。

「何だか別人のように思えて、釈然としないんですよ」

「バスジャックのときは、興奮していたからよくしゃべったんじゃありませんか」

私もそう解釈して、自分を納得させようとしてみたのだ。が、どうにも無理だった。

「単に能弁か訥弁かというだけなら、状況に左右されて、変わることもあるでしょう。赤の他人に拳銃を突きつけて言うことをきかせるなんて、異常なことですからね。日ごろは無口でおとなしい人間が、ハイになって演説したっておかしくないです。普段は無口でおとなしい人だったからこそ、ああいう場面では、腹のなかに溜め込んできたことを全部言うってこともあり得ると思います。でも、バスのなかの暮木老人の能弁は、そういうタイプの能弁ではなかったんですよ。ただ上滑りによくしゃべるというんじゃなくて、言動から自信が――あの老人がそれまでの自分の人生のなかで成し遂げてきたことに対する自負みたいなものが感じられました。つまり、民生委員の人が語っていた暮木老人とは人柄からして違うというか」

ぶつぶつと言い並べて、ふと気がつくと北見夫人が微笑して私を眺めていた。

「杉村さん」

宥めるような目をしていた。

「そういう考え事はおやめになった方がいいですよ。もう事件は終わりました。すべて済んでしまったことです」

ちょっと間を置いて、私も微笑を返した。「そうですね」

私は司君の近況に話題を切り替えた。これは正解だったようだ。北見夫人はいたずらっぽい顔になり、恋人ができたらしいんだけどまだ紹介してくれないんだということを、ちょっと心配そうに、かつ楽しげに語った。

「相手は職場の人ですか」

「まだよくわからないんです」

「司君が、恋人ができたと言ったんですか？」

「まさか。本人の態度なんかから、わたしが何となく察してるだけですよ」

だとすると、紹介は当分先の話だろう。この人と結婚しようと決めるまでは、母親に会わせるふんぎりはつかないだろう。

「のんびり構えておられたらいいですよ」

「そうかしら。わたしなんか、主人と付き合い始めてすぐ、うちに呼びましたけどねえ」

「あ、そりゃ女の子と男の子じゃ違います。全然違うもんです」

「杉村さんも？」

私のケースは特例中の特例だ。笑ってごまかすことにした。

「北見さんも気を揉んでるかな」

「主人は平気ですよ。いつも、なるようになるって言うだけでしたから」

遺影は知らん顔をしている。

「そういえば、近ごろはいかがです？　さすがにもう、北見さんに仕事を頼みたいという人が来ることはありませんか」

北見氏が亡くなった後、彼の死を知らない誰かから紹介された新しい依頼人が、あるいはかつて彼の世話になった依頼人が再び案件を抱えて、主《あるじ》のいなくなったアパートを訪ねてくるということが何度かあった。

その際は、北見氏が親しくしていた団地の役員の人か、北見夫人がここに住んでからは彼女自身が、そういう来客に対応するようにしてきた。私も一度、偶然そういう場面に遭遇したことがある。北見氏を頼りに、杖《つえ》をついてアパートの階段をのぼってきた老人に、空っぽになった部屋の前で出会ったのだ。かの私立探偵はもうこの世にいないのだと告げることは易しかったが、老人の落胆を受け止めるのは辛かった。北見夫人にとっても悲しい作業であることに変わりはあるまい。

私が遭遇した老人はすぐ諦めてくれたが、夫人が対応した来客のなかには、ならば責任を持って別の人を紹介しろとか、奥さんあんたが仕事を引き継いでくれないかとか、ぐずぐず粘る向きもあった。それだけ困っているわけだが、何かに困って視野狭窄《きょうさく》に陥っている人間は、本人もまた〈困った人〉になってしまう場合があるという見本だ。

それが気になるので、私は時候の挨拶のようにこう問いかけるのが習慣になっていた。

北見氏の死後一年を過ぎると、それは時候の挨拶と同様のやりとりになっていた。

が、今回は違った。夫人は、ちょっとうろたえたように目をしばたたいた。

「それがねえ……」

私に言っていいものか、迷っている。

「先週、人が来たんですけど」

「仕事の依頼ですか」

「そうじゃないんです。以前、主人の世話になったという人で……。いえ、ちゃんとした人でしたよ。丁寧にお悔やみを言ってくれましたし」

仏壇を見返って、「ですけど……」と、また迷う。

「よろしければお聞かせください。北見さんがファイルを閉じて、きちんと廃業して亡くなったことを説明する必要があるなら、私からその人にお話ししましょう」

それぐらいは、北見氏に最後の事件を持ち込んだ私の責任だと思っている。夫人は女性だし、司君は若い。相手の出方によっては、さばききれないこともあろう。

「すみません」と、夫人はため息をついた。「事件らしい事件ではないんですけどね」

かえって気になる。

「主人に相談に来られたのは、五年前の四月だったそうで。主人の病気がわかって、最初に入院して退院して、仕事に戻ったすぐ後だったので、ですから、その人は主人の病気のこともご存じでした」

夫人は立ち上がると、仏壇の下の小引き出しを開けて、一枚の名刺を取り出した。

「この方なんです」

私は名刺に目を落とした。〈足立則生《あだちのりお》〉。台東区内にある新聞販売店の店員だ。名刺はその販売店のものである。

「住み込みで働いているそうです。一応お知らせしておきますって、裏に携帯電話の番号も書いていきました」

確かに、ボールペンで走り書きしてある。

「連絡してくれという意味ですかね」

「いいえ、そんな押しつけがましい感じではありませんでしたけどね」

「どういう事情なのか、訊かれましたか」

「詐欺に遭ったらしいんです」

言ってから、夫人は言いにくそうに顔をしかめて言い直した。「というか、詐欺の片棒を担いでしまったって」

「はあ……。最近ですか？」

「いえ、五年前に、そのことで相談にきたんです。その足立さんって、当時は無職で住所不定で、ご本人が言うには、半分方ホームレスみたいなもんだったって。そこへね、まとまったお金を稼げるって話を持ちかけられて、乗っちゃったらしいんですよ」

よくある——ありそうな話だ。

「それが詐欺の片棒を担ぐことだった？」

「ええ。わたしも詳しく聞き出さなかったし、足立さんもわたしには遠慮があったようですから、大まかな話なんですが」

「北見さんには、何を頼んだんでしょう」

「自分がやったことが詐欺だってわかって、後ろ暗くてしょうがないから、自分を巻き込んだ一味を告発したいって。それで主人に、もっと詳しいことを探ってくれないかと頼んだっていうんですよ」

ただ詐欺の被害に遭ったから告発したいというよりも厄介な依頼である。

北見夫人も苦笑している。「主人もなにしろ当時は病み上がりというか、闘病が始まったところでしたからね。元気なころのようにはいかないし……。気持ちはわかるけれど、易々《やすやす》と運ぶことじゃないって、足立さんを説得したみたいです」

一味を告発すれば、足立氏自身も刑事罰を受ける可能性があるのだし。

「それより、あんた自分の生活をちゃんと立て直しなさいって、職探しをしてあげてね」

「北見さんらしいなあ」

「わたしもそう思います」夫人は大きくうなずいて、今度はにっこり笑った。「それで足立さん、告発のことは諦めて、まあ五年経ったわけですけど」

ところがつい最近、足立氏はひょっこりと、自分を巻き込んだ詐欺グループの一員と再会したのだという。

「それが、ここを訪ねてくる二、三日前だったそうですから、ほやほやの出来事ですよ」

　本人にしてみれば、二、三日迷ってから北見氏を再訪したことになる。

「やっぱり、ああいう人間を放っておくのはよくないと思ったんですって」

私は唸ってしまった。「単なる正義感のしからしむるところではなさそうですけどね」

再会した相手が羽振りがよさそうだったから腹立たしいとか、余計なことを考えようと思えばいくらでも思いつく。

「しかし足立さんという人は、この五年のあいだ、まったく北見さんへの音信がなかったんですか。世話になったんでしょうに、年賀状ぐらい寄越してても――」

　夫人は、自分がバツの悪いことをしたかのように首をすくめた。「五年前に主人が紹介した職場は、三月《みつき》も続かなかったんですって。だからそれっきり、恥ずかしくて顔を出せなかったんだって言ってました」

私はまたひと唸りして、笑ってしまった。

「まあ、この件は放っておいた方がいいですよ」

「わたしもどうしようもないしねえ」

仏壇の遺影と目を合わせて、夫人はまた首をすくめた。あなたには悪いけどと、目で謝っている。

「一応、この名刺をメモっておきます」私は手帳を取り出した。「あくまでも〈一応〉ですけど」

しめくくりに司君の謎の恋人の件を和やかに蒸し返して、私は北見夫人のもとを辞した。帰りはエレベーターを使わず、コンクリートの外階段を下りた。

都営住宅の敷地内には小さな児童公園があり、一対のブランコがある。私には思い出のブランコだ。因縁もあった。このブランコのそばを通ると、なぜか私のまわりで事が動いたり、何かが起こったりする。

上着の内ポケットのなかで、携帯電話が鳴り始めた。バスジャック事件後に買い換えた新型だ。

発信者は〈間野京子〉だった。我がグループ広報誌編集部の四人目の編集部員である。

もしもしと、彼女の声がした。

「杉村です」

「日曜日に、たいへん申し訳ありません」

間野さんの声だが、いつもの彼女の口調ではなかった。

「かまいませんよ。どうしました？」

嫌な予感がする。やはり因縁のブランコだ。

「本当に申し訳ないのですが、わたしには判断のつかないことがございまして、失礼を承知でご連絡いたしました」

折り目正しいという以上に、硬く緊張した口ぶりだ。私はブランコに近づき、空いている方の手でその鎖にそっと触れた。

「何かトラブルですか」

「いえ、トラブルではありません。ただ、実は、あの」

休日勤務についてなのですが――と言う。

「は？」

私は編集長はおろか編集長代理としても間抜けな声を出した。

「わたしは、採用していただいてまだ一年足らずですので、事情を知らないだけなのかもしれないのですが」

間野さんの口ぶりは硬い。ブランコの鎖の感触だ。

「編集部の皆さんは、休日に、ご自宅に仕事を持ち寄ることがあるのでしょうか」

何とも妙な表現だ。

「持ち寄る？」

〈持ち帰る〉ならわかる。私も時々やることだ。忙しいからではなく、その方がじっくり集中できるとか、もろもろの勝手な都合で。だが〈持ち寄る〉とは何だ。

「それは、休日にうちの部員が誰かの自宅に集まって仕事をする、という意味ですか」

「……はい」

「今、そんな急ぎの仕事がありましたっけ？」私が軽く返しても、間野さんは黙っている。「つまり間野さんは、うちの誰かに、これから誰かの自宅に行って、その誰かが持ち帰った仕事を手伝ってくれと要請されている。そう理解していいですか？」

「はい」

この「はい」には安堵の響きがあった。

「そんな例は聞いたことがありませんね。もちろん、仲のいい部員同士が気を合わせてやることなら、いつどんな形で仕事を助け合っても一向にかまいません。でも、このお尋ねはそういう意味じゃなさそうですね」

ひと呼吸おいて、彼女は思いきったようにこう答えた。「はい。業務命令として、自宅に来るよう言いつかったのです」

私もひと息に言った。「その命令は無効です。断りなさい。できない、と断るんです。私に相談して、うちの部ではそういうやり方はしない、駄目だと言われた、だから自分は編集長代理の指示に従うと言っていいです」

「そうですか……」

「これは、今現在の話ですか？」

「はい。一時間ほど前のことです。とりあえずは、子供を預かってくれる人がいないと家を空けられないと返事をしたんですが」

「それでも相手は引き下がらないんですね」

「はい」彼女の困惑と怯えが伝わってきた。「遅くなってもいいからということでした」

瞬間、私は迷った。ここでもう一歩踏み込んでいいものだろうか。微妙な問題だからこそ、彼女も迷っているのだろうに。

だが私は迷うだけでなく、腹を立て始めていた。間野さんを自宅に呼びつけて、仕事を手伝えと命令した部員は、一人しかいない。名前を出さなくてもバレバレだ。

その人物の顔を思い浮かべると、やっぱり彼女にこう言わずにはいられなくなった。

「私が相手に連絡して、きっちり叱責《しっせき》しましょう。これは本来、そういう種類の問題です」

間野さんのかすかな呼気が聞こえた。

私は訊いた。「井手さんですよね？」

「……はい」

「彼はこれまでにも、同じ職場で働いているあなたに対して、何かと失礼な態度をとることがありましたね」

「私は正社員ではありませんから」

「そういう問題ではありません。あなたを準社員として雇用したのは今多コンツェルンであって、井手さんではない。あなたが彼に遠慮する必要はまったくないんです」

ありがとうございますと、間野さんは小声で言った。

「不愉快でしょう。申し訳ないが、もう少し伺ってもいいですか」

「はい」

「こういうことは、今日が初めてですか」

「自宅に来いと言われたのは、初めてです」

「それ以外には？」

間野さんの声が細った。「残業とか……打ち合わせということで」

「勤務時間外に、彼に付き合えと強要されたことがあるんですね」

「……はい。実際に仕事がないわけではありませんでしたし、打ち合わせというときには、わたしの仕事ぶりについて批判というか、指導というか、そういうやりとりがありましたけれども」

そんなのは口実である。「あおぞら」編集部ではこれという仕事をしていない——仕事を覚えようとさえしていない井手正男に、何の指導ができるものか。

胸がむかむかしてきた。「いつごろからです？」

「この一ヵ月ぐらいです。園田編集長が休職されてから」

私は頭を抱えたくなった。園田瑛子はベテランの女性社員だ。こういうトラブルには敏感だろうし、間野さんも、男の私よりも園田編集長の方が話し易かろう。園田が健在なら、井手から最初におかしな謎をかけられた段階で、すぐに報告なり相談することができたはずだ。

「まったく気がつきませんでした。本当に申し訳ない」

間野さんはあわてた。「いえ、杉村さんの責任ではありません。ホントに、そんなことではありません」

「いえ、私の責任なんです。今日は思い切って知らせてくれてよかったんですよ。私に対しても遠慮する必要はないんです」

「わたしにも至らないところが」

私はぴしゃりと遮った。「その考えはお捨てなさい。あなたはよく頑張って仕事してくれています。井手さんのやっていることは、立派なセクシャル・ハラスメントです。間違っているのは彼の方ですよ」

間野さんを軽んじ、苛《いじ》めるだけでは足りなくなって、こういう形で支配しようとするなど、言語道断だ。

「これはきっちり対処しなくてはなりません。私から井手さんに連絡します」

いえ、それはと、間野さんは言った。「今日のところは、子供を置いて出られないとお断りします。それで突っ張れば、大丈夫だと思います」

「しかし、この件を放っておくわけにはいきません。早い方がいいんじゃありませんか」

お酒が入っているようですから――と、間野さんが言った。私は耳を疑った。

「井手さん、酔ってるんですか?」

「はい、そんな印象を受けました」

「電話でもわかるほど酔ってて、あなたを呼び出そうとしたんですね?」

間野さんは黙ってしまった。

「もともと彼にはアルコールの問題があるからな……」

酒が過ぎるのだ。編集部にも、ひどい宿酔《ふつかよ》いで出てくることがある。

「今は酔っていて、分別をなくしているということもあると思うんです。あの……私は噂で聞きかじっただけですが、井手さんはいろいろとストレスを抱えていて、お酒のことも、今の職場に馴染めないのもそのせいじゃないかって」

確かにそれは事実だが、間野さんも優しい。

「だからってあなたが辛抱してやることはありません。さらに嫌なことを伺うようですが、今までのところは、困惑して不愉快だという以上の実害はないんですね?」

「はい、それは大丈夫です」

彼女の声がきっぱりと芯を取り戻した。

「わかりました。今は間野さんの判断を尊重します。ただ、井手さんがぐずぐず粘るようならまた知らせてください。これこそ業務命令ですよ。一人で抱え込まないこと。いいですね?」

ようやく、間野さんの声が明るくなった。「はい、ありがとうございます」

電話を切り、ケータイをしまいこむと、私はブランコの鎖から手を離した。ブランコは不安定に左右に揺れた。

自分が情けない。私は無能だ。井手正男の間野京子への態度を見ていれば、彼のねじ曲がった怒りと挫折感が、いずれはこういう形で彼女に向かうことも、充分に予想されたはずなのに。

自分の能なし具合を棚に上げて、私は心の底で怒った。園田瑛子よ、何をしている。職場に戻ってきてくれ。我々にはあなたが必要なのだ。

週明け、井手正男は有休をとった。

電話連絡を受けたのはバイトの野本君で、「インフルエンザらしいから、二、三日休むって言ってました」

十月半ばにインフルとは気が早い。仮病だろうが、彼がいないことで、間野さんはぐっと気が楽になる。私も話しやすくなる。

と思ったら、間野さんと野本君がちらりと目顔でうなずき合った。無能な私にも、さすがにわかった。

「野本君は事情を?」

間野さんに水を向けると、彼女は申し訳なさそうにうなずいた。

「たまたまなんですよ、たまたま」野本君は急いでフォローに回る。

「このあいだ、間野さんが井手さんに誘われて困ってるみたいだったんで、僕、無理にくっついてったんです。井手さんにはめちゃめちゃ嫌な顔されたけど、それでいろいろ察しがついたから」

〈ホスト君〉の綽名に悪い意味はない。彼はよく気の回る青年なのだ。

幸い、月刊誌「あおぞら」編集部は暇な時期だ。昼休みを挟んで、三人でじっくり話し合うことができた。間野さんは昨日の一件も、私に知らせたときよりはよほど楽な口調で、野本君に打ち明けた。

「ひでぇなあ。ドラマに出てくるスケベ上司そのものじゃないですか」

残業を口実に彼女一人を残し、形だけ仕事をさせて居酒屋やバーに連れ出す。延々と説教したり自慢話をしたり、彼女のプライバシーを聞きだそうとして、帰りは送ろうとタクシーに乗せる。確かに、バカみたいにわかりやすいセクハラ上司の手口である。

「タクシー、一緒に乗っちゃったんですか」

「逃げ切れなくって、一度だけね。でも、スーパーに寄るからって途中で降りたの」

「深夜営業のスーパーって、意外なところでお役立ちなんですね」

ちゃらいことを言う野本君だが、目は怒っている。

間野さんには辛いだろうが、事実関係をはっきりつかむために、私は彼女に質問し、彼女の生真面目な答えを社用箋に書き留めた。

「杉村さん、どうするんですか」

「どうもこうもないよ。手続きとしては井手さんの話も聞かないといけないけど、その上で、うちの発行人に報告を上げて対処する」

会長・今多嘉親の判断を仰ぐのだ。もちろん私も具申を添える。

「僕はこの際、井手さんを異動させてもらうつもりだ。彼にとってもその方がいいだろう」

間野さんと野本君が顔を見合わせた。二人は、「あおぞら」以前の井手正男を知らない。彼がここの〈流人〉となるに至った経緯も知らない。

いい機会だ。中途半端な噂に頼るより、きちんと話しておいた方がいいだろう。

「井手さんが本社の財務部にいたことは知ってるよね？」

「はい。本丸ですよね」

今多グループ内部では、通常〈本丸〉といえば物流管理部門を指す。財務部は〈金庫番〉で、古参の社員たちは〈大番頭〉という呼び方もしている。

「へえ～、知らなかった」

「井手さんは生え抜きじゃないんだ。森さん——僕と編集長がインタビューに通ってた、森信宏さんが都銀からうちに来たとき、一緒に連れてきた人材の一人なんだよ」

だから優秀だった。財務管理のスペシャリストなのだ。

「じゃ、もとは銀行マンだったんですね」

「うん。森さんにも可愛がられてたらしい」

それがかえっていけなかった。

人間は三人寄れば派閥をつくる。今多グループのなかにも数え切れないほどの派閥があり、財務部のそれは、かつて森取締役が隆盛を誇っていたころには、森派と反・森派だった。外様財務と生え抜き財務と言い換えてもいい。森氏が今多コンツェルンにやって来たのは、旧来の保守的でロスの多い財務体質を改善するためだったから、改革派と守旧派ということもできる。そしてこの二派は事あるごとに反目し合っていた。どの企業でもあることで、珍しい話ではない。サラリーマンは、それが大状況であれ小状況であれ、みんなこうした力関係のなかを泳いでいるのだ。ただ井手さんの不幸と不覚は、あまりにも森派でありすぎたことだった。

「森さんはカリスマ的なところがある人だったし、井手さんが自分を見込んでくれた人を尊敬するのも、心酔するのも当然だよ。だけどそれに頼りすぎて、井手さんは、派閥を離れた職場の人間関係を作らなかったらしい」

だから、夫人の病気を理由に、予想外の早いタイミングで森信宏氏が今多コンツェルンを離れることになったとき、井手さんは、いわば置き去りを食った。大将を失い、味方のいない敵陣に、一人で取り残されたような気分になったのだ。

あくまでも〈気分〉である。事実はどうかわからない。これらの事情を義父から聞かされたとき、私は、井手さんを囲む人間関係のトラブルの少なくとも半分は、彼の挫折感からくる被害妄想が原因ではないかと思った。

「優秀な人だから、部下には厳しかったらしい。別にそれも悪いことじゃないけど、厳しくすれば、時には厳しくやり返されても仕方ないからね」

「ていうか、シンプルな話ですよ。虎の威を借る狐が、虎がいなくなったら威張れなくなったってだけのことでしょ」

「それはちょっと気の毒ですよ」

間野さんが野本君を諫めて、ホスト君は、「お人好しだなあ」と呆れた。

「まあ、それで」社用箋を閉じ、私は言った。「井手さんは、いわばグレちゃったんだな」

「お酒が過ぎるようになったのも、それからですか」と、間野さんが訊いた。

「ええ。もともと酒好きだったようですが、宿酔いで出社するなんてだらしないことをする人じゃなかったそうです」

野本君が目を細める。「奥さんが出ていっちゃったって、噂で聞きましたけど」

「誰に聞いたの？」と、私は苦笑した。

野本君はけろりと答えた。「〈睡蓮《すいれん》〉のマスターです」

このビルの一階にテナントとして入っているコーヒーショップの店長だ。私も親しくしている。今多グループ内で起こる出来事にはなぜかしら敏感で、マスター独自のアンテナがキャッチする情報には、私なんかのぼんくらな耳には百年経っても入ってこないような種類のものもある。

「奥さんが一方的に出ていったのかどうかは知らないけど、別居しているらしいね」

「お子さんは」と、間野さんが眉をひそめる。

「奥さんと暮らしているようですよ。中学生の女の子だそうですから」

「じゃ、なおさら寂しいでしょうね」

「またまた、そんな優しいこと言っちゃって。駄目だよ、間野さん」

妻も娘も離れていってしまい、好天の日曜日に、一人で酒を飲むぐらいしかやることがない。私はふと、昨日の井手さんの心境の一端ぐらいはわかる気がした。誰かにかまってもらいたい。誰かに自分の影響力が届くことを確認したい。動機はわかるが、手段がいけない。

今多コンツェルンという巨船を動かすメインエンジンのひとつを受け持っていた井手さんは、森信宏という頭領を失って迷走を始めた。新しいトップと衝突を繰り返し、同僚とは不和になり、部下からは突き上げを喰らう。結果として降格されて肩書きを失い、財務部からも追い出され、関連部署を転々とした挙げ句に、今多会長が趣味でやっている(としか彼には思えない)このグループ広報室に流れついた。「あおぞら」など、彼の目から見れば、巨船の甲板上の日除《ひよ》けパラソルぐらいの価値しかないだろう。

しかし、その価値観こそを変えて欲しいと願って、義父は彼をここに寄越したのだ。財務マンの目を捨てて、グループ全体を見ろ。有機体としての今多コンツェルンを見渡すことのできる目が開けば、些細なプライドなどどうでもよくなる。

——彼がそれに気づくまで、済まんが辛抱してやってくれ。けっして頭の悪い男じゃない。今は己を見失っているんだ。

義父は私にそう言った。私はその言葉に温情を感じたし、だから意気にも感じた。井手さんの異動を願い出ることは、私にとっても挫折なのだ。義父の期待に応えられなかった。

「井手さん、ここに来てまだ十ヵ月くらいですよね？」

間野さんの方が二ヵ月ほど先輩なのだ。彼には無意味なことだろうが。

「未だにエクセルさえ使えないまんまだけど」

「彼なりにプロテストしてるんだろうね。会長には申し訳ないけど、井手さんが立ち直るためには、やっぱり何らかの形で財務に関わってた方がいいんじゃないかな。社内報の編集じゃ、畑が違いすぎたんだろう」

「だったら辞めりゃいいのに」

「そう簡単にはいかないところが正社員なんだよ」

アルバイトとは違うんだと私が言うと、野本君は頭を掻いた。「畏れ入りました。僕も、せめて準社員になれるといいな」

今多コンツェルンの準社員は、待遇としてはバイトと同じだが、準社員だけで構成する組合に入れるというところが違う。そういえば間野さんは、今回のトラブルを、準社員の組合に相談するという手もあったのだ。その方策をとらず、私に連絡してくれたのは、無能な編集長代理にもわずかながら人望があったということか。それとも、これも彼女の優しさだろうか。

どっちも違っていると、すぐにわかった。間野さんが目を伏せて、小さくこう言ったからだ。「今回のことは、杉村さんの奥様のお耳にも入るでしょうか」

私はちょっと固まった。

「家内に知らせる必要はないと思いますが」

間野さんの屈託は、そこにあったか。

「せっかく奥様のご厚意でここに置いていただいたのに……」

「そんな気を使う必要はないですよ。間野さんが悪いんじゃない」

「そうですよ。間野さんは被害者なんだから」

野本君も加勢してくれたが、間野さんの愁眉《しゅうび》はそのままだ。

「そもそも、わたしのような者が、こんな大企業に入れると思うのが図々《ずうずう》しかったんじゃないかと思うんです」

野本君はキッとなった。「間野さん、井手さんに変なふうに洗脳されちゃってませんか？　あの人、間野さんのことをまるでホステスを見るような目で見てるって、園田編集長も」

彼はあわてて手で口をふさいだ。

「――すみません」

間野さんは宥めるような顔になった。「男の方には、まだまだエステは馴染みがないでしょうからね。誤解されても仕方がないです」

「誤解じゃなくて、井手さんはわざとやってるんですよ」

「わたしは学歴もないし、ちゃんとした会社に勤めた経験もないし」

「間野さんはちゃんとした仕事をしてますよ。井手さんなんかより立派な編集部員です。駄目だよ、そんな後ろ向きになっちゃったら」

間野さんは結婚していて、四歳の男の子の母親だ。夫君は半導体メーカーの技術者である。互いに忙しい仕事を持ちつつ、助け合って子育てしてきたのだが、一年前、夫君が二年間の期限でバングラデシュの新工場へ単身赴任することになった。夫婦双方の両親は遠方におり、頼るわけにはいかない――という事情を知り、私の妻が彼女をこのグループ広報室に引っ張ってきたのだ。

「エステティシャンとしてパートで働くという選択肢もあったのに……」と、間野さんは呟く。「ちょっと外の世界を覗いてみたいという気持ちもあって、ついご厚意に甘えてしまったわたしが軽率でした」

「グループ広報室としても、新鮮な戦力が欲しかったんです。それを忘れてもらっちゃ困る」と、私は言った。「間野さんの都合だけを考えて採用したわけじゃありません。うちの発行人はそんな甘い人間ではない」

「そうですよ！」元気よく断言してから、野本君は急に及び腰になった。「僕は会長のこと知りませんけど、きっとそうですよ」

間野さんに笑みが戻り、私はこぼした。「やっぱり、編集長がいてくれないとなあ」

二人が私の顔を見た。私は苦笑した。

「園田瑛子の目が光っていたら、井手さんだって下手なことはできなかったろうからさ」

「それはどうかわかりませんけど、編集長がいないとつまらないのは確かです」

野本君の言葉に、間野さんもうなずく。

「せっつくようになっちゃ悪いと思って黙ってたんだけど、様子を聞いてみようかな。ともかく、園田の戦線復帰までは、僕がしっかり目を光らせることにします」

ところが、結果的にはこの約束は無効になった。無用になったというべきか。二日後、急な展開があったのだ。

私は本社の人事管理課に呼び出された。その場には、本社の事務職員が所属する組合、通称「ホワイト労連」の渉外委員も同席していた。この場合の〈渉外〉の対象は、社内の管理職である。

私はもっぱら、兼田《かねだ》というその渉外委員から説明を受けた。

「はい。昨日、本人が提出してきました。同時に、労連に人事紛争の調停を頼みたいと」

「休職願？」

私はとっさにものも言えなかった。

「どんな紛争があるっていうんです？」

銀縁眼鏡の兼田委員は三十そこそこだろう。人事管理課員は五十代半ばで、白髪まじりのチョビ髭《ひげ》の親父さんである。

「ひと言でいうなら、パワー・ハラスメントです」

さらに呆れてものが言えない。

「私が、井手さんに？」

「そういうことになりますね」

兼田委員は手元のファイルを開くと、A4の用紙数枚にびっしりと印字された文書を私に差し出した。「井手さんの調停申請書です。杉村さんに見せていいと、本人から了解を得ていますから、どうぞ」

字詰めも行詰めもぎっちりの文書には、「あおぞら」編集長代理の杉村三郎が、今多会長の女婿《むすめむこ》であるという立場を利用して、いかに井手正男を不当に迫害してきたかということが、延々と綴《つづ》ってあった。

私には空想物語としか思えない。さらに噴飯ものなのは、

「ここには、準社員の間野とアルバイトの野本も私と結託して、井手さんが職場に居づらくなるよう画策したと書いてありますが」

「そのようですね」

「事実無根です。私はもちろん、間野も野本もそんなことはしていません」

「それは、これから調査すればはっきりすることです」

兼田委員の銀縁眼鏡がちょっと下がった。

「調停申請があった以上、我々労連が介入しないわけにはいきません。そこはご理解を願います」

「病気休職の方は、診断書も揃っていますので、本日付でということで」チョビ髭の人事の親父さんは言った。「今後は、二週間に一度、うちの担当者が本人と面談して健康状態を確認しながら、復職か休職を継続するか、その都度判断していきます」

「どんな病気なんです？」

「そこに精神科医の診断書があります」

文書のいちばん後ろにホチキスで留めてあった。長期間に亘《わた》る不眠、食欲不振、抑鬱《よくうつ》状態とある。最低でも二週間の休養と加療を要すると診断す、か。

思わず、口をついて言葉が出た。「アルコール依存症の診断ではないんですね」

兼田委員の眉毛がぴくりとした。「井手さんには飲酒の問題があるんですか」

「宿酔いで出社してきて、会議室で寝ているというのは飲酒の問題じゃありませんか」

腹立たしくて、私は鼻息が荒くなった。「この場でこちらの言い分を申し上げても？」

どうぞと二人が同意したので、私は率直に、これまでの井手正男の怠慢勤務ぶりと、直近のトラブルである間野京子が被ったセクシャル・ハラスメントの件を説明した。

「セクハラについては、井手さんが出社してきたら話を聞こうと思っていたところです。我々は、彼がインフルで休んでいるとばかり思っていましたから」

まさか有休をとって精神科医にかかり、診断書を取った上で労連に駆け込んでいたとは思わなかった。

「わかりました。そちらの方も、この調停ではっきりさせましょう」

銀縁眼鏡の奥で、兼田委員の眼差しが和らいだ。

「労連も、何が何でも組合員の味方だというわけじゃありません。調停というのは、双方にとって公正で現実的な解決策を見つけるための手段なんです」

「それなら有り難いですが」

「井手さんは出戻りですし、杉村さんは社内で微妙な立場におられる。労連もそこは充分に勘案するつもりです」

〈出戻り〉というのは、上級管理職が平社員に降格されて、労連の組合員になる〈資格を得る〉ケースをさす。それはともかく、私は今多コンツェルンにとって〈微妙な〉存在だったのか。微妙。便利な表現だ。

兼田委員にちらっと目配せをして、チョビ髭の親父さんが身を乗り出した。「事のついでのようになってしまって恐縮ですが、園田さんは職場復帰が決まりましたよ」

私の顔に、開けっぴろげな安堵と喜びの色が広がったのだろう。二人の〈今多マン〉はちょっと面食らったようだ。

「昨日、面談して意思を確認しました。元気そうでしたよ。来週の月曜日から出勤です。本人からも、今日あたり皆さんに連絡があるんじゃないですかね」

ついでだろうが何だろうが、いい知らせだ。間野さんにとっても援軍になる。

「杉村さんは特別なんで、会長から直《じか》にお話があるかとも思いましたが、手続きですのでね。こちらからもご報告しておきます」

短いあいだに腹を立てたり喜んだり、上がったり下がったりで、私も敏感になっている。今度は〈特別〉か。思わず言った。「特別とはどういう意味でしょう」

チョビ髭が困ったように笑った。「まあ、その……グループ広報室は、会長直属ですから」

杉村三郎個人が直属である、と。

「ご配慮ありがとうございます」

皮肉な口つきになる、私も大人げない。

「では、よろしくお願いします」

チョビ髭の親父さんは席を立った。彼が出て行くのを見送って、兼田委員が私に向き直る。「今後、調停のための調査が始まれば、グループ広報室の皆さんに、多少なりとも時間を割いてもらうことになります。業務に支障がないようこちらも配慮しますが、ご協力をお願いします」

「了解しました。園田編集長が復帰するなら、業務にはまったく問題ありません」

用件は終わりだろうに、兼田委員はまだ何か言いたそうな口つきだ——と思ったら、「人事管理課から聞いたんですが」と切り出した。「園田さんは、やっぱりPTSDだったようですね」

心的外傷後ストレス障害。バスジャック事件に巻き込まれたことが原因で、心身両面で不安定になったということだろう。

「拳銃を突きつけられたんですからね。不思議はありません」

「杉村さんはいかがでしたか」

「私はまあ……。PTSDの発症には、個人差があるそうですし」

銀縁眼鏡の向こうで、兼田委員の一重まぶたがまばたきをした。「僕はご一緒していないんですが、園田さんも以前、労連の委員だったそうです」

私が今多家に繋がる前のことだし、園田瑛子からも聞いたことがない。

「グループ広報室ができる前でしょうね。私は知りませんでした」

「あの年代の女性社員には、組合で永く活動している人が多いんです。管理職になれませんから」

園田瑛子は、男女雇用機会均等法施行前の、女性社員がざっくり「OL」とひとくくりにされていた世代の人である。女性社員には庶務役以上のことは期待されず、仕事上の重責や転勤も免れるが、管理職への登用はない。

「今だって、グループ広報室の編集長は、正規の管理職じゃありませんよね。園田さんも委員は辞めましたが、まだ組合員です」

それは事実だろうが、兼田委員が何を臭わせたいのかわからない。

「ひょっとして園田からも、労連に調停要請があったとか？」

彼は狼狽した。あわてて手をひらひらさせる。「いいえ、そういうことじゃありません。園田さんの休職については、我々が介入する必要はまったくないんです」

ただ——と、言いよどむ。

「杉村さんは、園田さんから、休職の理由について何か聞いておられませんか」

私はきょとんとした。「聞いてません」

「突然だし、皆さんには何の断りもなかったそうだし、不審に思われませんでしたか」

不審はあった。だがそれは暮木老人の正体に絡んだ謎であって、会社とは無関係だ。

「事情が事情ですから、不審も何もありませんよ」

「そうですか……」銀縁眼鏡がまたちょっと落ちた。

「私は園田編集長と、仕事を通して一定の信頼関係を築いていたとは思います。しかし、今度の件は純然たる災難で、園田さんは非常に強いショックを受けたんでしょう。PTSDが正確にどういう症状を呈するものなのか私は知りませんが、医者でもカウンセラーでもない私に、ここがこうでこういうふうに具合が悪いんだと、本人が私に説明できるぐらいなら、そもそも休職する必要もなかったんじゃありませんか」

言うに言われぬ苦しみがあったからこそ、医者にかからねばならなかったのだろう。バスジャック事件のとき、最初のうちはいつもの園田節で暮木老人に対峙していた彼女が、どんどん心のバランスを欠いていく様子を、私はその場で見ていたのだ。

それだからこそ、彼女も私には、自分の状態がいかなるものか打ち明けることができなかったのかもしれない。勝ち気な人だから、私に対して面目ないという想いもあっただろうし、自分で自分が情けないということもあったろう。

兼田委員は渋面《じゅうめん》でうなずいていたが、つと目を上げて声を落とした。「申し訳ないですが、これはここだけの話ということにしてください」

私はわざと大仰に目を剝き、銀縁眼鏡を見返した。「何でしょう」

「園田さんは以前にも、今回のような形で休職したことがあるらしいんです。何か事件に巻き込まれたショックで」

ずっと昔の出来事です、という。

「園田さんの代が入社七年目のときだそうですから、二十八、九歳のころになりますか」

園田瑛子は大卒で入社、今年五十三歳だ。

「およそ二十五年は前か。本当に昔ですね」

「ええ、旧い話ではあるんですが」兼田委員の渋面は晴れない。「当時の女性社員研修で、何かあったらしいんです」

正確なことはわからず、記録もないという。

「僕もちらりと噂で聞いただけです」

「噂の出所は、労連のお仲間ですか」

兼田委員は悪びれない。「ええ、園田さんの同期の女性社員です。ついでに言うと、園田さんの同期の女性はもう彼女一人で、ほかは全員退職しています。その彼女も、当時現場に居合わせたわけではないので、詳しいことは知らないというんですが」

ただ、その〈事件〉とやらが起こったことで、園田瑛子は今多コンツェルン本社の社員のなかで、特別視されるようになったというのである。

私は皮肉を利かせて言った。「私と同じように、園田瑛子も特別なんだ」

「そういう意味ではありません」兼田委員は真顔だ。「ただ、園田さんが巻き込まれたその事件というのは、かなり重大なことだったようなんです。なにしろ会長、当時は社長ですが、社長が自ら事態の収拾に乗り出されたそうですから」

皮肉屋のふりを忘れて、私は素直に驚いた。

「以来、園田さんは特別扱いだと、同期の社員の間では暗黙の了解があったというんですね。ですから――もう十年以上になりますか？　グループ広報室ができて」

「十四年目に入りました」

「そのときも、彼女が編集長に抜擢されたのは、会長の配慮があるからだと思ったと」

私はもやもやと考えた。園田瑛子が今多嘉親会長の愛人だという根強い噂、つまりは誤解の根っこも、そのあたりにあるのではなかろうか。

私は正面から兼田委員の顔に目をあてた。

「労働組合の委員の方にこんなことを訊くのは筋違いかもしれませんが、過去に何があったにしろ、大企業のトップが、たった一人の平社員のことを、二十五年近くもずっと気にかけたりするものでしょうかね？」

兼田委員は破顔した。眼鏡が大きくずれたので、指で押し戻した。「そうですねえ。しかし、うちの会長なら、そんなこともあるかもしれない。これは労組の委員らしくない発言になりますか？」

私も彼と一緒に笑った。皮肉屋を気取るより、その方がずっと楽だった。

「すみません。おかしなことを伺いました」

野次馬根性ですと、兼田委員は言った。

「ただ弁解するなら、うちの労連は幹部の平均年齢が若いですし、どうしたって入れ替わりが激しいので、昔のことがわからないんですよ。それで僕らの代からは、積極的にケーススタディを残そうとしているんです。その延長線上で、過去のトラブルの見直しもしているもので」

だが、園田瑛子に起こった〈何か〉についてはわからない。

「何かあったということだけで、一種のタブーになっている印象があります。封印され、凍結されているといいますか」

義父が収拾し、秘匿を命じたタブーだ。

「それだけに、園田さんの今度の休職も、過去の事件と関係があるんじゃないかという気がするんですよ。だってほかの人質の人たちは無事で——現に杉村さんだって、こうして元気でおられるわけですから」

言葉を切ると、兼田委員は眼鏡をはずし、ポケットチーフでレンズを拭いた。

「私の立場なら、会長に訊いてみることはできます」と、私は言った。「ただ、こればっかりは園田さんの気持ちが最優先でしょう。彼女が掘り起こして欲しくないと思っているものを、横から手を突っ込んで探ることは、私にはできません」

「もちろんです。ご気分を害されたなら、失礼しました」

率直な謝罪に、私は自分の指に目を落とした。その指で鼻筋を掻いた。

「その……おっしゃるとおり、今回の編集長の休職は出し抜けでしたし、正直、これまでひと言の説明もないことには、不審とか不安ではないですが、私なりに心配でした」

ポケットチーフを手にしたまま、兼田委員がうなずく。

「彼女は短時間でバスから解放されましたし、突入まで私と一緒にいたほかの人質の人たちには、今のところ目立った後遺症はありません。園田さんばかりが何故なのか、解せないと言われればそうでしょう。でも、くどいようですが、心の問題ですからね」

私は自分に言い聞かせているのだった。余計な想像をするな、と。

園田瑛子は、二十五年前にも何か衝撃的な心傷を受けていた。バスジャック事件は、彼女にそれを思い出させた。そう仮定すると、暮木老人と対峙したときの彼女の変化にも説明がつくような気がする。問題はバスジャックという出来事そのものではなく、それが喚起した過去の心傷なのだとしたら、あのときの彼女の、彼女らしくない混乱ぶりにも納得がいくのだ。さらに、彼女と老人の謎めいたやりとりも。

——あたし、あなたのような人を知ってますよ。

——さぞかし嫌な思い出があるんでしょう。

その〈嫌な思い出〉が、二十五年前の事件であるならば、すっきりと筋が通る。

だが、それを詮索してどうなる？　北見夫人にも言われたではないか。バスジャック事件はもう終わった。我々を翻弄した痩せっぽちの老人は、孤独な一文無しだったのだ。そしてもうこの世にはいない。今さら彼の正体にこだわったところで、何になるのだ。

「ご存じでしょうが、グループ広報室は二年前にもトラブルに見舞われました」

「杉村さんは、個人的にも大変な目に遭われたんですよね」

「幸いみんな無事でしたし、私はあれで事件慣れしました。おかげでこうしてピンピンしている。根が図太いんですかね」

私は軽く笑ってみせた。

「心労という意味では、園田さんも、二十五年も昔のことじゃなくて、二年前の出来事と今回のことが続いたからいけなかったのかもしれませんよ」

眼鏡をかけ直して、兼田委員はうなずいた。「そうですね。確かに、二年前の事件もあるんですよねえ。僕は見当違いな観測をしていたようです」

だがあのときは、園田瑛子は休職などしなかった。むしろ、かえって毅然《きぜん》として、編集長の立場をまっとうしようと気合いを入れ直し、事実そのように働いてきたのだ。

「では、聞き取り調査についてはまたご連絡します」と、兼田委員は立ち上がる。

我々は友好的な雰囲気で別れた。私は自分に言い聞かせ続けた。もう考えるなと。

6

「誰があたしの机のまわりを片付けてくれたの？」

これが、グループ広報室長兼グループ広報誌「あおぞら」編集長、園田瑛子の復帰第一声であった。

お馴染みの、勤め人らしからぬエスニック系のいでたちで、今日は彩りにも気合いが入っている。少し痩せたが血色はよく、動作もきびきびと元気がいい。

私は安堵した。「わたしたち二人で片付けました」と、そろりと手を上げた間野さんと野本君も笑顔だ。

「あらそう。大事なものを捨てなかった？」

「何も捨ててません。机の上に積み上げてあったものをそっくり段ボール箱に移して、会議室のロッカーに入れただけです」

釈明の後、野本君は編集長には聞こえないよう小さく言い足した。「だって、何が大事なものなのかわかンなかったから」

　編集長の復帰に、格式張った儀式も挨拶も必要なかった。今後のスケジュールを確認し、仕事の段取りを決めただけだ。園田編集長には、森信宏氏のロングインタビューの単行本化という大きな宿題が待ち受けていたが、

「あたしが休んでるあいだ、企画が止まってたの？」

「はい、森さんのご希望で」

　森氏は、我々が彼を訪ねた帰途でバスジャックに遭い、さらに園田瑛子が休職したことに心を痛めて、企画の進行は彼女が現場復帰してくるまで待つと申し出てくれたのだ。

「ありがた迷惑ねえ。とっくに終わってると思ってたのに。あたし、またあの爺さんの自慢話を聞きにいくなんてまっぴらよ」

　憎まれ口も復調した証《あかし》だが、森氏のインタビューはともかく、また〈シースター房総〉を訪ねるのは嫌だというのは本音だろう。私も彼女にそんなことを強いたくない。

「今までのインタビューで、充分に単行本一冊分のボリュームがありますよ。あとは再編集して、章立てをして」

「じゃ、杉村さんがやってよ。版元との交渉はあたしがやればいいんでしょ？」

「はいはい」

　こうして、我らが編集部は常態に戻った。

　園田編集長の復活を、私は自分で自覚する以上に喜んでいるらしい。ちょうど一週間、

まるで休職などなかったことのように彼女が仕事をして、土日を休んでまた月曜日、やっぱり何事もなかったかのように出勤してきて、その日の夕食のテーブルで、妻が私にこう言った。「あなた、嬉しそう」

「え？　何が」

「毎日、楽しそうよ」

「そりゃ、ホッとしたからね」

「これでやっと、バスジャック事件が終わったのね。園田さんが元に戻るまでは、あなたにとっては終わってなかったのよ」

そうかもしれない。予想以上に元気な園田瑛子の顔を見たら、事件に絡んだ不透明なもやもやなど、もうどうでもいいやと思えてきた。一人悶々《もんもん》と、余計なことを考えるなと自分に言い聞かせる作業からも解放されたというか、忘れてしまった。

「いいなあ」

食事の途中だというのに、妻はお行儀のよくない子供のように頰杖をついて、言った。

「わたし、羨ましい」

あなたは園田さんが好きなのね、と言う。

「おいおい」

「あら、ヘンな意味で言ってるんじゃないのよ。誤解しないで」

菜穂子は笑って目を細める。今夜は桃子が義兄の家に遊びに――正確に言うなら従姉の弾くピアノをバックに詩の朗読の練習をしに行っているので、夫婦二人だ。食事と一緒にワインも開けている。妻の目尻がほんのり赤いのはそのせいだ。

「仕事仲間っていいなあって思ったの。わたしはそういう経験がないから」

「じゃ、これから経験してみたら？」

子供が学校にあがると、母親というのは寂しくなるものだそうだ。時間ができて、暇にもなる。菜穂子もそれは覚悟していて、桃子の就学に合わせて、独身時代から続けてきた図書館でのボランティア活動の時間を増やしたり、料理教室に通い始めたりした。後者のおかげで私も恩恵を受けている。ときどき失敗作が出てくるのはご愛敬《あいきょう》だ。

「働いてみろってこと？」

「別に仕事を持たなくても、仲間をつくってみればいいんだ」

友達じゃなくて仲間ねと、私は念を押した。

「一緒に何かミッションをこなすような」

菜穂子はワイングラスを手にして、言った。「たとえば、お店をやってみるとか？」

いきなりそこへ話が行くか。

「それはちょっと……」

私の狼狽ぶりに、妻は吹き出した。「冗談よ。お教室の生徒さんに、レストランを開く予定の人がいるの」

「商売となると、まず場所の選択が難しいよ」

「自宅を改装するんですって。白金《しろかね》に住んでる人なのよ。ご近所の奥様方を相手に、ちょっとお洒落なランチを出すお店。大仰なことをやろうとしてるわけじゃないの。でも本気で計画してるんだって」

「もしかして、手伝ってくれとか言われてるのかな？」

すぐに返事をせず、妻はワインを飲んだ。

「手伝ったら面白いかもって、わたしが思ってるだけよ」

そんな深刻な顔をしないで、と言う。

「わたしだって、自分が非力だってことは重々わかってますから」

「非力なんじゃないよ。身体が弱いんだ」

調理師というのは立ち仕事で、実は体力仕事だ。シェフと呼ぼうがパティシエと呼ぼうが、その事実は厳然として変わらない。

それで思い出した。前野嬢のことだ。私が思い出したことを、妻も察した。私は基本的に妻には何でも話すので（このところの例外は間野さんの被ったセクハラ事件だけだ）、彼女も私が人質仲間とその後も音信を続けていることを知っている。

「パティシエになりたいってお嬢さん」

「うん、前野さんだ」

「その後、どうなのかしら」

「まだ学費を稼いでるところらしいね。どっちにしろ、彼女が目指している調理師学校は、入学時期が春なんだ」

「わたしなんかが通ってるのどかな料理教室より、ずうっと本格的な学校なのね」

杉村菜穂子、今夜はやや自虐的である。普段は「わたしなんか」とは言わない。

「わたしも調理師免許をとってみようかな」

ちゃんと学校へ行って、と言う。

「いいんじゃない？　キッチンに免状があれば、僕も鼻が高いな」

「そう？　お父様も喜ぶかしら。いくつになっても、子供が何かを目指して勉強するって、親には嬉しいものなのかしらね」

何か変だ。いつもよりワインをあけるピッチも速い。妻がボトルに手を伸ばしたので、私は先んじて彼女のグラスに注ぎ足した。

「今日はいいペースだね。桃子が帰って来る前につぶれちゃうよ」

「いいの。お義姉《ねえ》さんが送ってきてくれるんだから」

「だったらなおさら、寝てちゃまずいだろ」

妻の目を覗き込んでみた。

「どうかしたの」

「何でもない」

目元も口元も、言葉を裏切っている。

「ただ、ちょっとつまらないだけ」

「どうして？」

妻は椅子にもたれると、ため息をついた。

「桃子にフラれちゃったの」

義兄の家に練習に行くのに、妻も同行すると言ったら、「お母さんはついて来ないで」と断られたのだそうだ。

「もっと上手に朗読できるようになるまで、わたしには聞かれたくないんだって」

「そりゃ、君に褒めてほしいからだよ」

「そうかもしれないけど、〈ついて来ないで〉って、ひどいと思わない？」

私は笑った。「あの子にも自我が出てきたわけだ。喜ばしいじゃないか」

つまンないと、妻はくちびるを尖らせた。その顔は、ムクれたときの桃子そっくりだ。

「これが子離れするってことなのかしら」

「子離れの準備運動だね」

「わたしも自分の自我を育てないといけないわけね。自我を育て直すのか」

「やりがいがありますよ、奥様」

「しょせん、仕事を持ってるあなたにはわからないわね。あ〜あ、わたしも主婦と母親を休職してみようかな。そしたら、少しはあなたも桃子も困ってくれる？」

もちろんですと、私は請け合った。

それから一時間ほどして桃子が帰宅し、送ってきてくれた義姉とおしゃべりを始めると、妻の機嫌も直ったようだ。私は女同士のひとときの邪魔をせずに書斎に入り、パソコンと携帯のメールをチェックした。

噂をすれば影で、前野嬢から新着メールがあった。今日の午後、地元の銀行のロビーで田中氏にばったり会ったという。

〈手術は成功したけど　腰の具合はあんまりよくならないって　こぼしていました〉

前野嬢は〈クラステ海風〉の厨房のバイトを辞めたあと、近所のパン屋で働いている。そこで田中氏の夫人に挨拶されたこともあると言っていた。

〈ケイちゃんは　やっと仕事に慣れてきたけど　キツいキツいって　こっちもグチ　杉村さんも園田さんもお元気ですよね？〉

園田瑛子の復帰は、三人に報告済みだ。若いカップルは喜んでくれて、田中氏からは返事なし。まあ、中年のおっさん同士だから、あんまりビビッドなやりとりがあるのもおかしい。便りがないのは良い便りだ。

坂本君は、バスジャック事件後に職を得た。市内で手広く営業しているビル清掃業会社で、まだ三ヵ月の試用期間中だが、順調に職場に馴染んでいるようだ。ただ、若い彼にとっても体力的には辛い仕事であるらしく、

〈休みの日は寝てばっかなので　ろくにデートもできません〉

本人は嘆いているが、デート相手の前野嬢の方は、彼が定職に就けたことを喜んでいる。

私の心には、海風警察署の駐車場で、ぱりっとした背広姿でシーマの脇に立ち、前野嬢と談笑する橋本真佐彦を遠目に、坂本君が呟いた言葉が残っている。一字違いで大違いですよ、と。

頑張れ——と、願うばかりだ。

〈家内が　前野さんに影響されたのか　本格的に料理を学ぼうとしています　うちではよくあなたの話題が出ます〉

私はメールを打ち込んだ。人なつっこいメイちゃんの笑顔と泣き顔は、あの事件のきれいな置き土産だ。

〈園田編集長も元気です　人使いが荒いよ〉

苦笑いの顔文字を付けて、送信した。

校了で忙しくなる前に編集長の復帰祝いをやろうというのは、野本君の発案だった。

「お一人様二千円ぽっきりでコース料理、飲み放題で、めちゃめちゃ旨い中華料理の店を、僕、知ってるんですよ！」

新橋駅から徒歩五分だという。我々は大いに怪しんだ。

「その値段で飲み放題じゃあ……」

「ホスト君の〈旨い〉の定義が不安ね」

間野さんも、チャイルドシッターを頼んで参加できるという。そこで相談はまとまり、首都圏企業が標榜する〈ノー残業デー〉の水曜日に、グループ広報室四人組は、勇躍、その店に向かった。

中華料理店ではなかった。ビル街の路地裏にある、赤い暖簾《のれん》が古風なラーメン屋である。しかもガラガラに空いている。

「ほら、ごらん」園田編集長は、なぜか喜んだ。「貧乏バイト君の〈めちゃ旨〉はこの程度よ。いいわ、あたしは生ビールと餃子《ギョーザ》とチャーシュー麵で」

「編集長、印象だけで決めちゃいけません。まあ座って座って」

カウンターのほかは、ボックス席ではなく座敷だ。以前は居酒屋だったような造りである。白い上っ張りを着た店主が、カタコトの日本語で飲み物の注文を取った。お冷やとおしぼりを運んできた女性は彼の妻らしく、やっぱりカタコトでにこにこと挨拶した。

「あんなところにテレビが置いてあるラーメン屋さんなんて、久しぶりです」

カウンターの斜め上、天井近くに鎮座している古ぼけた十四インチのブラウン管テレビに、間野さんが感じ入る。画面には夕方のニュース番組が映っていた。

「大将、料理はお任せでよろしく！」

上機嫌の野本君を、また編集長がくさす。「なぁにが大将よ。常連ぶっちゃって」

ところがである。冷えたビールと三種冷菜の盛り合わせが来て、我々は驚いた。さらにエビのチリソース、かに玉、空芯菜《くうしんさい》の炒め物、白アスパラのクリーム煮と、速攻ででてきたての料理が続き、さらに驚愕した。旨いのだ。

黙ってしまった我々に、野本君が嘯《うそぶ》いた。「ほら、ごらん」

それから後は、飲みかつ食いながら、野本君がどうやってこの店を見つけたのか、一人二千円で（しかも依然として空いたままなのに）どうして営業が成り立つのか、愛想良く笑っている店主夫妻を尻目に大騒ぎをした。

「お任せだと、いつもこのメニュー？」

「ううん、選べますよ。今日は幹事の役得で、僕の好きなものにしちゃったけど」

「野本君の好物、うちの子とほとんど同じだわ」

間野さんが笑い、編集長は野本君のジャニーズ崩れの長髪頭をぽんと叩いた。「あんた、頭の中身が四歳なのよ」

「うわ、ひどいなあ。僕の味覚は立派に大人ですよ。ここは大人の隠れ家的中華屋！」

「何から隠れるのよ。隠れ家が欲しいなんて、杉村さんみたいなビミョーな立場の大人になって、初めて言う資格があるの。この人はいろいろ背負ってるんだからね」

私をからかう園田節を、久しぶりに聞いた。

「背負ってるんですか、杉村さん」

「背負ってるよ。重くって幸せだ」

編集長が紹興酒に切り替え、実は間野さんが酒に強いことが判明して、さらに場は盛り上がった。

「井手さんもさ、昔の栄光は忘れて、さっさとあたしたちに交じってたら、今ごろ一緒に面白く飲めたんだろうにね」

編集長がふっとぼやき、野本君が奇襲をくらった感じでレンゲを取り落とした。

「ああ、ごめんね。でも労連から連絡があったでしょ？　聞き取り調査とかって」

つい昨日、通知があったばかりだ。聞き取り調査は三人バラバラに行われるらしい。

「労連の方でも変な気を使っててさ。もっと早く取りかかるべきだったのに、あたしがちゃんと復帰できるかどうか、先週は様子を見てたみたいね。おかげで、井手さんは言いたい放題だったんじゃないかしら」

「戻られて早々に申し訳ありません」

やっぱり間野さんは謝るのだ。

「何言ってんの！　あたしが留守してたのが悪いんだわよ。井手さんには見張りが必要だったの。ああいうタイプは、男には突っ張るくせに、女には甘えるからね」

「セクハラって、女性に甘えてるんですか」野本君が目をぱちくりさせた。「女性を舐《な》めてるんじゃなくて？」

「舐めてるってことは、許してもらえると甘えてるってことよ」

なるほど。それは言えるか。

「この際、あたしは洗いざらいぶちまけるし、みんなも遠慮しないでいいわよ」

酔っぱらいの編集長は、横目で私を睨んだ。

「だいたいこのお婿さんが、会長のご命令に逆らえないってことがそもそもの元凶よ。

井手さんみたいなお荷物、うちで引き受けることなかったのに。グループ広報室は更生施設じゃないんだよ」

すみません――と私は殊勝な顔をつくり、間野さんと野本君は二の句が継げずに困っている。その隙間を縫って、テレビのニュースの音声が引っかかってきた。新聞販売店、と聞こえた。

身をよじり、私は背中側にあるテレビ画面を仰いだ。事件の報道らしい。モルタル外壁の建物が映り、白字のテロップが出ている。

料理がひと区切りついたので、店主夫妻ものんびりテレビを観ている。四川省から出てきて二年目だという彼らは、まだ日本語の読み書きを勉強中で、だから営業時間中もテロップが出るような番組を点けっぱなしにしているのだと、さっき聞いたばかりだ。

「台東区の新聞販売店で殺人事件が」

今度ははっきりとアナウンサーの声が聞こえた。私はぐるっとテレビに向き直った。

「ボリュームを上げてもらえますか？」

店主夫人がリモコンを操作して、もっとよく聞こえるようになった。女性記者が街灯の光の輪のなかに立ち、緊迫した表情でマイクを手にしている。

「死亡した高越勝巳《たかごしかつみ》さんは、今夕五時ごろに新聞販売店を訪ね、この知人の男と話し合ううちに口論となり、刺された模様です。高越さんは現場から百メートルほど離れた自宅マンションへと逃げ帰り、知人の男は逃走しました。男はこの販売店住み込みの四十歳代の店員で、目撃者によると、青いジャンパーにジーンズ、白い運動靴を履いて、東京メトロ稲荷町駅方面に向かった模様で、現在、警察が行方を捜しています」

タクシーのなかから携帯電話をかける。すぐに北見夫人が出た。私が今そちらに向かっていると告げると、

「ご心配かけてすみません」

司君も、残業を切り上げて帰宅しているところだという。ということはつまり、私の推測は杞憂ではないのだ。殺人事件を起こした台東区の新聞販売店員とは、北見家を訪ねてきた足立則生という男なのである。

「足立という人は、そこまで思い詰めている様子でしたか」

「さあ……。ごく普通の、生真面目な人のようでしたけどねえ」

生真面目だからこそ、怒るとブレーキがきかなくなるということもある。

「もう北見はいないんですし、足立さんがうちに来るとは思えないんですが」

「万が一ということがあります。電話ぐらいはかかってくるかもしれないですしね」

タクシーが青山の町筋に入ったところで、今度は司君から着信があった。今、家に着いたという。

「僕も、今さら足立という人がうちを頼ってくるとは思いませんが、本当に人殺しをしてしまったんなら、きっと本人も今ごろは動転しているでしょうから……」

ニュースからの情報では大したことはわからないが、被害者との諍《いさか》いの後、足立則生はすぐ逃走したようだから、ほとんど着の身着のままだろう。

南青山第三住宅の敷地内には、タクシーを乗り入れることができない。入口で車を降り、私は児童公園のブランコの脇を小走りに抜けた。ブランコは、夜の闇のなかで静かにぶらさがっている。窓明かりが整然と並んでおり、犬を連れて散歩する人影が、遠い街灯の光の下に、ぽつりと見えた。

補修工事の際に取り付けられたエレベーターは、建物の奥の端にある。中央にある外階段の前を足早に通り過ぎるとき、階段脇のゴミ置き場の陰で、人影が動いた。誰かがパッと身をかがめたように見えた。

私は足を止めた。人影が動いた場所に目を凝らす。

ゴミ箱の列の後ろに、人がしゃがんでいる。

「すみません」と、私は声をかけた。〈微妙〉と同じ、便利な言葉だ。誰かにエレベーターのドアを押さえてもらったときも、都営住宅のゴミ箱の陰に隠れる不審者に呼びかけるときにも、同じように使える。

人影はしゃがんだまま動かない。

「探し物ですか」

私は思いきってゴミ箱に歩み寄り、人影の方に半身を乗り出した。

人影が、バネがはじけるように立ち上がった。次の瞬間、小さなゴミ袋が私目がけて飛んできた。とっさに両手で受け止めると、今度はゴミ箱の蓋が飛んできた。かわしきれずにまともに顔で受けてしまい、ぷんと汚臭がする。ゴミ箱の陰から躍り出た人影は、たたらを踏む私を両手で突き飛ばして、私が来た方向へと駆け出した。

突き飛ばされて転倒し、片手をついて、私は大声を放った。「足立さんですか？」

逃げ出した人影が、鉤《かぎ》にでも引っかけられたかのようにぎくりと止まった。中肉中背の中年男性、青いジャンパーにくたびれたジーンズ、運動靴だ。右の靴紐がほどけそうになっている。

肩越しに振り返った顔は、頬がこけていた。街灯の光に、不健康に白く見える。髪は乱れ、息が荒い。

手には何も持っていない。突き飛ばされるのではなく、刃物で刺されることだって予期できたはずだと、刹那《せつな》に私は考えた。

立ち上がり、彼に近づこうとして、やめた。自然と声が低くなった。

「足立則生さんですね？　北見一郎さんに調査を頼んだことがあるでしょう？　先日、北見夫人を訪ねてきたでしょう？」

息を荒らげたまま、足立則生はのろのろと首を左右に振った。

「違うんですか。足立さんじゃないんですか」

「——俺はやってないんだ」

彼の声はうわずり、割れていた。

「高越の奴が店に押しかけてきて、俺のことストーカー呼ばわりするもんだから」

震えるというより、身体がぎくしゃくと揺れている。

「それで喧嘩になったんですか」

「でも俺は殺してないよ！」

思わず高くなった自分の声に怯えるように、足立則生は身を縮めた。

「わかりました。わかりましたから」

私はゆっくりと両手を広げてみせた。

「落ち着いて話しましょう。私は杉村という者です。あなたと同じように、生前の北見さんにお世話になったことがある。あなたのことも、先日、北見さんの奥さんから少しお話を伺いました」

いつでも逃げ出せるような体勢のまま、彼は目を細めて私を見た。

「あんた、北見さんの知り合いなのかい」

「あの人が亡くなる直前の、ごく短いあいだの付き合いでしたけどね」

足立則生の尖った顔立ちに、子供のように素直な、無防備な悲しみの色が浮かんだ。

「北見さん、本当に死んじまったんだな」

「ええ。残念です。もっと長生きして欲しかったですよね」

彼の青いジャンパーの胸元は、まだ激しく上下している。取り乱し、興奮しているのだ。呼気も静まらない。

「高越さんという人は、五年前の春に、あなたが北見さんに依頼した調査と関わりがある人なんですか？」

「あんた、俺のこと知ってるの？」

「詐欺の片棒を担がされたとか」

彼はこっくりとうなずいた。

「高越は、俺を巻き込んだ詐欺グループのメンバーだったんだ」

「その人と、最近になってたまたま再会したんですね？」

「俺の担当区域のマンションに引っ越してきたんだよ。勧誘に行ったら、あいつが出てきてさ」

とんでもない偶然だ。

「驚いたでしょう」

「向こうも驚いてたよ」

そのとき初めて、足立則生は引き攣るように短く笑った。

「最初はしらばっくれてたけどな」

まだぎくしゃくと震えて、うなだれる。私の目に見える限りでは、ジャンパーにもジーンズにも運動靴にも血痕はない。

「俺はちゃんと覚えてるから、出るところに出たっていいんだって言ってやったら、あわててたよ」

口先だけの脅しではなかった。だから足立則生は北見一郎を訪ねたのだ。

「高越さんとは、何度かやりとりしたんですか？　以前にも口論になったことがあるんじゃないですか。逆に、高越さんから脅されたことは？」

とにかく彼をこの場に引き留めようと、私は思いついたことを矢継ぎ早に問いかけた。と、足立則生の目が泳いで、私の後ろを見た。

振り返ると、司君がいた。急いで降りてきたらしい。会社帰り、上着を脱いでネクタイを外しただけの恰好だ。

「杉村さんが着くころじゃないかと思って」

呟く司君の目は、足立則生に釘付けだ。

「この人――」

足立則生は、やっと身体ごとこちらに向き直った。司君を見つめて、目をしばたたく。

「あんた、北見さんの息子さんかい」

はい、と司君はうなずいた。

「こんな立派な息子さんがいたんだな」

急に顔を歪めると、足立則生は手の甲で鼻の下をごしごしと擦《こす》った。

「俺はどうしようもねえ阿呆だ。来るんじゃなかった」

すみません――と、司君に頭を下げた。

「北見さんは死んじまったんだ。もう頼れねえのに、ほかにあてがなくって、つい」

私と司君はとっさに顔を見合わせた。司君が一歩前に出た。

「僕でよかったら、力になります。足立さん、僕もおふくろも、こちらの杉村さんも、事情を知っています。うちに来てくれてよかったんですよ。一緒に警察へ行きましょう」

手の甲を顔にあてたまま、足立則生はまたしゃにむにかぶりを振る。

私も彼に近づいた。「あなたは高越さんを殺してないんでしょう？　それなら、何も恐れることはない。出頭して、きちんと説明すればいい」

ぐらぐらとかぶりを振るのをやめて、足立則生は顔を上げた。その目が泣いていた。

「あんたはあの場にいなかったから、そんなことが言えるんだ」

俺はめちゃくちゃ怪しいんだよと、吐き捨てるように言うのだった。

「現状では、怪しく見えるというだけです。それもあなたが逃げたからだ。逃げずに留まっていれば、警察の対応だって違っていた」

違わない――と、彼は頑なに言った。「俺みたいな人間の言うことを、誰がまともに取り合ってくれるもんか。あんたらにはわからないんだ」

「だけどあなたは高越さんを殺してないんでしょう？」

足立則生の頬に涙がひと筋流れ落ちた。

「殺してないよ。でもあいつは、俺に殺されるって叫んでた。俺はハメられたんだ」

私は息を呑んだ。司君は青ざめた。

「だったらなおさら、そう言わなくちゃ！」

「無駄だよ」

「諦めちゃいけません」

「僕らもいるんですから」

「いいや、駄目だ。息子さんを巻き込むわけにはいかない」

あんた、と彼は私に指を突きつけた。

「約束してくれ。俺はあんたに会わなかった。ここには来てねえ。北見さんの奥さんのことも、息子さんのことも知らねえ。俺と高越のことも、誰にも言わないでくれ。警察にも黙っててくれ。あんたらは関わっちゃいけない」

そして司君に、

「おふくろさんを大事にな」

拝むように声をかけると、身を翻して、足立則生は逃げ出した。虚をつかれて立ちすくみ、我に返って追いかけようとする司君を、私は止めた。

彼は抗った。「でも杉村さん！」

よそう、と私は言った。「あの人の言うとおりだ。司君は関わっちゃいけない」

「だって……」

「司君がお父さんの後を継いで私立探偵をしているなら話は別だ。でも違うだろ？」

走り去る足立則生の後ろ姿が、建物の角を曲がって消えた。

司君の肩から力が抜けた。

「親父が生きてたら、どうしたかな……」

「北見さんの代理は、誰にも務まらないよ」

私には、それしか言葉がなかった。


大の大人が口論し、刃傷沙汰《にんじょう》になって殺人事件に発展した――というくらいでは、今日日、テレビが長い時間を割いてくれることはない。その後、これという続報は入らなかった。十時台のニュース番組で、現場から逃走した男が未だ発見されていないということが、ちらりと報じられただけだった。

「本当に通報しなくていいのかな……」

夕食にも手をつけず、司君はテレビの前に座り込んでいる。

「ここは、足立さんの気持ちを尊重しよう」

説得力のある言説かどうか、自分でも自信がなかったけれど、私は言った。

「こういうことに関わるとね、善意であっても、ひと欠片の後ろ暗いことがなくても、嫌な思いをする。それだけじゃなくて、自分のなかでも何かが変わってしまう」

私も、こんなことを口にするのは初めてだ。何かが変わるって、どういうことだ。何が変わるんだ。

「だから私は臆病になっているのかもしれないけど……」

「杉村さんは経験者だから」

司君の声が、心配げにくぐもった。私は笑ってみせた。「いや別に、具体的な後遺症があるってわけじゃないんだよ」

「あんた、まだ新米サラリーマンなのよ」と、北見夫人は司君に言った。「会社にも迷惑がかかるかもしれないんだし、今は知らん顔しておきなさい」

それに——と、夫人は小首をかしげた。「通報しなくても、そのうち警察の方からうちに事情を聞きに来ますよ」

私も司君も驚いた。

「あの人、事件のファイルを持ってるんですよ」と、北見夫人は言った。「ファイルっていっても、足立さんの場合は、あの人の話を主人が書き留めただけのものですけどね」

「五年前に、足立さんに渡したんですか」

「いいえ、このあいだうちに来たとき、わたしが渡したんです」

北見氏は、手がけた事件のファイルをきれいに処分して逝った。亡くなる前に、過去の依頼人と連絡を取り、手元に残してあった事件のファイルをすべて、相手に返したのだ。

「正式な事件記録はその場その場で依頼人に渡しておしまいにしちゃうから、残してあったのはあくまでも主人の手控えですけど、それだって、自分がこの世からいなくなる以上、持ってちゃいけないと思ったんでしょうね」

北見さんらしい律儀さだ。

「でも、連絡がとれなくなっていた依頼人も何人かいましてね。そういうファイルは、わたしが預かっているんです」

「ああ、それを返したんだね」

夫人は司君にうなずいた。「だから、足立さんの分は今、あの人の手元にあるはずよ」

警察が家宅捜索でファイルを発見し、その内容を検討すれば、北見一郎にたどり着く。

「そこに高越さんの名前は書かれていたんでしょうか」

「わたしは中身を見てないからわかりませんけど、書いてあるかもしれません。個人名はなくても、詐欺グループのことは書いてあるだろうし」

「当時、北見さんが調べたんですね」

「一応はあたってみたんじゃないかしら。そういう人でしたから」

ビールグラスを手にぼんやりしている司君に、夫人は言った。「警察が来たら、わたしが話すからね。あんたは口出ししないのよ」

司君は苦笑して、はいはいと軽く返答したが、すぐ顔を曇らせた。「ハメられたって言ってましたよね……」

「やめなさいよ、そういうことを考えるのは」

バスジャック事件の暮木老人のことをあれこれ想う私を諌めたときと同じ口調だ。

「素人が手出ししていいことじゃないの。足立さんだって、いつまでも逃げ回れるもんじゃない。腹を決めて自分の言い分を主張しようと思ったら、出頭するでしょう。そっとしておきなさい」

そうだよ、と言おうとしたら、「杉村さんもですよ」と釘をさされた。はいはい。

零時過ぎになって、私は帰宅した。ちょっと風邪っぽいから先に寝るという妻のメモと、冷蔵庫にはフルーツの盛り合わせが待っていた。私はそれをつまんで食べて、司君と同じようにぼんやりした。

開けてびっくりの中華の宴で元気をつけて、我々グループ広報室のメンバーは、労連の聞き取り調査を無事に乗り切った。個別に呼び出され、戻ってきたときの表情は様々だったが、野本君が義憤に燃えていたのと対照的に、間野さんはすっきりと、肩の荷をおろしたような顔をしていた。私自身も、パワハラには身に覚えがないから、労連の担当者の質問に苦しめられることはなかった。

井手さんの言い分は、我々の側にはまだわからない。ただ、聞き取り調査の雰囲気から推して、彼が優勢だとは思えなかった。そのことも私の気を軽くした。

ひとつだけ、この紛争の影響らしいことがあった。森信宏氏から、ロングインタビューの単行本化を見合わせたいという連絡があったのだ。本人からの電話で、私が出た。理由は「妻の具合が思わしくないので」ということで、森氏の口調も穏やかだった。

が、園田編集長は〈邪推〉した。

「俺の可愛いお稚児さんにパワハラをくわせるような奴とは、もう縁切りだってことね」

確かに井手さんは森派の有力メンバーで、森氏を水戸黄門に喩《たと》えるなら助さんか格さんにあたる人だったけれど、

「お稚児さんはいけませんよ。せめて可愛い部下と言いましょう」

「どっちにしたって、井手さんが森さんに言いつけにいったわけでしょ？　そうでなきゃ森さんの耳に入るわけないんだから」

「まあ、それはありそうなことですけど」

だからといって、我々が現実的に圧迫される心配はない。森氏は退任したのだ。

「憶測で怒ったってしょうがないでしょう。森さんは何も知らなくて、本当に奥さんの具合が悪いのかもしれない」

「そんなふうだから、杉村さんはいつまで経ってもただの使い走りで、政治家になれないのよ」

私はどんな形でも社内政治家にはなりたくないから、結構です。

井手さんが休職したことで、部内はむしろ平穏に明るくなった。仕事もはかどる。園田編集長もすっかり元通りだ。間野さんの働きがいいので、欠員補充の必要はない。

足立則生の事件のことを、私は誰にも言わなかった。今度ばかりは妻にも内緒だ。

いつもは妻に隠し事のできない私にそんな芸当ができたのは、妻が忙しがっていたからである。友達のレストラン開業を手伝うという話が、どうやら本物になりかけているらしい。妻は嬉しそうだった。

「計画段階から加わってほしいって言われたの。おうちの改装とかインテリアとか、食器や備品を揃えるとか、やることが山ほどあるのよ」

妻はシェフとして迎えられるわけではないが、そちらの方もやる気まんまんの様子だ。

「わたし、家のことをほったらかしにしちゃうかもしれないけど……」

「あなたの性格からして、完全にほったらかしにできない方に三百点賭けます、奥様」

だからくれぐれも無理をするなとだけ、私は妻に念を押した。

「はい、約束します」と、妻は目を輝かせた。

私も北見夫人も司君も、足立則生との約束を守った。警察はファイルを見過ごしたのか、発見してもその意味がわからなかったのか、ファイルに具体的なことが書かれていなかったのか、一週間経っても、刑事が北見家を訪れることはなかった。

第一容疑者であろう足立則生は、メディア上ではまだ〈知人の男〉〈新聞販売店の店員〉のままである。実名はさらされていない。もちろん指名手配もされていない。それが足立則生にとって吉兆なのか、ただの捜査の遅れなのか、一人でニュースや新聞を見るだけの私には判断がつかなかった。

この事件では、足立則生のほかにも、警察が捜しているものがあった。凶器である。

被害者の検視の結果、刃渡り十二センチから十五センチぐらいの片刃のナイフ、おそらく果物ナイフだろうということなのだが、実物が見つからないのだ。販売店住み込みで、賄《まかな》いも受けていた足立則生が、果物ナイフを持っていたかどうかははっきりしない。事件の直前に買った形跡もない。

被害者の高越勝巳は、都内にある特定保健用食品やサプリメントを扱う商社の社員だった。まだ新しい会社だが、テレビ通販を中心に営業を拡大し、最近ヒット商品が出て羽振りのいいところだ。営業部次長だったという高越自身も高給取りで、彼の自宅であり、彼が血を流して死んだ場所であり、足立則生が新聞を配達していたマンションは、地元では億ションとして知られていた。賃貸契約を結び、引っ越してきて一ヵ月足らずだったという。

彼には妻がいた。入籍していなかったそうだから事実婚だが、妊娠四ヵ月の身重だ。いくつかのワイドショーで、彼女の音声だけが流されるのを、私も聴いた。痛ましくて気の毒で、普通なら聴いていられないようなものだが、彼女が事件の様相を何と説明しているのか知りたくて、耳を傾けた。

それによると、事件の日、高越勝巳はいつもより早めに帰宅し、「あの薄気味悪い新聞屋と話をつけてくる」と、出かけたそうだ。足立則生が住み込みで働いていた新聞販売店は、最初の一報のとおり、高越夫妻のマンションから百メートルも離れていないのだ。

「勧誘を断ったのに、すごくしつこくて、契約してもいない新聞を、毎日配達してくるんです。断ってもきかなくて、一ヵ月は無料でいいからって」

そして配達のたびにインタフォンを鳴らし、高越や夫人が応対するまで粘る。それだけ聞けば、確かにストーカーのようなふるまいだ。高越夫人自身ははっきり言っていなかったが、インタビュー役のレポーターや記者は、足立則生に、高越夫人に対する不穏な下心があったのだと考えているらしく、質問もその仮説に沿っていた。夫人の側も、足立則生のことは何も知らないし、夫も知らないというし、恨まれるような覚えはなく、まったく一方的な嫌がらせだったと話している。だからある番組では、新聞の契約や勧誘をめぐって発生した過去の殺傷事件と、この事件を比べて分析していたりした。

足立則生を雇っていた新聞販売店の側では、このトラブルを知らなかった。一ヵ月の無料配達サービスなど、ここではやったことがない。

「本人が自腹を切るつもりだったんでしょうけど、いったい何を考えていたのやら」

こちらも顔にはモザイクがかけられて、肉声だけが流れた店主の声は、それだけでも充分な困惑を伝えるものだった。

足立則生は、自身の暗い過去とつながる高越勝巳の存在を、周囲の誰にも打ち明けていなかったのだ。彼が頼ったのは北見一郎だけだった。

事件の発生は唐突だった。午後五時前、高越勝巳が新聞販売店を訪ね、まず店主に、おたくの足立という店員に嫌がらせをされていると訴えた。血相を変え、どうしても本人と直に話したいと言うので、店の二階にある足立則生の部屋を教えると、二人で話をつけると、階上にあがっていった。店主は階段の下で気を揉みながら様子を窺っていた。ほどなくして怒声が聞こえ、それが悲鳴に変わって、背広の胸元を手で押さえた状態の高越勝巳が、転がるように階段を下りてきた。

——あいつに殺される！　助けてくれ！

蒼白な顔で叫んで、よろめきながら裏口から外へ飛び出したという。

その後を追って、足立則生も降りてきた。店主は彼を問い詰め、何もしていない、何がなんだかさっぱりわからないという抗弁を聞いた。その時点では、高越勝巳が刺されていると気づかなかったし、ナイフも見なかったし、血も流れていなかったという。

足立則生から高越勝巳の住まいを聞き出すと、店主は件の億ションに走った。高越家に駆けつけて、ドアの前に点々と血が滴っていることに気づいた。インタフォンを鳴らしても返事がない。ドアには鍵がかかっており、叩いても誰も応えない。どうしようもなくてその場でうろうろしているうちに、高越夫人が呼んだパトカーと救急車がやって来た。

ここから先は高越夫人の証言に戻るが、高越勝巳は自宅に逃げ帰り、追われることを恐れるようにドアに鍵をかけてから、夫人の腕のなかに倒れ込んだそうだ。左胸の下部を刺されており、大量に出血していた。死因は失血性ショックだ。意識を失う直前まで、「新聞屋の足立則生に刺された」と繰り返していたという。

高越夫人も、新聞販売店の店主と同じく、凶器のナイフを見ていないと話している。彼女が夫を抱き留めたときには、その胸にナイフは刺さっていなかった。室内にもない。途中でどこかに落ちたか、あるいは足立則生が持っていたのか。前者については、警察が高越勝巳が走って逃げ帰った道筋に沿って大捜索を行ったが空しかった。だから今では後者だろうと想定されている。その想定の下に、足立則生の逃走ルートでの捜索も行われたが、やはりナイフは影も形もなかった。

私と司君が遭遇したとき、足立則生はナイフを隠し持っていたのか、否か。わからない。逃げる途中でどこかに捨てたのか。それもわからない。ただ私は、彼の衣服に、顔や手足にも血がついていなかったことを知っている。そして彼が自分は殺していないと訴えていたことを知っている。司君も知っている。だから彼の悩みはなかなか消えず、私も一度ならず連絡をもらって、

「やっぱり、警察に事情を話しましょうか」

「お母さんはどうおっしゃってる？」

「おふくろの意見は変わりません」

それじゃ静観するしかないと、堂々巡りを繰り返しているのだった。

——あんたらは関わっちゃいけない。

——おふくろさんを大事にな。

足立則生はそう言った。その約束を重んじるならば、彼が自ら名乗り出て自分の疑惑

を晴らすように願い、待つしかない。

「でもあの人、自棄になって自殺するなんてことはないでしょうか」

司君の悩みは深まる。それはないと、私は言い切った。

「無責任な言い方に聞こえるだろうけど、そう思うんだ。彼には正義感があるだろ？自分が片棒を担いだ詐欺のことを気に病んでいたくらいだ。何の釈明もなしに、自殺しておしまいなんてことはしないよ」

亡き北見氏のためにも、ほかでもない司君のためにも、足立則生はそんな自滅的なことはしない。彼が我々に真実を話していたのなら――本当に高越勝巳を殺していないのなら、自殺で幕を引いたりはしない。私はそう願わずにいられない。

我々にとってひとつ救いになるのは、

――俺はやってない。ハメられた。

その言葉を、事件発生の直後、新聞販売店に居合わせた彼の同僚や、店主夫人も聞いていることだった。高越夫人の一一〇番通報で駆けつけた警察官が、夫人の訴えを聞いて新聞販売店にやってくる前に、パトカーを見て、彼はそう叫んだ。そして逃亡した。だからその時点では、足立則生は高越勝巳が死んだことも知らなかったはずである。〈やってない〉が、我々と会ったときの〈殺してない〉に変わったのは、南青山第三住宅へたどり着く途中のどこかでそれを知ったからだろう。

ただ、私が知る限りの報道では、このとっさの叫びはあまり重視されていない。それほどに、足立則生を囲む状況は悪い。

　これは北見氏も知らなかった可能性があるが、彼には前科があった。二十二歳のころ、当時住んでいた横浜の繁華街の酒場で、喧嘩の挙げ句に人を殴って重傷を負わせ、傷害罪で短期間だが服役したのである。それまで前科前歴のない若者が、こういうタイプの事件でいきなり執行猶予なしの実刑をくらったのは、よほど犯情が悪かったのか、経済力がなくて被害者に賠償できなかったのか。どのみち明るい材料ではない。

　新聞販売店でも、無口でおとなしくてよく働いたが、些細なことでも言い出したら譲らない頑固な一面があり、怒ると目つきが変わるから怖かったと、若い同僚に評されている。事件後のコメントだから、多分に後付けの印象もあるのだろうけれど、北見氏が紹介した勤め先が三月も保《も》たなかったということを考え合わせると、足立則生が人付き合いの上手い人間だったとは思えないし、彼のここ数年の生活が、平穏であったとしても、彼にとっては満足のゆくものであったとも思えない。ここ数年どころか、新聞販売店に出した履歴書によると今年四十三歳の彼の人生の大部分が不本意なものだったのではないか、とさえ思えてくる。

「高越さんが怒鳴り込んで来たとき、一緒に立ち会えばよかった」

　店主の後悔の弁を、足立則生はどこで聞いているのだろう。

　私は山梨県の北部で生まれ育った。父は役場勤めだったが、果樹園も営んでいた。今は兄が後を継いでいる。

のどかな土地で、今風に言うなら、私は自然のなかで育った。都会育ちのひ弱な坊ちゃんとは違ってタフだ――と言いたいところだが、実はどうしようもなく犬が苦手だ。小学校二年生のときに、隣家が飼っていた犬に追いかけられて、田圃に転がり込んで泥まみれになりながら逃げた経験があるからだ。

雑種の中型犬で、放し飼いにされていた。よく吼える犬でうるさかったけれど、それまでは誰かに嚙みついたことなどなかったから、泥だらけの私が泣きべそをかいて家に帰ると、慰められるより先に笑われ、叱られた。特に父は辛辣で、

「おまえが逃げるから、犬も追っかけてくるんだ。犬には弱虫がわかるんだ」

頭から怒鳴りつけられたものだった。

逃げるから追われる。それは人生の教訓のひとつだろう。逃げずに振り返って立ち向かえ、と。だが私はこれまで、この教訓を実感したことはなかった。

どんなことにも〈初めて〉はある。

足立則生のことを黙っていようと司君を説得したのは、彼との約束を守るためなのか。それとも、それを口実に、また新しい事件に巻き込まれるのを避けたいためなのか。自分を深く追及することから逃げていた私を、事件の方が追いかけてきた。それも、既に終わったはずの事件が。

そのとき、私は社屋の一階にある〈睡蓮〉で昼食をとっていた。足立則生との遭遇か

ら一週間以上が過ぎて、テレビでも新聞でも、続報はすっかり絶えていた。私は経済新聞を斜め読みしながら、マスター自慢のホットサンドイッチを食べていた。

「やっとこさ平和になったね」

コーヒーを注ぎ足しに来たマスターが、何かの合い言葉みたいに、出し抜けに言った。

「どういう意味です？」

「井手さんが消えてさ、グループ広報室もやっと落ち着いたじゃない」

おたく、人間関係のトラブルが多いよねえと、小粋なごま塩の顎鬚《あごひげ》を撫でながら言う。

「二年前の、あの女の子がらみのドタバタのときも心配したけど、今度だって、ひとつ間違ったらスキャンダルだろ？　セクハラ問題なんだから」

「マスター、うちの野本君に余計なことを言ったでしょう」

マスターはコーヒーポットを片手に肩をすくめる。「余計なことなんかしゃべらないよ。必要な情報を提供してるんだ」

気のいい人だが、こういうところは困る。

「じゃ、僕にも情報をくださいよ。井手さんはどうするつもりなのかな。森さんに相談を持ちかけてる気配もあるんですけど」

「〈森閣下〉に？　そりゃ初耳だ」

藪蛇だった。私が首をすくめたとき、テーブルに載せた携帯電話からメールの着信音がした。前野嬢からだ。

私は携帯電話を取り上げた。と、受信メールボックスを開く前に、また次のメール着信音が鳴った。何かと思ううちに、今度は電話の着信音が響く。

「おやまあ、忙しいねえ」

マスターが茶化す。私は電話に出た。最初に聞こえたのは鼻息みたいな音だった。

「もしもし？」

「杉村さんか？」

バスジャック事件の人質仲間、田中雄一郎。善良な市民、中小企業の社長さんの声だ。

「杉村ですが」

「あんた、荷物を受け取ったか？」

息せき切ったような早口だ。

「あんたにも宅配便が届いてるはずなんだ。まだ見てないのかよ？」

「ちょ、ちょっと待ってください」

私は急いで席を立ち、好奇心に目を瞠っているマスターから逃げて、店の外に出た。

「荷物ってどういうことです？　まさか」

田中氏がこんなふうに泡を食って云々する荷物なら、私にはひとつしか思い当たらない。

――慰謝料も必ずお支払いします。

――宅配便を使います。

「金が届いたんだ」と、田中氏が言った。「暮木の爺さんからの慰謝料だよ！」

急いで確認すると、あいついで着信したメールは、同じ事実を告げる坂本君と前野嬢からのものだった。動揺のほどが窺える文面だ。

「これからどうする？　あんたどうするよ。警察に届けるか？」

杉村さん杉村さんと、田中氏は何度も私に呼びかけてきた。電話越しに名前を呼ばれただけなのに、直にすがりつかれたような気がした。

「頼むから届けないでくれ。頼むよ。後生だから、このとおりだから」

携帯電話を手に、頭を下げている田中氏の姿が目に浮かぶ。

「落ち着いてください、田中さん」

「だってあんた、通報する気だろう」

「私はまだ、自分のところに荷物が届いているかどうかも知らないんですよ。早計なことはしません。だから落ち着いて」

鼻息が混じったような田中氏の乱れた声が、少し遠くからこう呟いた。

「――三百万円だ」

田中雄一郎、三百万円か。坂本君と前野嬢はいくらだろう。

「一億円なんざ、やっぱり嘘だったな。爺さんめ、いっぱい食わせやがって」

「少し落ち着いてきましたね」

舌打ちして、田中氏は笑った。「いくらだって、俺には有り難い金なんだよ。だから」

「それは充分よくわかっています。わかっていますが、でも田中さん、これはそう簡単な問題じゃありませんよ」

「何でだよ？」

「慰謝料を送られたのが、我々四人だけとは限りません。うちの園田だっているし、迫田さんも運転手の柴野さんもいます」

今ごろ、誰かが既に警察に届け出ているかもしれない。

「園田ってのは、あんたの上司だろ？」

「そうです。会社にいますから、さっきまでの私と同じで、まだ何も知らないでしょう」

「じゃ、あんたからうまく頼んでくれよ」

「田中さん――」

「迫田ってのは、ボケかかった婆さんだろ？　あの人と運転手なら大丈夫だよ。爺さんは慰謝料を送ってねえよ」

「なぜ、そう言い切れます？」

「だって、爺さんが慰謝料の話をしたのは、俺たちだけだろ。金の話が出たときには、迫田の婆さんも運転手も、もうバスから降りてた。だからこれは、あんたの上司も入れて、俺たち五人だけの問題だよ。あの爺さんには、妙に几帳面なところがあったから」

一見、筋の通った言い分だ。だが田中氏は、大事なことを忘れている。

「暮木老人は、我々に慰謝料を送るという〈後始末〉を、誰か第三者に託していたじゃありませんか。その第三者には、我々の誰が、老人とどこまで話をしたか、詳しいことはわからないはずです。だったら、柴野さんや迫田さんのことも、我々五人と同じように扱うんじゃありませんかね」

田中氏は黙った。私も黙った。

やがて田中氏がゆっくりと、押し殺したような声で問いかけてきた。「だったら何で、俺とあの小僧たちと、金額が違うんだ？」

金額の差は、単純に年齢差かもしれないと、私は考えていた。暮木老人に後始末を丸投げされた誰かが、老人から事前に預けられていた金を前に、我々人質の個人データを眺めて、分配の仕方を考える。元気な若者は少額でもいいだろう。女性と年配者はそれより多く、家庭持ちで働き盛りの田中氏には多めにしようか、などと。

となると、園田瑛子と私に送られている（はずの）金がいくらなのか、いよいよ気になる。

「わかりません。あて推量しても意味のないことだ。ともかく私は、園田にも報《しら》せて、荷物が着いているかどうか確かめます」

田中氏は私の言を聞いておらず、途中からおっかぶせるように言った。「そっちへ行く。みんなで集まろう」

「え？」

「こっちの人質を集めてそっちへ行くよ。集まって相談するんだ」

「相談って」

「顔を見て話さんと、あんた、わからんじゃねえか！」

「場所にあてはあるんですか」

「何とでもするさ。また連絡する。あんたも早く、自分の分を確かめてくれ」

通話は一方的に切れた。私はさっき続けざまに来たメールを開いてみた。坂本・前野カップルからの連絡だった。金額はどちらも百万円。二人とも動転している。

〈睡蓮〉に戻って会計を済ませた。好物のホットサンドイッチを、半分以上も食べ残してしまった。

「どうかしたの？」

マスターの心配げな問いかけに、苦笑してみせた。「うちはトラブルが多いですからね」

編集部に戻ると、園田編集長と間野さんがいて、パソコンに向かっていた。

「間野さん、ちょっと急用ができて、これから編集長と二人で出ます。よろしく」

「はい。行ってらっしゃいませ」

訝しげな編集長にバッグと上着を持たせて、外へ引っ張り出した。

「何よ？」

「編集長の家に行きましょう。緊急なんです。理由はあとで話しますから、お願いします」

私は押しが強い方ではないが、園田瑛子も勘の鈍い方ではない。非常事態であることは通じたらしい。我々はタクシーに飛び乗った。

編集長の一人住まいのマンションは茗荷谷《みょうがだに》にある。部下として彼女を自宅へ送り届けるような役割が回ってきたことはないので、私がそこを訪れるのは初めてだ。飾り屋根のついた白い外壁の七階建てで、現状、ほかのどんなものよりも有り難い設備がついていた。カード式の宅配ボックスだ。

液晶モニターの小窓に、園田瑛子の部屋番号が表示されている。

「開けてみてください」

訝しさに怒りと不安を加えた目で私をひと睨みしてから、編集長はボックスの荷物を取り出した。宅配便会社の専用封筒が現れた。薄べったい。

「これ、何かしら」

編集長は老眼鏡を出してかけた。私は荷物の送付状を見た。差出人は「株式会社シーライン・エクスプレス　営業総務部」。備考欄に「お忘れ物のお手回り品です」と書いてある。スタンプや印刷ではなく、すべて手書きで記入されていた。仰々しい達筆ではないがきれいな文字で、読みやすい。女性の手跡だと、私は感じた。

「中身を確かめてみてください」

封筒のなかを覗いた編集長の目が泳いだ。

「嫌だ杉村さん、これ何なのよ?」

編集長が封筒を突き出してきた。帯封《おびふう》がついた一万円札の束が見えた。百万円だ。

午後の半端な時刻で、周囲に人気はない。管理人室の窓口には〈巡回中〉の札があった。私はその場で声をひそめ、事情を説明した。

園田瑛子の顔から血の気が引いていく。

「嫌だ。あたしは嫌よ」

「このあとみんなで集まって、相談することになったんです」

「どうでもいいわ。杉村さんに任せる。持ってって。それ持ってってよ」

封筒をぐいぐい私の胸に押しつけると、身を縮めて背中を向けてしまった。

「でも編集長」

「思い出したくないの」

両手で顔を覆って、園田瑛子は言った。「あの事件のこと、何も思い出したくないの。思い出すと、あたし、またパニックになっちゃうから」

封筒を手に、私は立ちすくんだ。

「ごめんなさい。だけど、あたし駄目なの。ちゃんと考えることなんかできない。だからお願い! お願いします。あたしの分は杉村さんが何とでもしてちょうだい」

わかりましたと、私は言った。園田瑛子の膝ががくがく震えているのがわかった。

「これはお預かりします。編集長のおっしゃるとおりにしますから、安心してください」

ごつんと音がした。編集長が前のめりに宅配ボックスにもたれかかり、頭をぶつけたのだ。そのまま動かない。

「本当にごめんなさい。悪いと思ってる」

「いいんですよ」

あなたをここまで怯えさせる、いったいどんな要素が、あのバスジャック事件のなかにあったのだ。暮木老人のなかにあったのだ。こみ上げてくる疑問を、私は呑み込んだ。無駄であるばかりか、有害な問いかけだ。園田瑛子は答えない――答えられない。

「編集部には僕が連絡しますから、心配しないで、このまま帰って休んでください」

編集長は私に背を向けたまま、無言で頭を抱えている。私は後ずさりしてその場を離れた。園田瑛子は振り返らなかった。

私の自宅マンションにも、宅配便は届いていた。フロントに預かり票があり、荷物は宅配ボックスに入っていた。

妻は今日、保護者の集まりがあって、桃子の学校へ行っている。幸運だった。もう妻を巻き込みたくない。ボックスを開けるとき、私はそればかりを思っていた。

宅配便会社の専用封筒。きれいな手書き文字の伝票。「お忘れ物のお手回り品です」という記述も、差出人も同じ。

金額は、園田瑛子や坂本・前野カップルと同様だった。百万円だ。

かなり迷ったが、結局、二組の封筒を中身ごと通勤鞄のなかに入れた。私は整理整頓は上手い方だが、妻の目から何かを隠すのは下手だ。今日はいっそ、持ち歩いた方がいい。

キッチンで水を一杯飲み、田中氏に電話をかけた。留守番サービスが出た。連絡を待っている旨の伝言を残し、家を出た。

編集部には、間野・野本が揃っていた。

「何かあったんですか?」

「うん、先月号の記事にからんで、OB会からお小言を喰らってね」

恰好だけでも謝っておかないと面倒だからと、私は笑った。つるつると口をついて出てくる嘘を、鞄のなかの二百万円が聞いている。

「大企業には面倒なことが多いんですね。OB会って、ご隠居さんたちの集団でしょ」

「だから、顔だけ立てておけばいいんだよ。編集長はムクれちゃって、今日は直帰だ」

あとはただ待つだけだから、私は普通に仕事をしていればよかった。なのに、ひとつだけ余計なことをした。送付状と二百万円をどこに隠すか迷った時よりも、さらにさんざん迷った挙げ句に、会長秘書室に電話したのだ。

今日も冷ややかな〝氷の女王〟に、杉村が近々、会長にお目にかかりたいと申しているとお伝えくださいと、私は言った。

「今、ご都合を伺ってきます」

遠山女史はすぐ電話口に戻ってきた。

「いつでもいいから、会長の携帯電話に連絡するようにとの仰せです」

そして口調を変えず、こう付け加えた。「やっと私に話を聞きに来る気になったか、とおっしゃっていましたよ」

田中氏は行動的だった。移動の手間と、我々の集合場所という二つの問題をまとめて解決してみせた。マイクロバスを調達して地元の人質メンバーを乗せ、都心まで転がしてきたのだ。

落ち合う場所として指定されたのは、東京の下町にある広いコインパーキングだった。携帯メールで住所だけ教えられていたので、着いてみて驚いた。マイクロバスの窓から、前野嬢が私を見つけて手を振った。

「ここに駐めっぱなしでいいんですか？」

「金を払って駐めるんだ。車内にいちゃ悪いって法律でもあるのかよ」

運転席に陣取る田中氏のジャケットの裾から、腰痛防止用のギプスが覗いている。

「俺が運転に疲れても、交代要員がいるから安心だ」

田中氏の言葉と同時に、その交代要員と目が合って、私は驚いた。柴野運転手だ。前野嬢と並んで、マイクロバスの中ほどの席に座っている。私に会釈すると、前髪がはらりと落ちた。薄手のセーターにジーンズ。私服姿だと、制服のときより若く見える。

「運転手さんも金をもらってたよ」

田中氏の無造作な言い様に、すぐさま前野嬢が抗議した。「もらってませんよ。送りつけられたんです」

「どっちだって同じだろが」

「いいえ、違います」

柴野運転手は、もう一度私に軽く頭を下げると、言った。「迫田さんは連絡がつきませんでした。事件の後、埼玉にお住まいの娘さんのところに行かれたので、自宅はお留守になっているんです」

私はステップを上がり、狭い車内で身をよじって手近のシートに座った。すぐ後ろが坂本君だ。田中氏がドアを閉めた。

「柴野さんは、あれからも迫田さんと会っておられたんですか」

柴野運転手は目を伏せてうなずいた。「ただお顔を見る程度でしたが」

「でも、迫田さんは心強かったと思いますよ」坂本君が言って、私を見た。「杉村さん、編集長は？」

「ここには来ない。僕が代理でいいそうだ」

「まだ具合がよくないんですか」

「大丈夫だよ。でも、この件には関わりたくないそうだ。僕は委任状をもらってきた。僕らの決定に、編集長も従う」

前野嬢が、つとまばたきをした。「じゃ、杉村さんは二票持ってるんですね」

「そうはさせんぞ。多数決に参加できるのは、ここにいる人間だけだ」

マイクロバスの車内の照明は、幸いなことに、機能的な蛍光灯だった。暖色――黄色い光ではない。またあんな色の光のなかで言い合いをするなんて、私はまっぴらだ。

白い光の下で、田中氏の顔は少しだけ赤らんで見えた。興奮しているというより、気負っている。ここまでの果断な行動ぶりは彼の本気度の表れであり、本気だということは、腹が据わっているということだ。

「それじゃ、もしも多数決で警察に届けようと決まったら、田中さんも素直に従ってくださいよ」と、私は言った。

「そうはならねえよ」彼は真顔で返してきた。「あんた以外はみんな、黙って金をもらっておこうと思ってる」

「みんなじゃありません！」

素早く抗議した前野嬢だが、しかし、私が彼女の顔を見ると、逃げるようにうなだれてしまった。坂本君の隣に座らず、柴野運転手にくっついている。坂本君の方も、前野嬢の視線を避けている。

「話が決まったら、迫田の婆さんは俺が説得する。婆さんの娘が相手になるんだったら、むしろそっちの方が話が通じやすいだろう」

私は柴野運転手に言った。「正直言って、あなたがここにおられるとは思いませんでした。意外です」

今度は、彼女は私から目をそらさなかった。ひとつうなずくと、

「わたしも迷いました」と小さく言った。

「警察じゃなくて、まず会社に報せようと思ったんだとさ。忠義の鑑だよなあ」

早いとこつかまえてよかったよと、田中氏はちょっと得意げだ。

「俺がこの人を止めたんだ」

寸止めだったんだと、また鼻息が荒い。

「柴野さん、今日はお仕事は？」と、私は訊いた。

「非番です」

「子供さんは」

「友達の家に預かってもらいました。ときどきお願いすることがあるので、大丈夫です」

「この人はシングルマザーなんだよ」

まるで宣伝するように、田中氏が大声で言う。「女手ひとつで子供を育ててるんだよ。二百万円はでっかい臨時収入だ。この先、ずっと楽になる。杉村さん、あんたそれを取り上げようっていうのか？」

柴野運転手には、二百万円か。

「お気持ちは有り難いですが、田中さん」

声は小さくても、彼女の口調はきっぱりしていた。

「わたしは、あの二百万円をいただくつもりはありません」

「あんた、まだそんなこと言って」

「ただ、皆さんがお金を受け取られるなら、その邪魔はいたしません。わたしの分も皆さんで分けていただきます。皆さんが受け取らないと決めるなら、わたしもそうします。いかようにも、皆さんのご意見に従います」

言葉の終わりの方で、彼女は私を見た。どうやら、彼女の意志は最初から決まっていて、ここまで一緒にやってきたのも、その決意を我々に公平に伝えたかったからなのだろう。

「なぜですか」と、私は訊いた。

「わたしには、それだけの責任があるからです。本来、バスに残るべき立場でしたのに、皆さんを置き去りにして逃げてしまったんですから」

やはり、今でもこだわっているのだ。

「あなたは自分の意思で逃げたわけじゃない。暮木老人に、バスから追い出されたんです」

解放直後に山藤警部と二人で話し合ったことを、私は皆に話した。柴野運転手と迫田さんは、暮木老人がコントロールしにくい人間だったから、最初に退けられたのだ、と。

「そう言われると、うん、ピンときます」坂本君がうなずいた。「柴野さんには立場があるし、迫田さんは時々、あのおじいさんの痛いところを突くようなことを言ってた」

それは私もよく覚えている。

「何だ小僧、おまえ、裏切る気か」

田中氏が目を怒らせる。坂本君もむっとしたのか、眉が一文字になった。

「裏切るなんて言い方をしないでくださいよ。僕はまだ決めてないんだ」

「この金があれば人生やり直せるって言ってたのは、どこのどいつだ？　一生、掃除屋なんかで終わりたくないって言ったのは、どの口だよ」

身体のどこかの栓を抜かれたかのように、坂本君が肩を落とした。前野嬢が彼を横目で見ている。

「ケイちゃん、大学に入り直したいんです」

彼女のそのひと言だけで、事情はよくわかった。

「大学に入り直して、しっかり勉強して卒業して、ちゃんとした仕事に就きたいんです」

ね、そうよね――と、坂本君に話しかける語尾がかすれてしまった。

ちゃんとした仕事なら、坂本君は今も立派にやっている。だが、これはそういう問題ではないのだ。海風警察署の駐車場で聞いた彼の言葉が、また私の耳の底をよぎった。

一字違いで大違いですよ。

大卒の資格を手にすれば、自分も橋本真佐彦のようになる道が開ける。バリッと背広を着て社用車を乗り回す会社員になれるかもしれない。それは若い坂本君にとって、人生のリセットと再スタートだ。百万円は、その足がかりとして充分な金額だ。

「メイちゃんだって、学費は欲しいだろ」

肩をすぼめたまま、同意を求めるというよりは詰《なじ》るように、彼は呟いた。「夢をかなえるためには金が要るってこと、わかってるくせに」

わかってるよと、前野嬢も呟いた。もう涙目だ。指で目頭を押さえて、それでも足りずに、身を折るようにして下を向いた。

「でもこのお金、本当にもらっていいのかどうか、わたし、わからない」

「何がわからねえんだよ。じいさんの慰謝料だぞ。何もかも、じいさんが言ってたとおりの形で送られてきたじゃねえか」

約束と違っていたのは金額だけだ。

「でも、暮木のおじいさんはお金持ちじゃなかった。ぜんぜん、お金持ちじゃなかったじゃないの」

独りぼっちでアパートで暮らしてた！　前野嬢は叫んだ。頬が涙で濡れている。

「おじいさん、頼れる人もいなかった。話し相手だって民生委員の人しかいなかった。ゴミ捨て場で拾ったラジオを聴いてた」

「だから何だってんだ？」田中氏も怒鳴り返した。「金持ちの金ならもらってよくて、貧乏人の金じゃ駄目なのか？　あのじいさんが生きてるときにどんな暮らしをしてようが、俺たちに関係あるってのかよ」

「ないわけないでしょ！　じいさんは俺たちを人質にして、いいように振り回したんだ。これはその慰謝料だ。俺にはもらう権利がある！」

前野嬢は本格的に泣き出してしまった。柴野運転手が彼女の背中を撫でる。田中氏はそっぽを向くと、拳《こぶし》を固め、運転席の横の窓ガラスをどんと叩いた。

嫌らしい黄色いライトではなく、蛍光灯の白い光の下、シーライン・エクスプレスのバスよりも二回りは小さいマイクロバスのなかで、我々は黙り込んだ。率先してしゃべり、我々にもしゃべらせたあの夜の暮木老人のような存在は、我々のなかにはいない。

「おじいさん、これだけの金を、どうやって貯めたんだろう」

髪をかきむしりながら、坂本君が言った。

「バスジャックを計画したときから、あとで人質になった人たちに払おうって、貯めてたのかな」

的を射た疑問だ。私はうなずいた。「それに、誰に預けていたんだろうね。たぶん、その誰かが、この送付状を書いた人だろうし」

前野嬢の背中に手をあてたまま、柴野運転手が坂本君と私の顔を見回した。

「――調べてみたらどうでしょうか」

私が目を瞠ると、彼女はひるんだ。

「い、いえ、ですからその、お金の出所というか、素性が気になるのなら、調べてみることもできるんじゃないかと思って」

私が驚いたのは、まさに同じことを考えていたからだった。

「私もそう思います。手がかりはありますし」

「手がかりって、どんな？」

驚く坂本君に、私は苦笑してみせた。「君、前野さんの特技を忘れてないか」

あっというように、彼の一重まぶたの目が広がった。

「そうだよ……！　メイちゃん、まだ覚えてるだろ？」

暮木老人が現場に連れてこさせようとしていた三人の住所と名前だ。前野嬢が、老人に代わってメールを打った。

——言ってくれれば、わたし覚えられます。

充血した目にハンカチをあてて、前野嬢はうなずいた。「あの三人のこと？」

「うん、覚えてるよね？」

「覚えてるし、あのあとメモしといた」

坂本君がぱんと手を打った。「やった！」

前野嬢のメモは、携帯の画面メモだった。私はそのデータを転送してもらった。

「わたしは、この送付状が手がかりになるんじゃないかと思ったんですが」

自分宛の宅配便を手にした柴野運転手の言葉に、坂本君は首を振った。「そっちは駄目ですよ。柴野さんのバス会社の住所と電話番号だもん」

「でも、宅配便を受付けた場所がわかります」

ほら——と、柴野運転手は送付状の一角を指で示した。きちんと爪を切り揃えた、ほっそりとした指だった。

「スタンプじゃなくて、ボールペンで手書きしてありますよね。〈サンライズ　竜町店〉。サンライズというのはコンビニのチェーン店でしょう？　うちの近くにも一軒あります。でもこの〈竜町〉というのは、少なくともわたしが知っている限りでは、うちの営業ルートのなかにはない町名ですけど……」

坂本・前野カップルと私は、即座に自分の手荷物から例の宅配便を取り出して、送付状を確かめた。田中氏は怒ったような目つきでそれを見ている。

私宛の便も〈サンライズ　竜町店〉だった。坂本君宛のは〈スーパーみやこ　高橋〉。高橋というのは荷物を受け取った店員の名前だろう。前野嬢のは、殴り書きで〈堀川青野商店〉と書いてある。

「ちょっと検索してみます。サンライズが手っ取り早いよな」

坂本君は、さっそく携帯電話を握りしめる。

「柴野さん、凄い」

まだ目の縁を赤くしたまま、前野嬢が感嘆した。柴野運転手はちょっとだけ微笑する。

「これだけじゃ足りないでしょうけど」

ふん、と田中氏が鼻を鳴らした。「そんなのを調べてどうなるっていうんだよ」

「気持ちがすっきりするじゃないですか」

「すっきりして金を受け取れるっていうのか？　それなら大いに結構だがな」

「田中さんは何もしたくないなら、いいです。わたしたちだけでやりますから」

涙目のままで言い返す前野嬢を、ケータイ片手の坂本君が押しとどめた。「ちょ、ちょっと静かに。杉村さん柴野さん、〈竜町〉って都内でもないよ。群馬県ですよ！」

「どの辺だい？」

「前橋市の北の方の端っこです」

「〈スーパーみやこ〉も〈堀川〉という地名も、そのエリアにあるのかもしれないな」

「家のパソコンならもっと速いんだけど」

検索は坂本君に任せて、私は席を立つと、運転席のそばに移動した。

「田中さん」

田中氏の小鼻が広がっている。顔の紅潮は引いている。

「聞いてのとおりです。ここでひとつ、取り決めをしましょう」

田中氏は目玉だけを動かして私を見た。

「この金のことを、今は警察に届けません。我々だけの秘密にしておきます。ただ、金の出所と素性を調べます。我々にできる限りの方法で調べてみます。気が進まないなら、あなたは関わらなくてかまわない」

ありがたいこったと、彼は唾を吐くように言った。

「調べてわかったことは、あなたにも伝えます。その上で、もう一度集まって相談しましょう。それまで、金には手をつけずに待っていてください」

田中氏はまばたきした。「どれぐらい待ってりゃいいんだ？」

「一ヵ月でどうです？」

「そんなに待てるか！」

「それじゃ、半月ください。半月経って何もつかめなかったら、我々も方針を変えます」

バスの中程で、三人が私と田中氏を見つめている。

「半月だな」呻くような声だった。「俺には切実に欲しい金なんだ。役に立つ金なんだ」

「わかっています」

「わかるもんか」

「どうしても金に手をつけるというのなら、かまいませんよ。ただその場合、我々が金の素性を調べて、これはやっぱり受け取れない、警察に届け出るべきだと結論を出したとき、あなたは困った立場に追い込まれることになるでしょうね」

本日初めて、興奮と怒り以外の感情が、田中氏の顔に浮かんだ。狼狽だ。

「あんた……俺を脅す気か？」

「申し訳ないが、そうなりますね」

「あんたらだって、半月もひと月も手元に金を置いてから届け出たら、厄介なことになるんだぞ。それ、わかってるのか？」

「承知の上です。そのときは、自分たちが考えたこととやったことを、洗いざらい山藤警部に説明しますよ。あの人なら、我々の言い分を聞く耳ぐらいは持ってくれるでしょう」

前野嬢がうなずいている。

「警察が、今さらあの事件の何を気にするっていうんだよ」

嘆くような声で、田中氏は言った。顔が歪み、まぶたが震える。

「この送付状を書いて、我々に金を送りつけてきた人物は、暮木老人の協力者です。バスジャックの共犯ではないけれど、あの老人の意図と計画を知っていた可能性が高い」

「だから探して突き出すっていうのか」

「突き出すかどうかは、相手に会ってみてからの話です。それじゃいけませんか」

田中氏は目を閉じ、かぶりを振るだけだ。私は他の三人を振り返った。

「分担を決めよう」

三人がはっとしたように背中を伸ばした。

「坂本君と前野さんは、竜町のコンビニや〈スーパーみやこ〉を探してくれ。現地まで行ってほしいんだけど、いいかい？」

もちろんと、二人は勢いよく応じた。

「仕事は大丈夫かな」

「平気です。わたしは何とでもなるし、ケイちゃんは、先週末に会社を辞めちゃったし」

前野嬢の暴露に、坂本君はバツの悪そうな顔をする必要はないのだ。そんなことではないかと、私は察していた。

「個人が会社名の荷物を持ち込んで発送してるから、ちょっと変わってるからね。運がよければ、どんな人がこの荷物を送ったか、店の人が覚えているかもしれない。よく聞き出してみてくれないか」

「わかりました。例の三人の方はどうします？」

「そっちは僕が引き受ける」

私の独断に、若いカップルは瞬間、心外そうな顔をした。

「勝手言ってすまないけど、こっちは慎重にあたった方がいいと思うんだ。若い君たちが行くより、名刺を出せる僕の方が話が通りやすいと思う」

「杉村さんって」前野嬢が大きな目で私を見る。「事件慣れしてるって言ってましたよね」

「うん。実はこういう調べ物にもちょっと慣れてる。私立探偵の知り合いがいるし」

これは嘘だ。今はいない。だが、この場の嘘は北見一郎も許してくれるだろう。

「その探偵さんは信用できる人ですか」

「信用できる。それに僕も、事情は話さない。ノウハウを教えてもらうだけだから、安心してください」

柴野運転手が、薄手のセーターの胸元に手をあてた。「わたしはどうしましょう」

「三つ、お願いがあります。まず、我々の金を預かってもらえますか」

田中氏を見やると、頑なな顔つきでハンドルを睨みつけている。

「田中さんの分は田中さんに保管してもらえばいいですが、うちの園田と我々の分は、柴野さんにお願いしたいんです。こんな大金を家に置くなんて不安でしょうが」

「大丈夫です。しっかり保管いたします」

「二つ目は、何とか迫田さんか、娘さんに連絡をとってください。連絡がついたら、あとは僕が会いに行きます」

三つ目は少々面倒だ。

「暮木老人は、あなたの子供さん――佳美《よしみ》ちゃんの名前を知っていましたよね？」

思い出すと今でも背筋が冷えるのか、柴野運転手は寒そうになった。

「はい、はっきり名前を呼んでいました」

「下見のために何度バスに乗ったって、子供さんの名前まではわからない。あの老人は、もっと積極的な手段をとって、あなたのことを調べたんだと思うんです。会社の同僚とか、近所の人に訊いたりしてね。そういうことがなかったかどうか、それとなく周囲に確かめてみてくれませんか」

暮木老人が、柴野運転手の近くに人間関係を持っていたという可能性は捨てきれない。だからこそ、彼女が運転するあの路線バスを舞台にしたということだってあり得る。

「わかりました。やってみます」

バッグからメモ帳を取り出して、柴野運転手は私の指示を書き留めた。若いカップルと私は四百万円を集めて、彼女に手渡した。

「杉村さん、すぐあの三人の誰かに会いに行くんですか」

「うん。でもその前に、今夜じゅうにできることがひとつある」

注意深く行動しよう、まめに連絡を取り合おう。そして押し黙ったままの田中氏に、くれぐれも安全運転でみんなを地元に連れ帰ってくれるよう頼んで、私はマイクロバスを降りた。歩き出し、文具店を探した。

急いで書かねばならないものがある。

7

約束の午後十時よりも三十分早く、私は義父の家に着いた。閑静な住宅街のなかでもひときわ目立つ総檜《そうひのき》の板塀のまわりをゆっくりと歩いて、頭を冷やした。

広大な敷地のなかには、義父の家と義兄一家の家と、いくつかの施設が点在している。つい半年ほど前までは私たち一家も住まっていた義父の家、今多本家は古風な日本建築で、敷地のなかではいちばん南側にある。正面玄関に通じる正門のほかに通用門が東西に二ヵ所あり、真っ直ぐ本家を目指すなら東側の方が近い。それもここに住んで初めて気づいたことで、それまでは西側の通用門の存在を、私は知らなかった。その些細な事実は、私と今多家との関係性の暗喩《あんゆ》になっている。今多家の人びとにとっては当たり前のことを、私は知らないし、知る機会も少ないのだ。

今さらのようにそんなことを考えるのは、上着の内ポケットに忍ばせているもののせいだろう。私は、菜穂子との結婚を許してもらうため、初めて義父に会ったときに劣らないほど緊張していた。

通用門のインタフォンを押すと、いつものように、義父付きの家政婦さんの声が応じてくれた。義父のために今多家に奉公している人なので、我々が同居（というよりは居候だが）しているころには、意外と家のなかで顔を合わせることがなかった。

「お待ちでいらっしゃいます。どうぞ書斎へおいでくださいませ」

家政婦さんのその言葉に、私は懐かしさと安堵を覚えた。私にとって義父の屋敷は、やはり、こうやって外から訪ねてきて通される場所なのだ。住み着く場所ではない。

読書家の義父の書斎は、むしろ書庫と呼んだ方がふさわしい。義父は和服姿でくつろいでいるように見えたが、深い皺の刻まれた目元に、少し疲労の色があった。

「さっきまで面倒な客が来ていたんだよ」

私はここに来たときの定位置、義父の机の手前に座った。すぐに家政婦さんが、ワインクーラーとグラスを載せたワゴンを押してきたので驚いた。

「今日は車じゃないんだろう。少し付き合ってくれ」

義父が自宅で私服で会い、しかし疲れる客というのは、本当に面倒なタイプの客なのだ。私は自分が持ち込んできた面倒を思い、また上着の胸元をそっと押さえた。

「公枝《きみえ》さん、今夜はもういいよ」

つまみのチーズの皿を並べる家政婦さんに、義父は声をかけた。この人のことは、いつも名前で呼んでいる。

「かしこまりました。先に寝ませていただきますが、あまりお過ごしになりませんように」

家政婦さんの微笑に、義父は苦笑いを返して「はいはい」と言った。

「私は一杯だけにして、あとは杉村に飲ませるよ」

スペイン北部の産だという白ワインは、舌に沁みるほどよく冷えていて、辛口だった。

「園田のことだろう」

間接照明のなか、書籍に囲まれた心地よい沈黙と、ワインが与えてくれる安らぎを、義父のその言葉が破った。

グラスを脇に置き、私は座り直した。「はい」

「ずいぶん時間がかかったな。もっと早くに訊きにくるだろうと思っていたんだ」

「遠山さんからもそう伺いましたが、私は、会長にお尋ねするつもりはありませんでした」

義父の白髪まじりの豊かな眉が、ちょっと動いた。「労連の委員から、情報が入らなかったか？」

お見通しだったわけだ。

「昔の噂は聞きました。ただの噂です。それも、かえって謎が増すような内容でした」

編集長が元気に復職してきた以上、詮索する必要はないと思ったと、私は言った。

「まあ、君らしいな」

義父は軽くうなずき、私のグラスにワインを注ぎ足し、ちょっと迷ってから自分のグラスにも足した。「公枝さんには内緒だ」

「はい、わかりました」

私も笑みを浮かべることができた。

「それで？　君が方針を変えてここに来たのは、何か状況の変化があったんだな」

私は懐のポケットから、大急ぎで探した文具店で調達した便箋に書き、封筒に収めたものを取り出した。

「お話しする前に、これをお受け取りいただきたいと思います」

立ち上がり、姿勢を正し一礼して、私はそれを両手で義父に──今多コンツェルン会長の今多嘉親に差し出した。

義父は受け取らなかった。私の差し出す封筒を一瞥し、表書きを見たろうに、訊いた。

「何だ」

私は答えた。「退職願です」

ゆっくりと眠たげに、義父はまばたきをした。手にしたグラスのなかのワインが揺れることはなかった。

「そこに置きなさい」

私は言われたとおりにした。退職願を収めた封筒が斜めにならないように、ことのほか注意深く置いた。

「いいから、掛けなさい」

私は言われたとおりにした。

「君にとって、声をひそめなければ話せないような内容なら仕方ないが、今日は補聴器の機嫌が悪いから、できれば普通にしゃべってくれないかね」

義父が補聴器を使い始めたのは、一年ほど前のことだ。風邪を引き、数日のあいだ寝込んだことがきっかけで難聴気味になり、特に左耳の聴力ががくんと落ちた。すぐに調達した補聴器はドイツ製で、使用者の聴力に合わせてひとつひとつ手作りするという優れものだが、義父によると、日によって機嫌が変わるという。義父の調子と補聴器の調子が合わない日がある、ということかもしれない。

私は打ち明けた。今夜、コインパーキングに駐めたマイクロバスのなかで人質メンバーたちとやりとりした言葉まで、できるだけ正確に再現して話した。

そのあいだに、義父は一度グラスを空にして、今度は迷わずいっぱいに注ぎ足した。

「本来なら、園田編集長自身の口から、あのときの暮木老人とのやりとりはどういう意味だったのか教えてもらうべきなのですが」

「いや、それは無理だろう」義父は言下に否定した。「園田は話すまい。というより話せないんだ」

「編集長の様子から、私もそう思いました」

「うむ。その判断は正しい」

但しそれ以降の推論は怪しい、と続けた。

「園田とのやりとりを解析することで、暮木という男の正体を推測できたとしても、それが金の出所を探る直接的な手がかりになるとは、私には思えないね」

「でも彼の生業がわかれば」

「仮にわかったとしても、昔の話だろう。現役じゃあるまい。暮木が警察に捕まえさせようとした三人の素性を洗う方が、よほど手っ取り早いと思うが」

そこで、義父はちょっと首をかしげた。

「ただ、その三人の口を開かせるには、暮木がどんな人間だかわかっていた方がいいか」

独り言のように呟き、ワイングラスを玩《もてあそ》んでいる。

「どんな人間か」私が復唱すると、義父はゆっくりとうなずいた。

「君の印象はどうだった？」

「教職に就いていたことがあるのではないかと感じました。交渉人を務めた山藤警部も、同意見でした」

うん、と義父は小声で言った。「こういう場合、何と言うんだったかな。当たらずといえども遠からず。それをひと言で表す言い回しがあるじゃないか。若い連中が使う」

私は考えた。「惜しいとか、近いとか」

それじゃ普通の言葉か。

「いや――そうそう、かすってる、だ」

自分で思い出して、義父は笑った。

「といっても、私も園田の言動から推察しているだけでね。こっちもこっちでかすってる程度か、あるいは空っぽずれかもしれない。それを承知で聞いてくれ」

暮木という男はと、義父は声を低めた。

「おそらく、〈トレーナー〉だったんだろう」

トレーナー。その言葉で私に思い当たるのは、アスリートのそばにいて、トレーニングや健康管理をする人びとだが、

「スポーツマンとは関係ないよ。最近じゃ、私が言うような意味合いでは、この言葉は使われないだろう」

義父はワイングラスを置くと、机に両肘をつき、指を組み合わせた。この書斎でそのポーズをすると、今多嘉親は、企業人というより学者か思索家に見える。

「一九六〇年代から七〇年代半ばにかけて、つまり高度成長期だな。企業の新入社員研修や管理職教育に、ひとつのブームがあったんだ。〈センシティビティ・トレーニング〉というのだがね」

頭文字をとって〈ST〉とも呼ぶという。直訳すれば〈感受性訓練〉だろうが、日本語としてはこなれが悪い。

「企業人の――感受性を鍛える訓練ですか」

私がいかにも訝しげだったからだろう。義父は苦笑した。

「この場合は〈企業戦士を鍛える〉と言うべきだろうな」

二十四時間、会社のために働くことができる戦士、か。

「個人の内面を掘り下げることによってその能力を活性化し、同時にその個人が小集団のなかでふさわしい働きをするように、協調性も培う」

「内面を掘り下げるって、心理療法みたいですが」

「そうだよ。STは心理療法だ。ただ、昨今一般的な心理カウンセリングなどとは違う。最終的な目的は個人を鍛えてその能力を開花させる、もしくは底上げすることにあるわけだから、治療的なものではない。もっと要求が厳しい」

私は、何となく嫌な臭いを感じた。

「STの教官のことを、トレーナーと呼ぶんだが」義父は続けた。「トレーナーは受講生とマン・ツー・マンで指導にあたるのではない。受講生の側は、さっきも言ったように小集団、五人から十人、多くても二十人くらいまでのグループでね。そこにトレーナーが一人ないし二人ついて、全体の教育と統率にあたる」

「その形で、個人の内面を掘り下げる」私は呟いた。「やっぱり集団カウンセリングみたいですね。参加者それぞれに自分の内面を語らせて、それについてディスカッションするわけでしょう?」

依存症の治療によく使われるやり方だ。

「そう。但し、その統率役をするトレーナーは医師ではない。そこが、正規の心理カウンセリングとは大きく異なる点だ」

有り体にいえば、誰でもトレーナーになれる。義父の口調は苦々しかった。

「STの効果と手法を熟知しており、自身もそこから様々な意味で恩恵を受けており、頭の回転が速く、口が達者な人間ならな」

心理学や行動心理学の素人が、その方法論の一部だけを学び、そこから大きな効果を引き出すことができるという信念の下に、小集団を率いて〈教育〉する。

私の鼻先に漂う何となく嫌な臭いが、はっきりと嫌な臭いに変わった。

「社員研修ならば、参加者は社命で来ているわけですよね。となると、トレーナーに逆らえません」

義父は私を見つめてうなずいた。

「トレーナーがどんな指導方法をとろうと、逆らうことができない。新人研修として、管理職教育として、これが適切なのだと言い聞かされて参加していれば、参加者の側にも効果を上げたいという切実な希望があるでしょうから、進んで従順になるし」

サラリーマンなら、誰しも出世には欲があって当然だ。この研修でいい成績をあげることが、自分の仕事力の向上にストレートにつながると信じていれば、必死になって〈よい研修〉を受けようと思うのが自然な心情だ。

「しかも、そのお膳立てのなかで参加者個々人の内面に立ち入る〈教育〉をするとなると、トレーナーの性格や指導法に偏りがあれば、怖ろしいことになる可能性がありますね」

「現にそうなった」と、義父は言った。「当時、STでは何件も事故が起きていたんだ。その多くは主催者側によって伏せられていたが、そういうことは、もみ消しきれるものじゃない」

「どんな種類の事故ですか」

「参加者の自殺だよ」

義父の書斎は、何をどう間違ってもすきま風が吹き込むような場所ではない。それなのに、私は首筋にひやりとするものを感じた。

「未遂で食い止めたケースもあれば、止めきれなかったケースもある。当時、私がつかんだ事故報告は三件あったが、どれも発生のプロセスが似通っていた」

誰か一人が追い詰められるんだ。

「参加者が互いの内面を掘り下げ合う。表現としてはきれいだが、じゃあ具体的にはどうするかというと、まず参加者一人一人に、自分はどういう人間であるかを語らせるわけだ。私の長所はこんなところで、短所はこんなところです。私はこのように自己を認識しています、とな。口頭の場合もあれば、レポートを書かせることもある」

そして次の段階では、それを叩き台にしてセッションを行うという。

「トレーナーが司会者になって、参加者個々の自己認識を評価し合うわけだ。その際には率直で忌憚《きたん》なく、〈はっきり言う〉ほど評価が高くなる。年齢差や、先輩後輩の関係など無視していい。職場でのポジションは一切関係ない。この場では誰もが平等に一個人だ、言いたいことはすべて言っていい、と」

義父はワイングラスを取り上げると、たっぷりと一口飲んだ。

「もちろん、そういう相互評価と話し合いのなかで、職場では望むべくもない新鮮で建設的な関係が生まれることもあるだろう。個人の潜在的な能力が掘り起こされることもあるだろう。実際、STにはその効果があったからこそ、もてはやされていたんだ」

「しかし危険と隣り合わせでしょう」と、私は言った。「どうしたって詰り合いになる」

うなずいて、義父はグラスを置いた。

「それでも、参加者全員が平等にお互いを批判し合うならまだいいが」

そんな形には収まらないのが人間だ。三人集まれば派閥ができる。それが人間だ。

誰かが誰かを批判し、それに別の誰かが同調する。その意見に反対する誰かが現れ、グループは二つに分かれて論争になる。その一時的な派閥はしかし不安定なもので、論争の流れによっては容易に変化し、構成員も変わる。くっついたり離れたりする。

「ここでは誰もが平等な一個人だと言われても、はいそうですかと白紙になれるほど、人間は単純じゃなかろう。STの場には、職場の人間関係や力関係、嫉妬や羨望《せんぼう》や好悪の感情がそのまま持ち込まれる」

相互批判の場では、そうした感情もまた剝き出しになるのだ。

「そういう場では、ちょっとしたきっかけで、誰か一人に批判が集中することがある」

するとそれはすぐに正しい批判ではなくなる。集団によるいじめに変わる。

「STの会場として使われるのは、ほとんどの場合、山中のロッジとか、日常を離れた場所なんだ。主催者側が場所を提供する場合もあれば、企業が自社の研修所や保養所にSTのトレーナーを招く場合もあるが、いずれにしろ外界から隔絶された場所で、研修期間中は受講者たちは外出を許されない。起床から就寝まで、トレーナーの立てるスケジュールに従って、規律を守って暮らすんだ」

だから逃げ場がないと、義父は言った。

「一方で、体力トレーニングもSTの重要なメニューだ。日ごろ、スポーツとは無縁の者でも、毎朝起床後に十キロのランニングをさせられるとかな。完走できないと暴力的なペナルティをくらう」

「精神的だけではなく、体力的にも追い詰められることになるんですね」

寒気を覚えるようなシステムだ。

「セッションは長時間にわたり、深夜にまで及ぶことがあるから、睡眠不足にもなる。食事は三食きちんと与えられるが、気力体力を失えば、食べることもできなくなるだろう」

私は思わず言った。「軍隊みたいだ」

「それを言うなら、軍隊の訓練システムの悪い部分だけを取り出したようだ、と言ってくれんか」

　義父は軽い言い方をしたが、目は暗く翳っていた。

「私には、STというのは、どんな意味合いであれ、訓練とは思えません。個人の自我を崩壊させる破壊行為のように思えます」

「だが、それが正しい企業戦士の作り方だと、多くの企業人に信奉されていた時代があったんだよ」

「会長も、ですか」

　そうではなかったはずだと思うから、私は思いきって問いかけた。

「会長は流行《はやり》ものはお嫌いでしょう。とりわけ、多くの人たちがもてはやしているという理由だけで流行っているものは」

　義父は黙ってしまった。

「私も企業人だからな」

　やがて、声を低めてそう言った。

「目覚ましい効果のあがる社員教育の新システムだと聞いて、興味は抱いたよ。だからこそいろいろ情報を集めたんだがね」

　またグラスを取り上げて、今度は飲まずにまた机に戻した。

「だがな、私が最終的に、うちにはSTを導入しないと決めたのは、自殺者が出たという情報のせいじゃない。事故情報を打ち消してしまうような――今思えばあれも大本営発表みたいなもんだが――素晴らしい実例も耳にしたよ。あんまり素晴らし過ぎて、眉に唾をつけたくなるような」

義父の静かな怒りを、私は感じた。

「私がSTを受け入れられなかったのは、そのシステムのなかに、非常に脆弱《ぜいじゃく》な部分があると思ったからだ」

「脆弱な部分？」

「だから、トレーナーだよ」

教官一人一人が、あまりに強大な支配力を与えられ過ぎていると思ったと、義父は言う。

「さっき君が言ったように、その点で軍隊と似ている。初年兵をいたぶる上等兵は、ただ自分が上等兵だということだけで、規律保持と訓練を名目に、それ以前の平穏な日常生活のなかでは本人自身も気づくことのなかった獣性を解放することができた。極端に閉鎖的な上下関係のなかでは、ちっぽけな権力を握ったちょっとばかり上位の人間が、それにふさわしい能力も資格もないのに、下位の人間の生殺与奪の権を完全に握ってしまうことがある。私はそれが嫌いなんだ。私がこの世の何よりも憎まずにいられないものなんだよ」

義父には従軍経験があるが、それについて詳しく語ったことがない。少なくとも私は聞いたことがなかった。

今、その一端を聞いている。

「太平洋戦争では、私は末期になって徴兵されて、もう輸送船がなかったもんだから外地には送られなくてね。本土決戦に備えるために、九十九里の砂浜で穴っ掘りをしているうちに終戦を迎えた」

それでも、嫌なものを見聞きするには充分だった――と言った。

「以来、私のなかにはひとつの確信が生まれた。人間は基本的に善良で建設的だ。だが、特定の状況に置かれると、それでもなお善良で建設的であり続けることができるタイプと、状況に呑まれて良心を失ってしまうタイプに分かれる。その〈特定の状況〉の典型的な事例が軍隊であり、戦争だ」

閉鎖的な極限状況だ。

「私の目には、STのトレーナーが、陸軍の上等兵たちに重なって見えた。有能で冷静で、自分の持つ力をよくコントロールできるトレーナーならば、STで良い効果をもたらすことができる。私が聞かされた社員教育の成功例は、そんなケースだろう。だが自殺者が出るようなケースでは、トレーナーが間違ったんだ。方法を間違ったんじゃない。人間として間違ったんだ」

極限状態のちっぽけな権力に酔い、己のなかの獣性を解放した。

「誰かを攻撃するのが楽しいことがある。相手が追い詰められるのを楽しむんだ。人間には誰でも、そういう邪《よこしま》な部分がある。だがそれ以上に邪悪なのは、そういうふうに他人を駆り立てることだ。煽《あお》ることだ。それが正しいと、他人の頭に刷り込むことだ」

STは、トレーナーという立場の人間をそのようにし向ける危険性を孕《はら》んだシステムだ。だから今多嘉親は、ほとんど体感的にSTを嫌い、遠ざけた。

「会長は正しい判断をされたんです」

私の言葉のあとに、沈黙が降りてきた。義父はワイングラスを見つめて黙り込み、私は義父を見つめて黙り込んだ。汗をかいたワインボトルが、書斎のやわらかな照明の下でおぼろに光っていた。

「七〇年代も後半になると、STは急速に下火になった。一時の熱が嘘のように引いてね。そんなことなどなかったかのようだった」

「社員研修には望ましくない危険なやり方だという情報が浸透したんですね」

「いいや、単に高度成長が終わって、企業が社員に求める理想像が違ってきただけかもしれんよ」

義父には珍しく皮肉な言い方だった。目の奥に尖った光があった。

「言い忘れていたが、STにはたいそうな金がかかるんだ。だからブームのころには、雨後の筍《たけのこ》のように主催者が増えた。儲かるからな。それで玉石混交になって、STはますますうさんくさいものに成り下がった」

金が集まる場には優秀なプロが集まるが、優秀なプロを装う偽物も集まる。そしてその場のもたらす効果の精度が下がり、必然的に場の信頼性と吸引力が下がっていく。

「右肩あがりの成長がひと息つくと、普通の企業なら、ひとつ間違えば人死にが出るような危険な研修に、そうそう大金を注ぎ込めるもんじゃない」

　STの需要は減り、ブームは去ったのだ。

　だが——と、義父はかぶりを振る。

「科学技術と同じで、心理学のように人間の心に働きかける学問であっても、そこで発見され一般化された方法論は、そう簡単に消え去りはしないものだ。STは消えたが、STのスキル——STの概念は残っていた。ただそれは、社員研修や管理職教育という方向ではなく、別の分野に進出し、拡散し始めていたんだが」

　ひと息にそう言って、義父は苦そうにくちびるを湿《しめ》した。

「そんなことは、所詮は言い訳だな。結局、私が判断を誤ったんだ。八二年の四月、園田たち女子社員十八名を、私が社命を以《もっ》て参加させた研修の中身は、STと似たりよったりだった。いくらプロの心理学者を帯同するとか、受講者の意思を最大限に尊重するとか、トレーナー制ではなくカリキュラムごとの専任講師制だとか、STの孕んでいた問題点に、いちいち対症療法的な手当てがなされていたとしても、中身が同じなら同じ危険がある」

　受講者が追い詰められ、自我崩壊の危機に直面してパニックになる。自分を見失い、能力が高まるどころか、情緒不安定に陥る。

「園田はああいう気性だ」

ますます苦そうな口つきになって、義父は続けた。「相手が講師だろうが学者だろうが、理不尽に頭を押さえつけられることが我慢できない。筋の通らないことが嫌いだ。そして、嫌だ、嫌いだと思うと黙っていることができない」

私はうなずいた。「それは編集長の美点です。権威や権力が、ただそれだけで正しいとは限らないと考える知性と、それを口にする気骨があるということですから」

「STの考え方では、そういう気骨はへし折られるべきものなんだ」

「だから編集長も、集団で個人攻撃される羽目になったんですか。その結果、パニック状態に？」

すぐには返事がなかった。沈黙のなかで、私は、宅配ボックスの前で頭を抱え、震えていた園田瑛子の姿を思い出していた。

「園田たちが参加した研修は、〈フェノミナ人材開発研究所〉という団体が主催したものでね。企業の女子社員のみが対象だった。八〇年代初頭の段階で、これからは女性社員が企業にとって重要な戦力になる、だから女子社員を鍛えようというのは、なかなかすばしこい発想だった」

だが相手が女の子だから——と言って、義父は急に顔を歪めて笑った。「こんな言い方をすると、園田にも遠山にも叱られるな」

「私は誰にも言いません」

義父は、今度は本当に笑った。「相手が女の子だから、やみくもに厳しく鍛えるというやり方ではなかった。これまで企業のなかでは眠らされてきた女性社員たちの能力を、〈相互理解と融和〉によって活性化させるというのがうたい文句でね」

　相互理解と融和、か。攻撃ではなく。

「研修のやり方も、基本的にはグループ単位ではなくマン・ツー・マンで、受講者各自の個性を引き出すことに重きが置かれていた。もっともその方式だからこそ、園田のように、自分の担当講師と反りが合わないと、なおさら辛かったろうが」

　私は一歩踏み込んだ。「編集長の担当講師は、彼女に何をしたんです？」

　また、すぐには返事がなかった。

「あの研修では、ＳＴのように、受講者を体力的にいっぱいいっぱいにして自我の箍《たが》を弛《ゆる》める、などという乱暴なやり方はしない。一日のカリキュラムのなかには自由時間もあったし、睡眠時間もきちんと確保されていた」

　逃げるように、義父は早口になっていく。

「ただし、受講者の受講態度が悪く、担当講師の指導に従わない場合は、制裁を加えることが認められていた。受講者の側が認めていたわけじゃないよ。フェノミナ人材開発研究所が勝手に認めていただけだが」

　それは、どのような制裁だったのか。

「〈反省室〉に閉じこめるんだよ」と、義父は言った。「連中のセミナー施設には、そのための部屋があった。事前の見学会では、物置や資材置き場に偽装して、けっして見せやしないんだが」

「監禁専用の部屋ということですか」

「そうだ。窓には鉄格子。ドアは外から施錠され、空調も照明も外部からコントロールされる。室内には布団ひと組みと剝き出しの便器。それとモニターが一台あって、そこに連中が作った潜在能力開発と精神解放に効果があるとかいう触れ込みのビデオ映像を、二十四時間ぶっつづけで流すんだ」

私は呆れた。「監禁の上に拷問だ。囚人よりひどい」

下唇を嚙みしめて、義父はうなずいた。

「園田は研修の三日目の夜にここへ入れられ、そのときは二時間で解放された。だがその後、反省が足りないというので、四日目の深夜にまた居室から引っ張り出されて反省室に移され、朝方になって自殺を図った」

何をどのようにして自殺を図ったのか、私は怖ろしくて訊くことができなかった。

「壁に頭をぶつけてね」

義父の声が、囁き声ほどに低くなった。

「そのあいだじゅう、出してくれと叫び続けていたそうだ。室内は照明が消され、真っ暗だった」

それほど飲んでいないはずなのに、ワインの酔いが急に回ってきた。胸がむかつく。

「誰が救出してくれたんですか」

「この研修に同行していた、フェノミナ人材開発研究所専属の心理学者だよ。この先生のおかげで、我々も園田に何が起こったのか、正確に知ることができた。その点では、フェノミナという組織は、かつてのSTの主催者たちよりはましだと認めないとならんな」

組織のなかに、こんなやり方は異常で間違っていると判断できる能力と理性の持ち主を入れていた、という点では。

「警察には通報したんですか」

義父は、まるで私につねられたかのような顔をした。

「断念した。園田が取り調べに耐えられるような状態じゃなかったし」

私も心をつねられたように痛かった。

「そのかわり、私はフェノミナ人材開発研究所を徹底的に調査した。あの組織を生体解剖して、バラバラにしてやるつもりだった。そのために必要なことなら、何だってやった」

義父がそうしようと思ったのなら、事実そうなったはずだ。

「園田の一件から一年後に、フェノミナ人材開発研究所は看板を下ろしたよ。ただ、関係者の誰一人として刑事罰を問われることがなかったのが、私は今でも悔しい」

自分に腹が立つ——と、拳を握りしめる今多嘉親の底光りする眼は、何かはっきりした記憶を見据えている。

「あの組織の連中と、私は片っ端から話をしたよ。今度は私が連中を追い詰めて、連中の自我という奥歯に手を突っ込んでガタガタいわせてやろうと思ってな。実際、大いにガタガタ言わせたが」

自己嫌悪は消えなかったと言った。

「なぜあんな研修に園田たちを送り込んだのか。危惧があったのに。納得してはいなかったのに。なぜ自分で自分を騙して、まあ試してみてもいいだろうと思ってしまったのか」

「会長」と、私は言った。「私は会長に、言い訳を探していただくお手伝いをするつもりはありません。事実を確認させてください」

義父は私を見た。あの底光りが、蠟燭《ろうそく》が消えるようにすうっと見えなくなった。

「フェノミナ人材開発研究所の研修に女子社員を参加させようというのは、会長のお考えではなかったのではありませんか。会長だけでなく、社の上層部からの発案でさえなかったのではありませんか」

義父は答えない。

「むしろ社員たちからの——あるいは労連からの要請があったのではありませんか」

「労連はそんなことはせんよ」

「それなら、女子社員たち自身の希望では？」

かぶりを振って、義父は私の言葉をはらいのけた。「どんな経過であっても、責任者は私だ。私が判断を誤り、社員の命を危険にさらした。その事実に変わりはない」

「以前、聞いたことがあります。会長は、男女雇用機会均等法のキの字もない時代から、女子社員の積極的な登用を考えておられた。その実現のために、労連組合員の女子社員たちと定期的に懇談会や勉強会を開いておられたこともある、と」

そうした親しい会合の場で、企業のなかでも特に男社会の色合いの濃い物流会社では圧倒的な少数派の女子社員たちから、自分たちの能力を開発したい、チャンスが欲しい、研修の機会を設けてほしいという要請があったなら、聞く耳を持たない今多嘉親ではない。

「フェノミナ人材開発研究所の研修に参加した女子社員たちは、形としては社命でも、本人たちが希望して出かけていったのではありませんか。彼女たちがそういう熱意ある人材だったからこそ、会長の後悔も深いのではありませんか」

昔の話だ——と、義父は言った。

「そんな細かいことは忘れたよ」

「しかし」

「何をどう考えていようと、実現の方法を誤れば、結果も誤りになるんだ。それだけのことだよ」

私は黙ってワインボトルに手を伸ばし、義父と自分のグラスに注ごうとした。どぼどぼ注いでやるつもりだったが、ボトルはほとんど空になっていた。

「公枝さんには内緒だ」

義父は小声で言って、かすかに微笑した。

「事件後、園田は一年ばかり休職した」

復帰してきたときには、ほとんど元通りになったように見えたという。

「当時は、PTSDとかパニック障害などという言葉さえ知られていなかったからな。専門家も少なかった。園田を回復させてくれた医者は、優秀な人だったんだろう」

しかし、傷跡は残った。

「園田のなかには、あの事件の落とした影が残っている。それが彼女に、一種のアンテナを与えたのかもしれない」

暮木老人に、他人をコントロールする支配的な意志と能力を見た。嗅《か》ぎ取った。だから面と向かって言ったのだ。あなたのような人を知ってる、と。

「それでも、園田が暮木という男をそう感じたというだけでは、あやふやだよ。だが、暮木という男も園田の言葉に応じて、認めたわけだろう？」

「はい。そして謝っていました」

「そういう応酬があったというから、私も暮木はかつてトレーナーか、それに類する仕事をしていたんじゃないかと思うんだ。ああいう連中にも、独自のアンテナがあるからな」

暮木老人もまた、園田瑛子と向き合ってすぐに、彼女の過去の体験を推察し、嗅ぎ取ることができたということか。

「さっきも言ったが、園田の事件の後、私はフェノミナ人材開発研究所の連中と面談した。連中だけじゃなく、ほかの同業者を探して話を聞きにいったこともある。とにかく連中の内幕を知りたかったからな。それで気づいたことがある」

みんな同じ目をしているんだ、という。

「教官でも講師でもトレーナーでも、呼び方は様々だが、受講者を教える立場にある人間で、その業界では優秀だと評価されている者ほど、そうだった」

どんな目ですかと、私は訊いた。

「人を見る目じゃない。ものを見る目だ」と、義父は言った。「考えてみれば、それは当然なんだ。人は教育できる。だが連中が目指すのは教育じゃない。〈改造〉だ。人は改造などできない。改造できるのは〈もの〉だよ」

彼らは一様に熱心だった。自分のしていることを正しいと信じていた。

「確信を持って、私に向かってきた。私を説得できる。私にも自分の信念を共有させることができる。私をコントロールすることができる。そうして熱心に語れば語るほど、ものを見る目つきになって私を見るんだ。分解して掃除して組み立て直せばもっといい音が出るようになると、古ぼけた鉱石ラジオを手に取る子供みたいな邪気のない顔でな」

園田瑛子は、暮木老人のその目に気づいたのか。

「暮木という男も、ものを見る目で園田を見たから、彼女がかつて壊れたことがあると察し得たのかもしれない。なぜ、どんな理由で壊れたのかということも含めて」

それが、あの謎のようなやりとりの〈解〉なのだ。

「君も言っていたな。暮木老人は君たち人質を、舌先三寸で丸め込んだと」

「はい、全員がコントロールされていました」

「おそらく、その道では有能な人物だったんだろう。だから特徴も顕著に表れた。園田が気づいても不思議はない」

座り直すと、身を乗り出して机に腕を載せ、義父はしげしげと私を見た。

「バスジャックの後、君と話したのはいつだったかな？」

「二日後の夜です。前日に私は帰宅して、翌日は出勤して、遠山さんから連絡をいただきました。それで、こちらへ伺ったんだと思います」

「そうだな。ここで話したんだった」

義父はうなずき、懐手《ふところで》をした。

「あのときはまだ、園田があれほど深刻な状況にあるとは知らなくて、呑気《のんき》な話をしたもんだった。君はバスのなかから、空き地に乗り捨てられた子供の自転車を見ていたと言ったよな？」

「はい、確かそんなことを申しました」

「暮木という男が達弁だったことも、君は繰り返し話していたよ。君はそう簡単に他人の弁舌に混乱するような男じゃないからな。よっぽどの相手だったんだろうと、私も漠然とだが不安な気がした」

　園田瑛子は大丈夫だろうか、と。

　だが、義父はまだ私の顔を見ている。今の〈不安〉という言葉は、私に向けられたものなのだろうか。だとしたら何故だ？　私が問いかける言葉を探しているうちに、義父は目をそらしてしまった。

「仮に、あくまでも仮説として、暮木という男がかつてトレーナーだったとしても、STはとうにすたれているんだから、それが生業だったわけはない。彼の前歴を洗うには、S違う業界に目を向けるべきだろう」

「先ほどもおっしゃいましたね。ブームが去っても、STのスキルは残って、他の分野に進出していったと」

「うむ。どんな分野だと思う？」

　私が真っ先に思いついたのは、自己啓発セミナーだ。人間を〈改造〉するという点では、STの直系の子孫だろう。

「あれはもともとSTの義兄弟のようなものだからな。ほかには？」

「〈あなたの才能を開花させます〉〈あなたの人生を必ず成功に導きます〉的なうたい文句を並べた広告なら、全てがあてはまるような気がしますが……」

「そうだ。その延長線上に、でかいターゲットがあるとは思わんか」

成功、富、名声、人望、充足、自己実現。

私は顔を上げた。「いわゆる悪質商法ではありませんか」

義父は大きく二度うなずいた。「ああいう業界でも、集めたカモ──会員への教育と訓練は最重要事項だろう」

マルチ商法や架空投資詐欺などの悪質商法は、法規制の網を逃れるためにいろいろと進化・変化してきたが、芯の部分は変わりようがない。要するにネズミ講だ。客を増やし続けることができなければ、いつかは必ず破綻《はたん》する。だから新しい客の勧誘は組織としての絶対的な使命だ。客に客を連れてこさせる。一方で、既につかんだ顧客たちを離反させないことも肝要で、それにも継続的な教育、いや説得が必要になる。ほとんど洗脳と紙一重の深い説得、笑顔の下に暴力性を孕む説得が。

その説得術を、誰が教えるのか。起点はどこか。〈客〉たちは、それまではごく普通の会社員や学生や主婦や年金生活者なのだ。

そこにはプロの〈トレーナー〉の需要があるのではないか。

「確かにそうですね……！」

私の感嘆に、義父は硬いものを嚙むような口つきになって、苦笑した。

「そう感心してくれんでもいい。私は実例を知ってるんだ。だから思いついたんであって、カンニングしたみたいなもんだ」

「実例とおっしゃいますと」

「園田を殺しかけた講師の男だよ」

義父は、完全に何かを噛み砕く口つきになって、歯を食いしばった。

「フェノミナ人材開発研究所がつぶれた後、その方面に転身していた。これには私も驚いた。というより呆れた。呆れ返ったよ」

「会長は、フェノミナが失くなった後も、その男を追跡しておられたんですか」

「さすがにそこまではしなかった。向こうから勝手に消息を知らせてきたのさ」

意味がわからない。当惑する私に、義父は猛禽と綽名される所以の鷲鼻に皺を寄せて、こう尋ねた。

「君は、豊田商事事件を知っているか」

私はきょとんとした。

「知らんかな。あれは関西の事件だったし、代表が暴漢に刺し殺されたのが八五年だから――君はいくつだ？」

「十六、七ですね」

「じゃあ、興味もなかったろうな」苦笑いをして、「この国の負の歴史に残るマンモス詐欺事件だったんだよ。金地金《きんじがね》の〈ファミリー契約証券〉というのが売り物で、こいつはいわゆるペーパー商法の嚆矢《こうし》だろう」

豊田商事はもともと金地金の売買を引き受ける投資運用会社だった。

「金地金の売買は、現物取引が大原則だ。投資運用会社は、顧客の発注した分だけの金地金を買い、顧客の発注した分だけを売って、手数料を取る。つまり、顧客の要請に応じて、いつでも純金と現金を交換できるような体制で営業しなければいけない。しかしこれだと、投資会社の旨味《うまみ》は少ない」

そこで考案されたのが〈ファミリー契約証券〉だという。

「顧客に金地金の購入を勧めて、金地金は保管が大変だから、当社でお預かりします、所定の満期まで運用して、賃借料をお支払いしますと提案するわけだ」

顧客は金を買って預けたつもりなのだし、賃借料ももらえるのだから、実に安全で魅力的な投資話に思える。〈ファミリー契約証券〉は多くの人びとを惹きつけ、豊田商事はこの契約の会員を増やしていった。

「だが経営の実態はお寒いものでね。客の注文に見合う金地金は購入されていなかった」

実際には、豊田商事は、会員から集めた金を自転車操業で回して賃借料を払っていた。運用の母体となる金地金は存在しなかった。そもそも運用も投資もなされていなかった。より多くの会員を誘い入れるため、満期までの期間が長く、配当率の高い証券を販売するようになり、その高い配当金の捻出に苦しみ、会員たちからも不審や不満の声が上がるようになって、組織の瓦解《がかい》が始まったのだ。

客は〈投資〉したつもりでも、〈投資〉の実体は存在しない。幻だ。幻のベールの裏側では、詐欺師がかき集めた金を右から左に流している。もちろん、自分の取り分は懐に突っ込みながら。

そんな投資詐欺の話なら、規模の大小はあれど、昨今も珍しくない。実体のないものを売りつけるペーパー商法も後を絶たない。正体は同じで、外見の装いだけを悪賢く変えてみせる異相の美女に、何度痛い目に遭わされても恋着せずにはいられない男のように、我々の社会は悪質商法の存在を許してしまう。

「豊田商事のセールスには、客先を訪問して勧誘する外交員のほかに、テレフォンレディという女子従業員が大きな戦力になっていたんだ」

テレフォンレディの仕事は、単なる電話セールスではなかった。真の目的は情報収集だ。勧誘電話に出た相手と親しく語らいながら、家族構成や月収、資産状況などを聞き出す。外交員にとっては大いに役立つ事前情報だ。

「じゃ、編集長を殺しかけた男は、豊田商事でテレフォンレディの研修を？」

よくよく女性を教えたがる男じゃないか。

「ということなら、よく出来た話だが」

義父は短く笑った。

「いずれ〈ファミリー契約証券〉が破綻することは、豊田商事の幹部にもわかっていた。だからグループ会社を立ち上げたり、レジャー産業に手を伸ばしたりと、まあ、企業らしい努力もしたわけさ。グループ会社の方にも大げさな名称がついていたが、営業内容は徒《いたずら》に複雑で不透明、ただ本体から莫大な資金が投入されていたことだけは確かだ」

件の講師は、そうしたグループ会社のひとつにいたのだという。

「内部にいたんですね？　社員教育や営業活動に携わっていた？」

「そこまで詳しいことは、私も知らん」と、義父は答えた。急に口ぶりが重くなった。

「ただ、グループ会社の社員だったというだけだ」

私は義父の顔を見た。

「八五年の十二月の――中頃だったかな。ともかく押し詰まって忙しない頃だよ」

早朝、義父は警視庁湊《みなと》警察署からの電話で叩き起こされた。湊警察署の管轄内の路上で発見された、高所から転落死したと思われる会社員風の男性の遺体が貴方《あなた》の名刺を所持していたので、ご連絡しましたと。

「うちの社員ということもあり得るからな。私は遠山を連れて署へ駆けつけた」

遺体の顔に、義父は見覚えがあった。忘れることができない顔だった。

「園田瑛子を殺しかけたあの講師だった、と」

私が言うと、義父はうなずいた。

「遺体は、財布も運転免許証も持ってなかった。だからすぐには身元がわからなくて、警察も、残された所持品の名刺の主に連絡するしかなかったんだよ」

「会長の名刺はどこに？」

「胸ポケットのシステム手帳に挟んであったそうだ。手帳にはほかにも、合わせて三十枚ほどの名刺が入っていた」

私の名刺はワン・オブ・ゼムだと、義父は低く呟いた。

「あの男が、死ぬ前に処分しなくてもいいと思った名刺のワン・オブ・ゼムだ」

私は言った。「その男を殺した何者かが、処分せずに残しておいてもいいと判断した名刺のワン・オブ・ゼムかもしれません」

自殺だったんだと、義父は言った。

「口封じに殺されるほど重要な存在じゃなかった。ただの社員だ。その後の捜査ではっきりしたんだよ。すぐそばのビルの屋上から飛び降りたんだ」

義父は私をなだめるような顔をしていた。

「まあ、そんな次第で」と、軽くため息をついて、「私も思いがけず、あの講師のその後の人生を知ったわけさ」

妙に納得がいったよ——

「口舌《こうぜつ》の徒《と》らしい転身だったな、と」

悪質商法などの組織的詐欺を摘発する場合、警察も検察も、狙うのは本丸だ。ひと握りのトップのみである。裾野の会員はもちろん、側近クラスでも訴追を免れることがある。彼らを訴追するよりも、彼らから情報を引き出すことによって幹部の罪状を固め、詐欺システムの全貌を明らかにすることの方が優先されるからだ。

件の講師の場合も、そうだったのだろう。グループ会社の一社員だったという程度では、雑魚《ざこ》に過ぎない。

それでも私は、本当に自殺だったかどうか怪しいと思う。組織にとっては雑魚でも、彼と直接的な繋がりを持っていた客や部下にとっては、彼が直近の加害者だったはずだ。警察にも検察にも追われなくても、彼が騙した――〈教育〉した個人には追われていたかもしれない。恨まれていたかもしれない。

園田瑛子だって、恨んでいたはずだ。

「あの男が、八二年に会った時に私が渡した名刺を後生大事に持っていたのは、何かしら使い道があるかもしれないと思ったからだろう。私はそのことで、当時はまだ三十代で可愛かった遠山に、こっぴどく叱られたよ。そういう胡乱《うろん》な人物に、軽々に名刺を渡すなと」

「そうですね。会長がご存じないうちに、悪用されていたかもしれません」

「遠山も同じことを言っていた」

「名刺で横っ面を叩いてやりたかったお気持ちはわかりますが、叩いて気が済んだら、その場で取り戻しておくべきでした」

「叩くより、私は私の名刺であの男の喉を掻き切ってやりたかったんだ」

義父がこんな直接的な表現をするとは。耳を疑う思いだ。

「会長」

「何だ」

「まさか会長が殺したのではありませんよね」

アブナい冗談を、二人で笑った。

「ずっと気になっていたんですが、会長は一度もその男の名前をおっしゃいませんね」

「意味がないからだよ」

義父は骨張った肩をすくめた。

「フェノミナにいたときと、死体で発見されたときと、違う名前だったからな」

名前ばかりではない。年齢も出身地も経歴も、すべて異なっていたという。

「身元からして偽っていたわけですね」

言って、私はひやりとした。「もしかしたら暮木老人も……」

義父はうなずいた。「私の想像があたっているならば、暮木一光が本名であるとは限らないと、私は思う」

「でも身元を偽るなんて、そう簡単にできるものでしょうか」

「その気になれば不可能じゃないさ」

警察筋から、こんな話を聞いたことがある——と、義父は私の方に身を乗り出した。

「豊田商事事件の後に、そうだな、十年から十五年くらいのあいだ、架空投資詐欺や悪質商法の事件を摘発すると、そこの幹部や関係者にしばしば豊田商事出身の人間がいて、驚いたものだそうだ。豊田商事くずれが本家本元のやり方を真似ていたんだよ」

ひとつの花が実を結び、そこから無数の種が飛び散り、風に乗って広がり、新しい場所で小さな芽を出す。そういうことだ。ただしその花は、悪の花だった。

「で、そういう連中は、名前も経歴も豊田商事時代とは変えていた。過去を切り捨て、生まれ変わっていた」

私はうなった。

「さすがに昨今はあの業界も世代交代が進んで、豊田商事の残党は見かけなくなったそうだが、スキルは継承されているはずだ。ソフトというものは、一度開発されると、そう簡単には滅びない」

負の地下水脈だ――と、義父は言った。

「そういうスキルに習熟した人間は、それを活《い》かす場所を探そうとする」

汗水たらして何かを作ったり、働いたりして稼ぐよりも、口先で人を動かし、ある考え方を植え付け、騙して儲ける旨味を覚えてしまうと、そこから抜けられなくなるのだ。

「人を教え導くというのは、本来、非常に尊い技だ。難しい技でもある。そうそう誰にでもできることではない。だからこそ教育者には適性というものがあるはずだ。だが、適性だけでは道を誤ることがある。教育の目的の正邪を見極める良心を欠いてしまえば」

ざっとこんなところだ――と、義父は軽く両手を広げた。「私のプレゼンは」

「暮木老人が、どういう形であれ詐欺的な仕事をしていたのかもしれないというお説は、よくわかりました。ただ、STの落とし子という意味では、カルト的な宗教団体の関係者だったという可能性もありませんか」

人を洗脳する、言いくるめる、〈折伏《しやくぶく》〉するという点で、詐欺師と同じスキルが有効な世界だ。

「それは私も考えた。だがバスのなかで、田中という人質の男性が、じいさんは宗教がらみかと尋ねたら、暮木という男はあっさり否定したそうじゃないか」

そういえばそうだ。私は義父の記憶力に驚いた。

「そうですね……。宗教は苦手だと言っていました」

「暮木自身がかつてそういう組織の内側にいて、ちっとも宗教的でないことを見聞きしたから嫌いになったのかもしれない。だから可能性を否定しきることはできないが」

義父は眉根を寄せた。「ただ私は、暮木が警察に連れてこさせようとした三人の存在が気になるんだ。暮木は彼らのことを、君たちに何と言った？」

これは私もよく覚えていた。「罪がある、と言いました」

「どんな罪だか説明したか？　たとえば掟《おきて》を破ったとか、神の教えに背を向けたとか」

「いいえ」私はかぶりを振った。「その種の言葉はありませんでした。もっと現実的な意味合いの〈罪〉だと言っているように、少なくとも私は受け取りました」

暮木老人は、彼らを見つけて連れてくることを要求した際、「警察の威信を見せてください」と言った。そうだ、あの時は私も、その表現に引っかかったのだった。

「何だか生臭くないかね」と、義父は言った。「暮木が早い段階から君たちに、慰謝料云々の金の話ばかりしていたことも考え合わせると、私の想像はどうしても、マルチだの架空投資だのの方に行ってしまうんだよ」

そして急に小さく笑うと、その笑いを打ち消すように手を振った。

「すまん、今のは思い出し笑いだ」

「何を思い出されたんですか」

「若いころ、投資じゃなく融資話に絡んで、私もケチな詐欺師に一杯食わされた経験があってね」

猛禽と呼ばれた今多嘉親にも、そんなことがあったのだ。

「いい経験だと、割り切るしかなかった。当時、事業仲間や先輩にも言われたよ。〈高い授業料を払ったと思え〉と」

教育者と詐欺師は根本から異なる存在だが、詐欺師が教育的指導を残してくれることもある。

「悪質商法では、確信犯の幹部は別として、勧誘されて顧客や会員になった一般人が、今度は自分が身内や友人を勧誘することで、結果的に加害者になってしまうこともあるだろう？」

被害者であると同時に詐欺の加担者、加害者でもあるという厄介な立場だ。加害者ではあるが、詐欺集団が摘発されても、ほとんどの場合は刑事罰を逃れる。スタート時点では巻き込まれた被害者なのだし、加害者的立場に立ったのも、騙された結果なのだから。

それでも、やったことは後に残る。

「私には、暮木という男が件の三人をさして言った〈罪〉が、その類いのもののように思えるんだよ。ここまでいくと、想像というか、妄想がたくましすぎるかもしれないが」

「いえ、やはり思い切ってお尋ねしてよかったと思います」

ありがとうございましたと、私は一礼した。

「で、私はこれをどうすればいいんだ」

義父は目顔で机の上の退職願を示した。

「お預かりいただけませんか」

「預かるのはいいが、その先は？　君たちが暮木からの金を受け取ることにしたとき、正式に受理すればいいのか。それとも、君たちが金を警察に届け出るときに受理すればいいのか」

「この件が表沙汰になれば、社にご迷惑をおかけすることになり」

私が言い終えないうちに、義父は退職願を手に取って、机のいちばん上の引き出しを開き、そこに投げ入れた。

「私がこれを受理するタイミングは、君が決めろ。私に任されても困る。君が受け取れという時期が来たら受け取るし、返してくれと言うなら返そう。それまでは預かる」

私はまた、黙って頭を下げた。

「ただし、ひとつ条件がある」

義父の眼差しが厳しく尖った。

「菜穂子に全て話しなさい。あれに隠しておくのは許さん」

夫婦の問題だ、と言った。

「社のことより、君は本来、真っ先に菜穂子のことを考えるべきだったんだ」

「申し訳ありません」

「菜穂子が、そんな金など受け取らないでくれ、事情を探り回ることもやめてくれと言ったなら、君はどうする？」

「――話し合います」

「何だ、菜穂子の希望を聞いてやらないのか」

「この件では、私は一人ではありません。ほかにも金を送りつけられた人たちがいます。それぞれに事情も違います」

義父の眼差しが、わずかに揺らいだ。

「経営者の資金繰りの苦労なら、君に教えられなくても私は知っているよ」

「はい」

「学費の工面がつかずに、進学を諦めなければならない悔しさも知っている」

「はい」

「君は暮木の金をめぐる事情なんぞを探り回るより、人質仲間を説得して、一時間でも早く山藤警部に会いに行くべきだと思わんか」

私は答えられなかった。後生だから黙っていてくれという田中氏の声が、耳の底によみがえる。瞼の裏には、大学に入り直したいと、うつむいていた坂本君の顔が浮かぶ。

「──わかった」

退職願を投げ入れた引き出しを見つめて、義父は言った。

「では、グループ広報誌の発行人として、君に仕事を命じる」

「は？」

「これから行う調査を記録し、原稿を書いて私に提出しなさい。記事にするかどうかは、私が決める」

「いや、しかし、これを記事になんて」

「それは私が決める。君は調べて書け。園田は元気になったんだし、間野と野本がいれば、通常の編集業務に障りはないだろう」

期限は二週間だ、と言った。

「締切りを守るように。それだけだ」

私は椅子から立ち上がった。「ありがとうございます」

「早く帰りなさい。菜穂子が心配する」

常夜灯の明かりを頼りに勝手口を通って、私は今多邸から外に出た。暗闇に沈む庭にはか細い虫の声がした。秋の終わりの、最後のひと鳴きだ。

我が家に帰り着くと、廊下の先、リビングルームのスタンドが点いていた。ソファに横になっていた菜穂子が身を起こした。

「おかえりなさい」

妻には、義父に会うとは告げていなかった。急用で出かける、遅くなるから先に寝ていてくれと言っただけだった。

「起きてることなかったのに」

妻は眠そうな目で照れ笑いをした。「テレビを観てるうちに、うたた寝しちゃったの」

日頃、妻にはそんな習慣はない。私のあわただしい電話に何か察するものがあって、起きて待っていてくれたのだ。

「実は、フロントで、あなたが午後早いうちにいっぺん帰ってきたって聞いたのよ」

妻は眠そうな目の奥に不安を隠していた。

「そんなの珍しいし、急に遅くなるって言うし……。なんだか気になっちゃって」

このごろ、ゆっくり話もしてなかったしと言って、髪をかき上げた。

「心配かけてごめんよ」

自分でも驚いた。私の声は震えていた。

妻が私の顔をのぞき込んだ。

「――どうしたの？」

私は語った。何から何まで。並んでソファに腰をおろし、話の途中で妻は私の手を握ってくれた。

「あなた」

全て聞き終えると、妻は少し痛そうに微笑んで、こう言った。

「お父様から特命を受けたのね」

勝手なことばかりする夫を許す妻の言葉としては、ずいぶんと珍しい台詞だろう。

（下巻につづく）

初出
この作品は、二〇一〇年九月十二日〜一三年十月三日の期間、千葉日報、福島民友、北國新聞（夕）、南日本新聞、日本海新聞、岩手日報、北羽新報、東愛知新聞、荘内日報、静岡新聞（夕）、苫小牧民報、上毛新聞、佐賀新聞、岐阜新聞（夕）、東奥日報（夕）、河北新報（夕）など二十二紙に順次掲載されたものに加筆修正したものです。

単行本
二〇一三年十二月　集英社刊

文庫化にあたり、上下二分冊としました。

文春文庫

ペテロの葬列《そうれつ》 上

定価はカバーに
表示してあります

2016年4月10日　第1刷
2025年10月25日　第5刷

著　者　宮部《みやべ》みゆき

発行者　大沼貴之
発行所　株式会社 文藝春秋

東京都千代田区紀尾井町 3-23　〒102-8008
T E L　03・3265・1211㈹
文藝春秋ホームページ　https://www.bunshun.co.jp

落丁、乱丁本は、お手数ですが小社製作部宛お送り下さい。送料小社負担でお取替致します。

印刷・TOPPANクロレ　製本・加藤製本

Printed in Japan
ISBN978-4-16-790584-2

（　）内は解説者。品切の節はご容赦下さい。

林　真理子
不機嫌な果実
三十二歳の水越麻也子は、自分を顧みない夫に対する密かな復讐として、元恋人や歳下の音楽評論家と不倫を重ねるが……。男女の愛情の虚実を醒めた視点で痛烈に描いた、傑作恋愛小説。
は-3-20

伊集院　静
羊の目
男の名はサイレントマン。神に祈りを捧げる殺人者——。戦後の闇社会を震撼させたヤクザの、哀しくも一途な生涯を描き、なお清々しい余韻を残す長篇大河小説。（西木正明）
い-26-15

小川洋子
猫を抱いて象と泳ぐ
伝説のチェスプレーヤー、リトル・アリョーヒン。彼はいつしか「盤下の詩人」として奇跡のように美しい棋譜を生み出す。静謐にして愛おしい、宝物のような傑作長篇小説。（山﨑　努）
お-17-3

角田光代
対岸の彼女
女社長の葵と、専業主婦の小夜子。二人の出会いと友情は、些細なことから亀裂が入るが……。孤独から希望へ、感動の傑作長篇。ロングセラーとして愛され続ける直木賞受賞作。（森　絵都）
か-32-5

森　絵都
カラフル
生前の罪により僕の魂は輪廻サイクルから外されたが、天使業界の抽選に当たり再挑戦のチャンスを得る。それは自殺を図った少年の体へのホームステイから始まって……。（阿川佐和子）
も-20-1

有吉佐和子
青い壺
無名の陶芸家が生んだ青磁の壺が売られ贈られ盗まれ、十余年後に作者と再会した時——。壺が映し出した人間の有為転変を鮮やかに描き出した有吉文学の名作、復刊！（平松洋子）
あ-3-5

太宰　治
斜陽《しやよう》 人間失格《にんげんしつかく》 桜桃《おうとう》 走《はし》れメロス 外七篇
没落貴族の哀歓を描く「斜陽」、太宰文学の総決算「人間失格」、美しい友情の物語「走れメロス」など、日本が生んだ天才作家の代表作が一冊になった。詳しい傍注と年譜付き。（臼井吉見）
た-47-1

（　）内は解説者。品切の節はご容赦下さい。

横山秀夫
クライマーズ・ハイ
日航機墜落事故が地元新聞社を襲った。衝立岩登攀を予定していた遊軍記者が全権デスクに任命される。組織、仕事、家族、人生の岐路に立たされた男の決断。渾身の感動傑作。（後藤正治）
よ-18-3

伊坂幸太郎
死神の精度
冴えない会社員、昔ながらのやくざ、恋をする青年……真面目でちょっとズレた死神・千葉が出会う、6つの人生を描いた短編集。著者の特別インタビューも収録。

い-70-3

奥田英朗
イン・ザ・プール
プール依存症、陰茎強直症、妄想癖など、様々な病気で悩む患者が病院を訪れるも、精神科医・伊良部の暴走治療ぶりに呆れるばかり。こいつは名医か、ヤブ医者か？　シリーズ第一作。

お-38-1

黒川博行
後妻業
結婚した老齢の相手との死別を繰り返す女・小夜子と、結婚相談所の柏木につきまとう黒い疑惑。高齢の資産家男性を狙う〝後妻業〟を描き、世間を震撼させた超問題作！（白幡光明）
く-9-13

恩田　陸
木洩れ日に泳ぐ魚
アパートの一室で語り合う男女。過去を懐かしむ二人の言葉に、意外な真実が混じり始める。初夏の風、大きな柱時計、あの男の背中。心理戦が冴える舞台型ミステリー。（鴻上尚史）
お-42-3

柚木麻子
ナイルパーチの女子会
商社で働く栄利子は、人気主婦ブロガーの翔子と出会い意気投合。だが同僚や両親との間に問題を抱える二人の関係は徐々に変化して――。山本周五郎賞受賞作。（重松　清）
ゆ-9-3

篠田節子
冬の光
四国遍路の帰路、冬の海に消えた父。家庭人として企業人として恵まれた人生ではなかったのか……足跡を辿る次女が見た最期の景色と人生の深遠が胸に迫る長編傑作。（八重樫克彦）
し-32-12

（　）内は解説者。品切の節はご容赦下さい。

又吉直樹
火花
売れない芸人の徳永は、先輩芸人の神谷を師として仰ぐようになる。二人の出会いの果てに、見える景色は。第一五三回芥川賞受賞作。受賞記念エッセイ「芥川龍之介への手紙」を併録。

ま-38-1

村田沙耶香
コンビニ人間
コンビニバイト歴十八年の古倉恵子。夢の中でもレジを打ち、誰よりも大きくお客様に声をかける。ある日、婚活目的の男性がやってきて――話題沸騰の芥川賞受賞作。（中村文則）
む-16-1

宮下奈都
羊と鋼の森
ピアノの調律に魅せられた一人の青年が、調律師として、人として成長する姿を温かく静謐な筆致で綴った長編小説。伝説の三冠を達成した本屋大賞受賞作、待望の文庫化。（佐藤多佳子）
み-43-2

瀬尾まいこ
そして、バトンは渡された
幼少より大人の都合で何度も親が替わり、今は二十歳差の〝父〟と暮らす優子。だが家族皆から愛情を注がれた彼女が伴侶を持つとき――。心温まる本屋大賞受賞作。（上白石萌音）
せ-8-3

姫野カオルコ
彼女は頭が悪いから
東大生集団猥褻事件で被害者の美咲が東大生の将来をダメにした〝勘違い女〟と非難されてしまう。現代人の内なる差別意識に切り込んだ社会派小説の新境地！　柴田錬三郎賞選考委員絶賛。

ひ-14-4

馳　星周
少年と犬
犯罪に手を染めた男や壊れかけた夫婦など傷つき悩む人々に寄り添う一匹の犬は、なぜかいつも南の方角を向いていた。人と犬の種を超えた深い絆を描く直木賞受賞作。（北方謙三）
は-25-10

綿矢りさ
かわいそうだね？
同情は美しい？　卑しい？　美人の親友のこと本当に好き？　滑稽でブラックで愛おしい女同士の世界。本音がこぼれる瞬間を描いた二篇を収録。第六回大江健三郎賞受賞作。（東　直子）
わ-17-2

（　）内は解説者。品切の節はご容赦下さい。

東野圭吾
秘密
妻と娘を乗せたバスが崖から転落。妻の葬儀の夜、意識を取り戻した娘の体に宿っていたのは、死んだ筈の妻だった。日本推理作家協会賞受賞。（広末涼子・皆川博子）
ひ-13-1

東野圭吾
透明な螺旋
今、明かされる「ガリレオの真実」――。殺人事件の関係者として、ガリレオの名が浮上。草薙は両親のもとに滞在する湯川学を訪ねる。シリーズ最大の秘密が明かされる衝撃作。
ひ-13-14

池井戸　潤
オレたちバブル入行組
支店長命令で融資を実行した会社が倒産。社長は雲隠れ。上司は責任回避。四面楚歌のオレには債権回収あるのみ……。半沢直樹が活躍する痛快エンタテインメント第1弾！（村上貴史）
い-64-2

池井戸　潤
シャイロックの子供たち
現金紛失事件の後、行員が失踪!?　上がらない成績、叩き上げの誇り、社内恋愛、家族への思い……事件の裏に透ける行員たちの葛藤。圧巻の金融クライム・ノベル！（霜月　蒼）
い-64-3

湊　かなえ
花の鎖
元英語講師の梨花、結婚後に子供ができずに悩む美雪、絵画講師の紗月。彼女たちの人生に影を落とす謎の男K……。三人の女性たちを結ぶものとは？　感動の傑作ミステリ。（加藤　泉）
み-44-1

宮部みゆき
蒲生邸事件（上下）
予備校受験で上京した孝史はホテルで火災に遭遇。時間旅行の能力を持つという男に間一髪で救われるも気づくと昭和十一年二月二十六日、雪降りしきる帝都・東京にいた。（末國善己）
み-17-12

有栖川有栖
捜査線上の夕映え
マンションの一室で、男が鈍器で殴り殺された。金銭の貸し借りや異性関係トラブルで、容疑者が浮上するも……。各ランキングを席巻した「火村シリーズ」新境地の傑作長編。（佐々木　敦）
あ-59-3